ERVAS QUE CURAM

ERVAS QUE CURAM

Um Repertório Completo de Remédios Caseiros,
Chás, Infusões Simples e Eficazes para
Tratar Doenças e Males de Forma Natural

COLLEEN CODEKAS

Fundadora do blog Grow Forage Cook Ferment

Tradução
HUMBERTO MOURA NETO
MARTHA ARGEL

Editora
Pensamento
SÃO PAULO

Título do original: *Healing Herbal Infusions*.

Copyright © 2018 Colleen Codekas.

Publicado mediante acordo com Page Street Publishing Co.

Copyright da edição brasileira © 2021 Editora Pensamento-Cultrix Ltda.

1ª edição 2021. / 1ª reimpressão 2023.

Todos os direitos reservados. Nenhuma parte deste livro pode ser reproduzida ou usada de qualquer forma ou por qualquer meio, eletrônico ou mecânico, inclusive fotocópias, gravações ou sistema de armazenamento em banco de dados, sem permissão por escrito, exceto nos casos de trechos curtos citados em resenhas críticas ou artigos de revista.

A Editora Pensamento não se responsabiliza por eventuais mudanças ocorridas nos endereços convencionais ou eletrônicos citados neste livro.

Capa: Laura Gallant, para a Page Street Publishing Co.
Fotografias de Colleen Codekas
Ilustrações de Jennifer Anne Nelson

Editor: Adilson Silva Ramachandra
Gerente editorial: Roseli de S. Ferraz
Revisão técnica: Caio Arsênio Moretti
Gerente de produção editorial: Indiara Faria Kayo
Editoração eletrônica: Join Bureau
Revisão: Vivian Miwa Matsushita

Dados Internacionais de Catalogação na Publicação (CIP)
(Câmara Brasileira do Livro, SP, Brasil)

Codekas, Colleen
   Ervas que curam: um repertório completo de remédios caseiros, chás, infusões simples e eficazes para tratar doenças e males de forma natural / Colleen Codekas; tradução Humberto Moura Neto, Martha Argel. – São Paulo: Editora Pensamento Cultrix, 2021.

   Título original: Healing herbal infusions
   ISBN 978-85-315-2145-4

   1. Ervas – Uso terapêutico – Obras de divulgação I. Título.

21-70558
CDD-615.321

Índices para catálogo sistemático:
   1. Ervas: Uso terapêutico: Fitoterapia   615.321
   Cibele Maria Dias – Bibliotecária – CRB-8/9427

Direitos de tradução para o Brasil adquiridos com exclusividade pela
EDITORA PENSAMENTO-CULTRIX LTDA., que se reserva a
propriedade literária desta tradução.
Rua Dr. Mário Vicente, 368 – 04270-000 – São Paulo – SP – Fone: (11) 2066-9000
http://www.editorapensamento.com.br
E-mail: atendimento@editorapensamento.com.br
Foi feito o depósito legal.

Para Joel e Sawyer,
meus dois parceiros na vida.

SUMÁRIO

Introdução – Por Que Amo as Infusões de Ervas e Como Usar Este Livro ... 8

ASPECTOS BÁSICOS DAS INFUSÕES TERAPÊUTICAS DE ERVAS ... 11

Aquisição e Preparo de Ervas e Flores para a Infusão ... 12
   Colhendo suas ervas ... 12
   Métodos para a secagem de ervas e flores ... 13
   Quando usar material vegetal fresco ou seco ... 14
Tipos de Infusões de Ervas e como Fazê-las ... 15
   Chás medicinais, infusões de um dia para o outro e decocções ... 15
   Infusões em álcool e em vinagre ... 15
   Infusões em mel e extratos glicólicos ... 15
   Infusões em óleo ... 17
   Infusão a frio ... 17
   Método rápido do calor ... 17
   Método do aquecimento solar ... 18
   Equipamento útil para fazer infusões ... 18
Dicas para Fazer Pomadas, Bálsamos e Manteigas ... 19
   A escolha dos óleos carreadores ... 19
   Ceras e manteigas ... 19
   Equipamento e como preparar um banho-maria ... 20
Como Usar e Guardar suas Infusões ... 21
   Usando suas infusões ... 21
   Rótulos, armazenamento e prazo de validade ... 22
Considerações sobre Segurança e Dosagem para Crianças ... 23
   Alguns comentários sobre segurança ... 23
   Como preparar a dosagem apropriada para crianças ... 23

INFUSÕES PARA AUMENTAR A IMUNIDADE ... 25

Chá para Superimunidade ... 27
Chá de Vitamina C ... 28
Tintura de Sabugueiro e Astrágalo ... 31
Tintura de Raiz e Flor de Equinácea ... 32
Alho, Gengibre e Sálvia Fermentados no Mel ... 35
Cebola Roxa e Tomilho Fermentados no Mel ... 36
Mel com Sabugueiro, Gengibre e Canela ... 39
Oximel de Ervas Culinárias Frescas ... 40
Infusão de Vinagre para Aumentar a Imunidade (Quente ou Não) ... 43
Óleo Infuso de Orégano e Limão ... 44

INFUSÕES PARA ATENUAR AS DORES ... 47

Pomada de Arnica para Entorses e Contusões ... 49
Óleo de Coco Infuso de Maconha para Dores Corporais ... 50
Óleo de Erva-de-São-João e Pimenta-Caiena para Aquecer ... 53
Óleo com Lavanda e Hortelã-Pimenta para Dores Musculares ... 54
Chá de Salgueiro-Branco e Casca de Bétula para Alívio da Dor ... 57
Chá de Manjericão, Tomilho e Orégano para Dor Crônica ... 58
Chá de Cúrcuma e Pimenta-do-Reino para Inflamação Crônica ... 61
Pomada Cicatrizante com Quatro Ervas ... 62
Pomada com Ervas e Mel para Queimaduras ... 65
Bálsamo para Coceira e Dor de Picadas ... 66
Infusão de *Aloe vera* para Queimadura de Sol ... 69

INFUSÕES PARA ALIVIAR MALES VARIADOS ... 71

Chá para Alívio da Dor de Cabeça ... 73
Tintura de Matricária para Prevenção de Enxaqueca ... 74
Chá de Sálvia, Alteia e Gengibre para Dor de Garganta ... 77
Xarope de Marroio-Branco para Dor de Garganta ... 78
Chá de Tomilho, Hortelã-Pimenta e Mel para Tosse ... 81
Xarope de Agulha de Pinheiro para Tosse ... 82
Chá para Baixar a Febre ... 85
Óleo de Flor de Verbasco para Dor de Ouvido ... 86
Tintura de Uísque com Cravo-da-Índia para Dor de Dente ... 89

Chá de Pilriteiro e Hibisco para o Coração	90
Tônico para o Fígado	93
Chá para Alívio de Infecções Urinárias	94
Pomada para o Alívio de Eczema	97
Bálsamo Labial de Erva-Cidreira para Herpes	98

INFUSÕES PARA FACILITAR A DIGESTÃO 101

Xarope de Decocção de Gengibre e Cúrcuma com Mel	103
Eletuário Prebiótico de Mel	104
Chá Pós-Refeição de Funcho e Cardamomo para a Barriga	107
Chá Digestivo de Alteia e Canela	108
Chai de Raiz de Chicória Torrada	111
Chá Quatro Mentas Quente ou Gelado	112
Bitter de Raízes de Dente-de-Leão e de Bardana	115
Bitter de Salsaparrilha e Funcho	116
Infusão de Vinagre com Ervas para Azia	119

INFUSÕES PARA O BEM-ESTAR INTERIOR 121

Chá de Longa Infusão de Urtiga e Palha de Aveia para Vitalidade	123
Chá Durma Bem	124
Chá para Alívio do Estresse	127
Óleo de Massagem Calmante	128
Tintura de Erva-de-São-João para Levantar o Astral	131
Tintura de Papoula-da-Califórnia para Relaxamento	132
Vinho com Infusão de Flor de Maracujá	135
Banho de Imersão Rejuvenescedor com Flores	136
Vaporização Facial Relaxante de Ervas	139

INFUSÕES PARA NUTRIR PELE, LÁBIOS E CABELOS 141

Manteiga Corporal Terapêutica Batida com Flores Curativas	143
Sérum Facial de Pétalas de Rosa e Rosa-Mosqueta	144
Loção Calmante de Esparguta em Barra	147
Bálsamo para Mãos Secas	148
Bálsamo de Cacau e Hortelã para Calcanhar Rachado	151
Bálsamo de Camomila, Alteia e Baunilha para Lábios Ressecados	152
Bálsamo para Espinhas	155
Loção de Hamamélis e Folha de Amora-Preta para Limpeza Facial	156

Shampoo Natural de Ervas	159
Vinagre de Enxágue com Girassol, Folha de Violeta e Hortelã para Cabelos	160
Tratamento com Alecrim e Tomilho para Descamação do Couro Cabeludo	163
Óleo de Abeto e Urtiga para Barba	164

INFUSÕES PARA MÃES E FILHOS 167

Chá de Longa Infusão para Fertilidade	169
Chá Tônico para a Gravidez	170
Chá para Lactação	173
Manteiga para Mamilos Doloridos	174
Óleo com Camomila e Calêndula para Bebês	177
Óleo para Crosta Láctea	178
Pomada para Assaduras de Bebês	181
Bálsamo para Dodóis	182
Chá Calmante para Crianças	185
Extrato Glicólico de Sabugueiro e Equinácea para Resfriados e Gripes	186
Extrato Glicólico de Calêndula e Frutos de Rosa para Aumentar a Imunidade	189

Perfis de Ervas e Flores	191
Recursos	200
Agradecimentos	201
Índice Remissivo	202

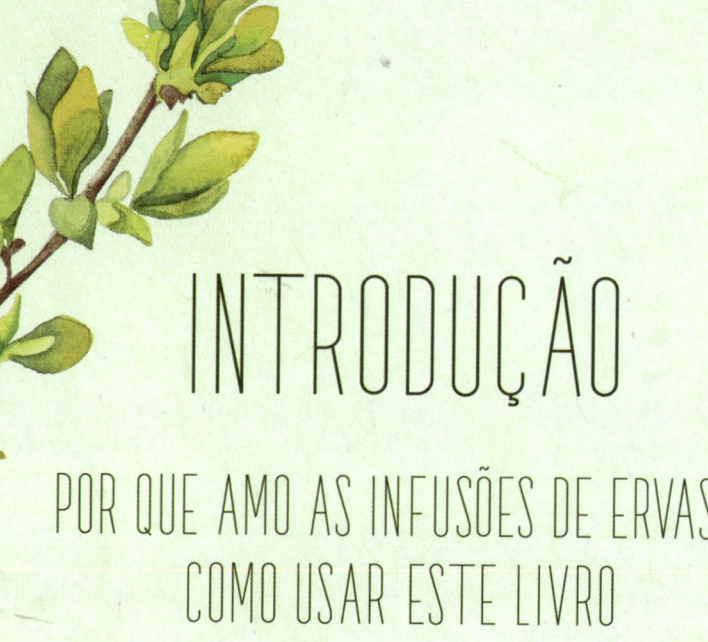

INTRODUÇÃO

POR QUE AMO AS INFUSÕES DE ERVAS E COMO USAR ESTE LIVRO

Antes de mergulhar na fitoterapia, quase tudo nela me parecia difícil ou além de minhas capacidades. Eu não achava que tinha conhecimento ou habilidade para fazer coisas como tinturas e pomadas partindo do zero. Quando, porém, resolvi por fim preparar meu primeiro óleo de infusão – depois de adiar por tempo demais –, eu realmente não consegui acreditar como havia sido fácil! Foi um momento de revelação. Eu estava fazendo remédios fitoterápicos!

Colocar ervas secas em potes de vidro, cobri-las com óleo e deixá-las curtir por semanas é algo que todo mundo pode fazer. Fora isso, é só uma questão de escolher as ervas certas e o meio de infusão que vai atender melhor as suas necessidades particulares – e este livro pode ajudá-lo nessa tarefa. Tudo o que você vai precisar para preparar estas receitas são as ervas, um líquido para a infusão e tempo.

Tempo. Todos nós sempre precisamos de mais um pouquinho, não é? Por sorte, a preparação destas receitas requer muito pouco tempo. Essa é a real beleza das infusões de ervas, e o motivo pelo qual eu as amo tanto. Elas demoram para curtir e infundir e concentrar suas propriedades no meio que estão infundindo – óleo, vinagre, mel, álcool, água ou glicerina. Mas o melhor de tudo é que nesse período você não precisa fazer nada. As ervas estão trabalhando por você, enquanto você segue sua vida, esperando pacientemente o resultado. No final, você terá um remédio de ervas, que pode usar na forma em que está, como uma tintura, chá ou infusão em

vinagre, ou pode transformar em algum outro produto, como, por exemplo, usar o óleo de infusão na elaboração de uma pomada curativa, manteiga corporal ou protetor labial.

Este livro foi planejado para ser um guia e para ajudar na escolha do melhor remédio de ervas para você e seus entes queridos. Escolhi estas receitas especialmente para abranger uma ampla gama de males e problemas de saúde comuns. Caso você ou um familiar esteja sofrendo de um resfriado comum ou gripe, dores musculares ou no corpo, enxaqueca ou dor de ouvido, problemas estomacais ou azia, ansiedade ou insônia, pele seca ou descamação do couro cabeludo, ou que tenha um bebê com assaduras, este livro tem um tratamento com ervas para você, e muitos outros!

As receitas e os remédios deste livro são todos muito simples de preparar e utilizam ervas que em geral são consideradas muito seguras para toda a família. Há algumas poucas exceções para crianças pequenas, gestantes ou pessoas com problemas de saúde específicos, e isso é mencionado nestas receitas. As fórmulas que incluí fazem com que as pessoas que estão começando a utilizar a fitoterapia confiem nas receitas desenvolvidas para tratar uma determinada indisposição. Se necessário, sinta-se à vontade para realizar ajustes nas receitas, atentando para a ação das ervas de modo a poder encontrar uma alternativa adequada para suas necessidades em particular. A seção "Perfis de Ervas e Flores" no final do livro (p. 191) vai ajudar você nesse aspecto. Caso esteja começado a aprender o básico sobre as infusões de ervas, ou já tenha alguma experiência em elaborar remédios fitoterápicos, você pode usar o guia de infusão que está no início do livro (p. 11) e os perfis de ervas e flores para preparar seus próprios remédios.

Quando peguei o primeiro óleo de infusão que fiz – uma mistura de calêndula, lavanda e tanchagem – e o transformei em uma pomada, soube que estava iniciando uma longa jornada no mundo das ervas. Tive a sensação de ser a coisa certa, como se fosse algo que eu estava destinada a fazer. Assim, durante muitos anos expandi meu conhecimento usando principalmente ervas, flores, raízes, frutos silvestres, cascas e folhas coletados na natureza ou cultivados em casa. E agora tenho a satisfação de compartilhar todo esse conhecimento com você neste livro. Espero que ele se torne uma parte de sua viagem pelo mundo das ervas rumo ao bem-estar natural!

ASPECTOS BÁSICOS DAS INFUSÕES TERAPÊUTICAS DE ERVAS

Antes de começarmos, tenho algumas dicas e truques sobre onde e como adquirir suas ervas e flores. Também explico se você deve usar plantas frescas ou secas – e como secá-las. E vou lhe apresentar alguns aspectos básicos dos tipos de infusão que incluí neste livro, como prepará-los, usá-los e armazená-los. Volte a consultar esta seção sempre que precisar de ajuda ou for necessário recordar como começar ou como preparar as receitas que se seguem. A seção "Recursos", ao final do livro (p. 200), traz mais informações sobre onde adquirir alguns dos ingredientes e equipamentos aqui listados.[1]

---

[1] No Brasil, tanto os ingredientes quanto os equipamentos podem ser encontrados em sites e lojas especializadas de produtos orgânicos e fitoterápicos. (N.T.)

AQUISIÇÃO E PREPARO DE ERVAS E FLORES PARA A INFUSÃO

Colhendo suas ervas

Muitas das ervas e flores citadas neste livro podem ser cultivadas em seu jardim ou quintal, ou podem ser coletadas na natureza. Recomendo usar ambos os métodos o máximo possível. Sempre digo que o primeiro passo na jornada de cura é estar ao ar livre, na natureza, com o sol na pele ou a chuva no rosto, com o sangue pulsando através de nossas veias ao coletar ou plantar nossos próprios remédios.

É indispensável usar um guia de plantas silvestres ou sair com alguém que tenha experiência na coleta de plantas, para garantir que você esteja colhendo a planta certa. Também é da maior importância coletar em locais que estão livres de toxinas tais como herbicidas, pesticidas e água que escorre de estradas. Por último, verifique com antecedência se é permitido colher plantas na região em que mora. As plantas a seguir são facilmente coletadas em diversos lugares:[2]

- Casca de bétula (pegue apenas de árvores mortas ou que estão morrendo)
- Raiz de bardana
- Raiz de chicória
- Esparguta
- Raiz de dente-de-leão
- Flores e bagas de sabugueiro
- Bagas de pilriteiro

- Marroio-branco
- Bagas de zimbro
- Erva-cidreira ou melissa
- Verbasco
- Urtiga
- Agulhas de pinheiro
- Tanchagem
- Trevo vermelho
- Pétalas e frutos de rosa
- Escutelária
- Erva-de-são-joão ou Hipérico
- Girassol
- Uva-ursi
- Folha de violeta
- Casca de salgueiro-branco
- Mil-folhas

Este próximo grupo de ervas e flores é ótimo para cultivar em um jardim de plantas medicinais. A maioria delas é de fácil cultivo e exige pouca manutenção. Algumas são perenes ou plantas anuais que produzem sementes antes de secar, o que significa que elas voltam ano após ano![3]

- Arnica (perene)
- Manjericão (anual, às vezes produz sementes)
- Calêndula (anual, produz sementes)
- Maconha/*Cannabis* (anual; antes de plantar, certifique-se de que esse cultivo seja legalizado em sua região)
- Erva-de-gato (perene)
- Pimenta-caiena (anual, às vezes perene em climas mais quentes)
- Camomila (anual, produz sementes)
- Confrei (perene)
- Equinácea (perene)
- Funcho (perene)
- Matricária (perene)

---

[2] Muitas dessas espécies não existem no Brasil, algumas são cultivadas e outras efetivamente são ruderais (crescem em qualquer lugar). Na seção "Perfis de Ervas e Flores", p. 191, foram acrescentados, em notas de rodapé, comentários sobre as espécies que, no Brasil, apresentam uma situação diferente da relatada no livro. (N.T.)

[3] Nem todos os casos se aplicam ao Brasil. Ver notas na seção "Perfis de Ervas e Flores", p. 191. (N.T.)

- Alho (anual)
- Hibisco (perene em climas mais quentes)
- Manjericão santo (perene em climas mais quentes)
- Marroio-branco (perene)
- Lavanda (perene)
- Erva-cidreira ou melissa (perene)
- Raiz de alteia (perene)
- Cebola (anual)
- Orégano (perene)
- Maracujá (perene)
- Hortelã-pimenta (perene)
- Framboesa (perene)
- Pétalas e frutos de rosa (perene)
- Alecrim (perene)
- Sálvia (perene)
- Girassol (anual, produz sementes)
- Tomilho (perene)
- Raiz de valeriana (perene)
- Hamamélis (perene)
- Mil-folhas (perene)

Também forneço, na seção "Recursos", ao final do livro (p. 200), a relação de meus lugares favoritos para adquirir ervas orgânicas secas. É uma ótima opção quando não se está na época adequada do ano para coleta ou cultivo, e também para adquirir ervas que são difíceis de encontrar ou que não crescem bem no clima de sua região, ou ainda para pessoas que não têm condição de cultivar suas próprias ervas.

Adquirir ervas orgânicas desidratadas na seção de vendas a granel em sua mercearia local de produtos naturais ou em distribuidores de produtos orgânicos (mercados e feiras livres) e lojas de produtos fitoterápicos naturais é outra boa opção. Esse também é um ótimo lugar para encontrar produtos frescos orgânicos e de alta qualidade, como manjericão, alecrim, sálvia, tomilho, cebola e alho.

Métodos para a secagem de ervas e flores

Muitas das receitas apresentadas neste livro requerem o uso de ervas e flores secas, motivo pelo qual é necessário colocar as plantas colhidas para secar antes de usá-las. Plantas secas têm durabilidade muito maior do que as frescas, de modo que, se você colher bagas de sabugueiro ou flores de verbasco no verão e colocá-las para secar da maneira correta, elas estarão disponíveis para uso ao longo do ano todo.

Quando seu material vegetal secar totalmente, ficará meio quebradiço e seco ao toque. Folhas e flores devem se desfazer com facilidade. As hastes devem partir-se quando envergadas e os pedaços de raiz devem estar duros, sem ceder ao serem apertados. É importante ter certeza de que as ervas estão totalmente secas antes de guardá-las, para evitar o desenvolvimento de mofo. Uma vez secas, armazene-as em potes de vidro vedados ou em sacos de papel, rotulando-os com o nome da planta e a data de coleta. Mantenha-as em um local fresco e longe da luz solar direta.

Pendurando para secar

Este talvez seja o método mais fácil de secar ervas e flores recém-colhidas. Junte-as em maços e amarre-os com barbante. Pendure os maços virados para baixo em uma área bem ventilada, longe da luz solar direta, até estarem completamente secos ao toque. Esse método funciona bem sobretudo com ervas e flores mais robustas que têm talos longos ou muitas folhas, como lavanda, flores de mil-folhas, girassol, hortelã-pimenta e erva-cidreira (melissa).

Uma tela de secagem caseira é um meio simples e eficaz de secar as ervas e flores que você coletou ou cultivou.

Secagem em uma tela

Use uma tela velha de janela, ou faça suas próprias telas de secagem empilháveis, com molduras simples de madeira e um rolo de tela. Espalhe as ervas em uma só camada sobre a tela, colocando-as para secar em uma área bem ventilada e longe da luz solar direta. Essa é uma ótima maneira de secar folhas individuais, pétalas, frutos, flores pequenas ou pedaços de raízes. Também é o melhor método para flores frágeis que tendem a se soltar quando secas, como as flores de sabugueiro.

O uso de um desidratador

Um bom desidratador pode ser útil caso você precise às pressas de material seco, ou se você mora em alguma região particularmente úmida. Eu tenho um Excalibur, mas há várias outras marcas disponíveis de ótima qualidade. Programe-o para uma temperatura mais baixa. Verifique as plantas com frequência e remova-as assim que estiverem completamente secas ao toque.

Quando usar material vegetal fresco ou seco

Ervas e flores secas são mais seguras para o uso em muitas das infusões, pois a secagem reduz bastante o risco de estragarem ou ficarem rançosas. Essa precaução é válida sobretudo para infusões em óleo, nas quais o uso de material vegetal fresco pode ser até perigoso, em razão dos esporos de botulismo. Com exceção de uma receita, na qual achei importante o uso da erva fresca (Óleo Infuso de Orégano e Limão, p. 44), indico a utilização de ervas secas em todas as receitas de óleos de infusão deste livro. A utilização de ervas frescas numa infusão em óleo é aceitável se esta for usada no prazo de algumas semanas.

Há certos tipos de infusões nas quais é perfeitamente seguro usar material vegetal fresco, e umas poucas em que ele é até preferível, pois algumas ervas são mais potentes quando frescas. No caso de infusões que serão armazenadas por períodos longos antes do uso, a regra geral é que o uso de ervas frescas é seguro quando há acidez elevada, alto teor alcoólico ou de açúcar. Isso ocorre porque os ácidos, o álcool e o açúcar são conservantes naturais. Desse modo, não há nenhum problema em fazer infusões em álcool (tinturas e *bitters*),[4] vinagre, mel e glicerina (extratos glicólicos) com material vegetal fresco.

---

[4] Os *bitters* (um tipo de "drinque terapêutico") não são indicados para crianças nem pessoas com histórico de problemas com álcool, pois estes são semelhantes aos princípios da alcoolatura (outro tipo de infusão, como a tintura – normalmente usada em aromatizadores, bebidas digestivas etc.), possuem uma grande concentração de álcool na composição e não devem ser ingeridos de modo contínuo ou prolongado. (N.R.)

Para infusões sob a forma de chá, tanto as ervas frescas quanto as secas funcionam igualmente bem. As ervas secas são em geral mais práticas para preparar chás por serem mais concentradas, de modo que é necessário um volume vegetal menor. Se tiver acesso a ervas frescas, convém usá-las, pois com frequência são mais aromáticas e às vezes contêm mais óleos voláteis benéficos.

Caso queira utilizar ervas frescas em vez de secas, apenas use o dobro da quantidade pedida na receita.

TIPOS DE INFUSÕES DE ERVAS E COMO FAZÊ-LAS

Chás medicinais, infusões de um dia para o outro e decocções

Os chás de ervas são as mais simples e diretas de todas as infusões, necessitando apenas de ervas e de água. Um chá medicinal usa ervas, sejam elas frescas ou secas, colocadas em infusão, geralmente por 10 a 20 minutos, em água quase fervendo. O chá é então coado e consumido, em geral enquanto ainda está quente.

Para obter um chá medicinal muito mais forte, experimente fazer uma infusão longa ou de um dia para o outro. Coloque as ervas em um pote de conservas e adicione água fervente, a seguir tampe e deixe infundir por várias horas ou de um dia para o outro. Coe as ervas com uma peneira fina antes de ingerir. Esses tipos de infusões costumam ser servidos gelados, mas podem ser aquecidos caso se deseje um chá quente.

Uma decocção é feita fervendo-se o material vegetal em água por 20 a 30 minutos antes de coar e tomar. Esse é o melhor método para extrair as propriedades medicinais de material vegetal mais duro, como raízes, cascas, ramos e sementes. Muitas vezes, um xarope medicinal começa a ser preparado a partir de uma decocção forte, que deve ser posta para esfriar antes da adição de mel ou algum outro adoçante.

Alguns tipos de ervas são ideais para infusões em água fria, pois algumas de suas propriedades terapêuticas podem ser perdidas com o calor. Siga o mesmo procedimento descrito acima para a infusão longa ou de um dia para o outro, mas use água fria ou à temperatura ambiente. Algumas ervas que têm melhor efeito em infusão a frio são a raiz de alteia, o olmo-vermelho, a urtiga, a erva-cidreira (melissa) e a raiz de confrei.

Infusões em álcool e em vinagre

Infusões que usam álcool ou vinagre como meio líquido são populares porque duram quase que indefinidamente. Bebidas com alto teor alcoólico (entre 40% e 45% é o ideal), como vodca, gim, uísque, conhaque ou rum, são altamente eficazes na extração de todos os compostos benéficos das ervas. As tinturas são realizadas com frequência pela infusão de ervas medicinais em uma bebida com alto teor alcoólico. Os *bitters* digestivos (pp. 115-16) são preparados da mesma maneira que uma tintura, mas utilizam como meio ervas amargas e uma bebida alcoólica neutra, como, por exemplo, a vodca, de modo que o sabor das ervas se destaca.

Se não quiser utilizar álcool para preparar a tintura, o vinagre é uma ótima alternativa (para crianças, recomendo o uso de glicerina; veja a próxima seção). O vinagre cru de maçã traz muitos benefícios à saúde por si só, e é o preferido para a maioria das preparações. É também uma excelente escolha para fortalecer o sistema imunológico (ver pp. 40 e 43), auxiliar no alívio da azia (ver p. 119) e no cuidado natural dos cabelos (ver p. 160).

Há muitos tipos diferentes de infusões de ervas que podem ser preparados para sua farmácia caseira. São mostrados aqui, da esquerda para a direita, o sérum de rosa-mosqueta, alho e gengibre fermentados no mel, óleo com infusão de camomila e calêndula, shampoo natural de ervas, bitter digestivo de raiz de dente-de-leão, tintura de equinácea, vinagre de enxágue para os cabelos, chá de erva-de-gato e xarope de gengibre.

Para fazer infusões em álcool ou em vinagre, pode ser usado tanto material vegetal fresco quanto seco. Apenas coloque as ervas desejadas em um pote de conserva e então complete-o com álcool ou com vinagre. Tampe o pote e deixe repousar em um local escuro por um período de 4 a 6 semanas; antes de usar, coe com uma peneira fina para remover as ervas.

Infusões em mel e extratos glicólicos

Às vezes é necessária uma infusão mais doce, e nesses casos costumo recorrer ao mel cru. O mel cru é antibacteriano, antimicrobiano, antifúngico e anti-inflamatório, de modo que tem inúmeras propriedades medicinais por si só. É potente no fortalecimento do sistema imunológico (ver p. 35), e proporciona um tratamento eficaz para pequenas queimaduras (ver p. 65), refluxo ácido (ver pp. 103 e 119) e dor de garganta (ver p. 78).

O mel cru é o mel que não foi pasteurizado, de modo que todas as leveduras silvestres, enzimas benéficas, vitaminas e minerais permanecem intactos. O melhor local para adquirir mel cru é com algum apicultor local, ou você pode verificar o que o mercado de produtores rurais local tem a oferecer. Se você não possui acesso ao mel cru produzido localmente, sugiro adquiri-lo de um distribuidor de alimentos naturais e orgânicos.[5] Eu costumo comprar na Azure Standard (ver "Recursos", na p. 200).

Se for usado material vegetal fresco nas infusões em mel cru, a pequena quantidade de água presente nas plantas vai "despertar" as leveduras silvestres naturais contidas no mel, e ele vai começar a fermentar (veja as receitas de mel fermentado nas pp. 35-6). O resultado é uma infusão muito saborosa, que também é altamente medicinal. Se você não quiser que o mel fermente, assegure-se de usar ervas secas.

Os extratos glicólicos são tinturas feitas com ervas infundidas em um xarope vegetal

---

[5] No Brasil, o mel cru pode ser adquirido em distribuidores de produtos naturais, lojas de produtos fitoterápicos, seção de orgânicos nos supermercados e diretamente com os fornecedores, via pedidos on-line. (N.R.)

Ervas que Curam

doce à base de glicerina (veja as receitas nas pp. 186-89). São tipicamente feitos para crianças, de modo a tornar mais palatável a tintura, e são adequados para pessoas que desejam evitar o álcool. Podem ser usadas tanto ervas frescas quanto secas, mas se estiver utilizando ervas secas, em geral recomenda-se adicionar à mistura um pouco de água.

Tanto para as infusões em mel quanto para os extratos glicólicos, coloque as ervas desejadas em um pote de conserva. Encha o pote com mel ou com glicerina. Tampe-o e guarde em um local fresco e escuro para infundir por 4 a 6 semanas. Certifique-se de virar o pote a cada poucos dias, para recobrir as ervas; isto é importante sobretudo ao usar ervas frescas.

Infusões em óleo

Devo admitir que realmente adoro preparar óleos de infusão. Foi com eles que minha jornada pelas infusões de ervas teve início, e ao longo do caminho refinei significativamente meu processo. As infusões em óleo é o início do preparo de muitos produtos herbais para banho e cuidado corporal, de modo que é importante conhecer o processo, caso você deseje aprofundar-se na elaboração caseira de pomadas, bálsamos labiais, barras de loção e manteigas corporais.

Existem muitos métodos para infundir as ervas em óleo, e alguns com certeza funcionam melhor que outros. O grande problema é que, caso seja feito de maneira incorreta, o óleo pode ficar rançoso ou mofar. Por sorte, há meios de evitar que isso aconteça. O mais importante é lembrar-se de manter seu óleo de ervas longe da luz, do calor e da água.

Infusão a frio

O método de infusão mais eficaz e seguro consiste em utilizar ervas secas e fazer uma infusão lenta, em um local fresco e escuro, por 4 a 6 semanas. É esse método que emprego na maioria das receitas de óleo de infusão apresentadas neste livro.

Ao preparar óleos com infusão de ervas, minha regra principal é, sempre que possível, utilizar material vegetal completamente seco. Isso porque qualquer umidade que exista nas plantas pode causar deterioração e talvez até propiciar o crescimento de bolor na superfície. Há algumas exceções a essa regra, sobretudo porque algumas ervas e flores perdem a potência quando secas, como as flores de dente-de-leão, de erva-de-são-joão e de verbasco, a esparguta e a erva-cidreira (melissa). Se, nesses casos, você preferir usar material fresco, o ideal é deixar as ervas e flores murcharem levemente por cerca de um dia, e então usar o método do calor descrito abaixo. Quando empregar ervas frescas, é também uma boa ideia preparar apenas o que você vai consumir no prazo de um mês.

Método rápido do calor

O modo mais rápido de infundir os óleos usando o método do calor é aquecê-los em uma panela elétrica do tipo *slow cooker*, no ajuste mais baixo possível de temperatura, ou usando banho-maria (veja, na p. 20, dicas sobre como fazer um). Em geral, não dou preferência a esse método porque o aquecimento de óleos acima de uma certa temperatura pode degradá-los, mas nos raros casos em que ervas frescas ou murchas são utilizadas, é um método aceitável. O calor fará com que parte do conteúdo de água evapore, ao mesmo tempo que acelera o processo de infusão, de modo que as plantas frescas têm menos chance de se deteriorar. Mantenha o óleo destampado para permitir a evaporação, e aqueça por 12 a 24 horas. O óleo não deve ser aquecido a mais do que

43 °C, e isso às vezes é difícil de controlar, dependendo do método de aquecimento escolhido. Um truque que aprendi é aquecer o material em um desidratador do tipo caixa (veja "Recursos", na p. 200), caso você disponha de um. É um aparelho incrível, que pode acomodar vários potes ao mesmo tempo e tem ajustes mais baixos de temperatura, de modo que não existe a preocupação de aquecer demais.

Se você precisar do óleo de infusão antes de um período de 4 a 6 semanas, também pode utilizar o método do calor com ervas secas. O processo é igual ao que foi descrito acima, mas você não precisa deixar o óleo destampado enquanto é aquecido, pois não há conteúdo de água a ser evaporado. Sempre faço isso quando preciso do óleo antes de 4 a 6 semanas, e depois eu o deixo repousar por 1 ou 2 semanas antes de usar. Lembre-se apenas de que o óleo estará um pouco mais degradado do que estaria se não tivesse sido aquecido, o que significa que ficará rançoso mais cedo, mas ainda assim não tão rapidamente quanto se tivesse sido exposto à água ou à luz solar.

Método do aquecimento solar

Outro método comum para infundir ervas em óleo é deixar o pote em uma janela que receba muita luz solar por várias semanas. Embora esse método possa ser eficaz para alguns óleos com alto teor de gordura saturada, como o óleo de coco, lembre-se de que a luz solar degrada consideravelmente muitos óleos e faz com que fiquem rançosos bem mais rápido que o normal. Por esse motivo, em geral tento evitar o uso desse método.

Equipamento útil para fazer infusões

Preparar infusões com ervas requer pouco equipamento, mas existem alguns itens que tornam tudo mais fácil.

Potes de conserva de diferentes formatos e tamanhos. Você fará a maioria de suas infusões em potes de conserva de vidro. Ao longo dos anos, reuni uma coleção e tanto desses potes, que são usados diariamente em minha cozinha. Os tamanhos que mais utilizo são de um quarto de litro (250 ml), meio litro (500 ml) e 1 litro.

Tampas para os potes de conserva. Recomendo que você não deixe que as tampas metálicas e os anéis de vedação, que geralmente vêm com os potes de conserva, entrem em contato com suas infusões. Isso porque o metal pode reagir com o líquido e gerar algum produto indesejável. Para evitar isso, basta colocar papel-manteiga sobre a boca do pote e, a seguir, colocar a tampa metálica e o anel. Outra opção é adquirir tampas de plástico do formato apropriado para os potes, para uso durante o armazenamento.

Peneiras finas de vários tamanhos. Elas são importantes para coar pequenas partículas de ervas e é útil tê-las em alguns tamanhos diferentes. Um morim ou um coador de voal colocado dentro de um filtro também funciona bem, e facilita espremer as ervas e extrair delas todo o líquido.

Chaleira com infusor, infusor de inox para chá ou saco de chá de musselina reutilizável. Essencial para fazer chás medicinais.

Frascos e potes para acondicionar as infusões prontas. É bom sempre ter vários tamanhos. Frasquinhos com conta-gotas para as tinturas são especialmente úteis.

Um funil pequeno. É necessário para transferir a infusão coada para frascos e garrafas de gargalo estreito ou pequeno.

DICAS PARA FAZER POMADAS, BÁLSAMOS E MANTEIGAS

A escolha dos óleos carreadores

Quando for fazer óleos com infusão de ervas que serão transformados em produtos para o cuidado corporal e da pele, como pomadas, bálsamos, loções em barra e manteigas, é importante escolher bem o óleo a ser usado. Na maioria das vezes, uso uma mistura de óleos para obter os diferentes efeitos que acho que vão funcionar melhor em cada receita específica. Contudo, fique à vontade para alterar a receita a seu gosto, pois algumas pessoas têm preferências próprias quanto aos óleos. Eis aqui os óleos que mais uso:

Azeite de oliva: Com frequência é o óleo mais fácil de usar, pois pode ser obtido praticamente em qualquer lugar. Deve ser dada preferência ao azeite de oliva extravirgem, que é rico em vitaminas, antioxidantes e tem ação hidratante. O azeite de oliva é um ótimo óleo multiuso, que pode ser empregado em quase todas as receitas para o cuidado da pele.

Óleo de coco: Muitas vezes sólido à temperatura ambiente (ele derrete a 24 °C), este é um óleo muito durável, devido à grande quantidade de gordura saturada. Prefiro usar óleo de coco virgem não refinado, pois o processo de refino pode eliminar algumas de suas propriedades. O óleo não refinado tem aroma de coco, ausente no óleo refinado. Rico em ácidos graxos, é antibacteriano, antimicrobiano, anti-inflamatório e hidratante.

Óleo de amêndoas doce: Amplamente usado em produtos para o cuidado da pele, graças à sua textura leve penetra na pele com facilidade e tem grande ação hidratante. É suave e seguro para todos os tipos de pele, sendo uma boa escolha para uso em bebês, crianças e pessoas com pele sensível.

Óleo de semente de damasco: Este óleo leve e altamente emoliente é absorvido pela pele com rapidez. Rico em vitaminas A e K, constitui uma escolha excelente para a pele ressecada e comichões. É anti-inflamatório, tem propriedades anti-idade e é bom para pessoas com pele sensível.

Óleo de rícino: Um óleo espesso, nutritivo e super-hidratante. É anti-inflamatório, antimicrobiano e bom para o tratamento de todo tipo de problema de pele. Um pouquinho dele adicionado a bálsamos labiais e pomadas confere mais brilho e os torna mais atraentes.

Óleo de jojoba: Tecnicamente não é um óleo, mas uma cera líquida extraída da planta jojoba. Tem grande durabilidade. É excelente para hidratar e dar brilho aos cabelos, e é usado como tratamento para o couro cabeludo ressecado. Usado com maior frequência em produtos para o cuidado dos cabelos e da barba, também promove uma pele saudável.

Óleo de rosa-mosqueta: Este óleo leve e não gorduroso é usado principalmente por suas propriedades antienvelhecimento. É muito hidratante, e penetra na pele de imediato, podendo ser usado na face sem diluição. É muito sensível ao calor e à luz, e deve ser mantido refrigerado e longe da luz solar direta.

Ceras e manteigas

Para obter a consistência de pomadas, bálsamos e loções, algum tipo de cera deve ser adicionado ao óleo de infusão. Prefiro usar cera de abelha de alta qualidade, adquirida de um fornecedor local (veja seção "Recursos", na p. 200), pois é naturalmente hidratante e aumenta a umidade essencial da pele. Para facilitar o derretimento, os blocos de cera de abelha podem ser partidos em pedaços menores, com cerca de 2,5 cm, utilizando-se uma faca de cozinha grande ou cutelo. Outra opção que facilita pesar e derreter a cera de abelha é comprá-la em flocos. Além da cera de abelha, pode-se utilizar a cera de carnaúba e a cera candelilla, mas tenha em mente que são bem mais duras que a cera de abelha, de modo que você deve usá-las em menor quantidade.

As manteigas não precisam ser necessariamente adicionadas a pomadas e bálsamos, mas com certeza elas os deixam maravilhosos! São também a base para as manteigas corporais, tornando-as supernutritivas e hidratantes. Recomendo usá-las sempre que possível, pois podem aumentar muito a eficácia de seus produtos para o cuidado da pele. Veja, a seguir, algumas de minhas preferidas:

Manteiga de karité: Um hidratante intenso para peles secas e irritadas. É uma escolha excelente para a maioria dos produtos para o cuidado da pele. É rica em ácidos graxos essenciais e vitaminas A e E. A manteiga de karité não refinada tem um odor forte que é difícil de disfarçar, e por isso prefiro usar um produto refinado minimamente processado.

Manteiga de cacau: Supernutritiva e cremosa, rica em vitamina E e antioxidantes. É perfeita para pele muito seca, rachada e irritada. A versão não refinada tem um odor forte, que lembra o do chocolate, portanto tenha isso em mente ao adicioná-la a produtos para o cuidado da pele.

Manteiga de manga: Altamente hidratante, suaviza a pele e é nutritiva. É a manteiga perfeita para mãos secas. Também é usada com frequência na face, devido a suas propriedades antienvelhecimento. É um emoliente natural, sendo rica em ácidos graxos essenciais. Dê preferência para a versão não refinada, mas um produto refinado com processamento mínimo também vai funcionar.

Equipamento e como preparar um banho-maria

A melhor parte de preparar pomadas, bálsamos, barras de loção e manteigas é que muito pouco equipamento é necessário, e você provavelmente já tem a maior parte dele em sua cozinha. Eis aqui o que recomendo ter à mão:

- Balança digital de cozinha
- Panela pequena
- Jarra medidora de vidro (por exemplo, Pyrex) ou um pote de conserva de meio litro (500 ml)
- Anéis de vedação para potes de conserva
- Espetos de madeira ou de bambu
- Potes pequenos, latinhas e tubos para protetor labial
- Moldes para fazer barras de loção
- *Mixer* para fazer manteigas corporais

Como a cera de abelha e as manteigas são difíceis de remover por completo dos utensílios de cozinha, gosto de ter uma jarra medidora de vidro para usar somente na elaboração de pomadas e bálsamos. Você também pode usar um pote de vidro de conserva para esse fim, mas é mais difícil despejar o líquido quente com ele, por não ter um bico.

Para fazer um banho-maria, coloque de 5 a 7 cm de água na panela e deixe ferver em fogo baixo. Coloque um anel de borracha para vedação no fundo da panela e, a seguir, coloque sobre ele a jarra medidora ou o pote de conserva contendo o óleo de infusão coado. Use a menor panela que tiver, de modo a não haver espaço para que a jarra ou o pote entorne por acidente. Um espeto de madeira ou bambu é prático para mexer a cera de

É importante etiquetar corretamente suas infusões de ervas e guardá-las de modo adequado para aumentar seu prazo de validade.

abelha e as manteigas durante o derretimento e para misturar a elas quaisquer óleos essenciais que você esteja usando.

COMO USAR E GUARDAR SUAS INFUSÕES

Usando suas infusões

Na maior parte dos casos, usar as infusões é bem simples. Em cada receita incluo instruções sobre a quantidade e a frequência de uso. Eis algumas regras gerais para você começar:

Chás medicinais são consumidos assim que preparados, tanto quentes quanto frios, às vezes com um pouco de mel ou outro adoçante, para torná-los mais palatáveis, caso se deseje. As decocções também podem ser ingeridas de imediato, mas com frequência são usadas na elaboração de xaropes. Deve-se tomar apenas uma colherada por vez dos xaropes medicinais, sejam eles puros ou diluídos em água ou chá.

As tinturas são muito fortes, de modo que apenas algumas gotas por vez são suficientes. Para esse propósito, geralmente são acondicionadas em frascos com conta-gotas, e podem ser tomadas puras ou, caso se deseje, diluídas em água ou chá. Os *bitters* digestivos também são muito fortes, e são diluídos muitas vezes em água com gás, ou usados em aperitivos ou coquetéis digestivos (ver pp. 115-16). As infusões em vinagre são ácidas e têm um sabor forte, de modo que são consumidas apenas de 1 a 2 colheres de sopa (15 a 30 ml) de cada vez. Podem ser tomadas puras ou misturadas com água e/ou mel.

As infusões em mel apresentam a grande vantagem de terem um sabor ótimo! Tome 1 colher ou 2 por vez, pura ou dissolvida em chá ou água. Crianças com menos de 1 ano (ver p. 23) não devem ingerir mel, devido à pequena chance de que contenha esporos de botulismo.

Os extratos glicólicos podem ser consumidos da mesma forma que as tinturas, e são uma boa alternativa para crianças ou para quem deseja evitar o álcool das tinturas tradicionais.

Os óleos de infusão são usados com mais frequência de forma tópica, sendo friccionados diretamente na área afetada, ou na elaboração de pomadas, bálsamos e manteigas tópicos. Esse é especialmente o caso das receitas deste livro. Os óleos com infusão de ervas podem também ser usados internamente, dependendo da erva e do óleo escolhido, como, por exemplo, o Óleo Infuso de Orégano e Limão (p. 44). Além da medicina fitoterápica, alguns óleos de infusão têm usos culinários maravilhosos.

Vale notar que o uso de mais de uma infusão ao mesmo tempo em geral é aceitável, dependendo do remédio específico. Por exemplo, tomar o Chá para Superimunidade (p. 27) com um pouco de Alho, Gengibre e Sálvia Fermentados no Mel (p. 35) pode ser muito benéfico durante períodos de enfermidade. Provavelmente também seria bom adicionar um pouco de uma das tinturas que fortalecem a imunidade, mas tenha cuidado com a sobreposição de ervas entre as receitas, para não consumir alguma delas em excesso. A maioria das receitas deste livro utiliza ervas que são seguras mesmo em quantidades maiores e, portanto, de forma geral não deve haver problemas, mas é um aspecto ao qual se deve ficar atento.

Rótulos, armazenamento e prazo de validade

Ao preparar infusões de ervas, é muito importante identificá-las com um rótulo que contenha o nome e a data de fabricação. Se você for um pouco parecido comigo, logo terá vários potes (ou mais!) com diversas ervas em infusão em diversos meios, e será importante saber o que cada um contém e quando começou a ser infundido. Fita adesiva e caneta hidrográfica servem muito bem para essa finalidade.

Você pode esperar e coar suas infusões apenas quando estiver pronto para usá-las, mesmo que o tempo de infusão indicado na receita tenha sido ultrapassado (a exceção são as ervas frescas em óleo; estas devem ser retiradas coando o óleo, que precisa ser consumido dentro do prazo apropriado). Elas ficarão mais potentes com o correr do tempo. Guarde suas infusões coadas em um local fresco, longe da luz solar direta – uma despensa ou um armário de cozinha são perfeitos, desde que escuros. Frascos e garrafas de cor âmbar podem ser úteis para acondicionar infusões sensíveis à luz.

A validade varia muito entre as infusões, dependendo do tipo de meio líquido e se foram usadas ervas secas ou frescas. No caso dos óleos de infusão, haverá variação com base no tipo de óleo usado, pois alguns são mais estáveis que outros. De qualquer modo, se a infusão tiver aparência ou cheiro estranhos, ou se apresentar bolor ou qualquer outra coisa questionável crescendo na superfície ou em seu interior, é hora de desfazer-se dela.

Óleos de infusão feitos com ervas secas duram de 6 a 12 meses, ou até um pouco mais, se guardados de maneira adequada. Se forem preparados com ervas frescas, duram apenas de 1 a 2 meses, no máximo. As infusões em álcool duram quase que indefinidamente, ao menos 5 anos e provavelmente mais. Os extratos glicólicos duram de 3 a 5 anos, e as infusões tanto em vinagre quanto em mel duram de 1 a 2 anos.

Chás medicinais em geral são consumidos assim que são preparados, mas se você estiver fazendo um chá de infusão longa ou de um dia para o outro, pode coá-lo e guardá-lo na geladeira por vários dias.

Os xaropes precisam ser refrigerados, e duram de 2 a 4 semanas na geladeira. Depois disso, podem começar a fermentar, o que não causa nenhum mal, mas talvez não seja o que você deseja. Caso queira aumentar a durabilidade de um xarope, pode congelá-lo em sacos plásticos ou em formas de gelo, descongelando-o à medida que precisar.

CONSIDERAÇÕES SOBRE SEGURANÇA E DOSAGEM PARA CRIANÇAS

Alguns comentários sobre segurança

Embora todas as ervas e receitas apresentadas neste livro sejam de uso muito seguro – e eu acredito que a fitoterapia pode beneficiar imensamente todo mundo – há algumas considerações sobre segurança que devem ser salientadas.

Guarde todas as infusões e produtos prontos fora do alcance de crianças pequenas e de animais de estimação.

Gestantes e lactantes devem sempre consultar seu médico ou fitoterapeuta licenciado antes de consumir qualquer preparado de ervas.

Pessoas com problemas sérios de saúde ou distúrbios autoimunes devem consultar seu médico, naturopata ou fitoterapeuta formado antes de consumir qualquer preparado de ervas.

Se o preparado de ervas parece não estar funcionando, ou se o problema de saúde se agravar, por favor, consulte seu médico, naturopata ou fitoterapeuta formado.

Recomendo fazer um teste de contato antes de usar qualquer preparado de ervas, especialmente quando este for utilizado em bebês e crianças, para assegurar-se de que não há qualquer alergia ou irritação causada por uma erva ou ingrediente específico. Para fazer esse teste, friccione uma pequena quantidade nas costas da mão ou na parte de dentro do braço e, antes de usar, espere para ver se há alguma reação. Isso pode ser feito com pomadas, bálsamos, manteigas corporais, barras de loção e chás de ervas.

Como preparar a dosagem apropriada para crianças

Embora eu apresente várias receitas formuladas especialmente para bebês e crianças (ver "Infusões para Mães e Filhos", na p. 167), muitas outras receitas deste livro são seguras para ministrar nos pequenos. Acrescentei uma observação em algumas receitas que são consideradas seguras para crianças, e em quais idades. Recomendo falar com o pediatra, naturopata ou fitoterapeuta da criança antes de fornecer-lhe qualquer preparado de ervas. Para as receitas de uso interno, eis algumas regras gerais para a dosagem de acordo com a idade:

Menos de 1 ano: Se a dose do adulto é de 1 xícara (240 ml), a dose da criança será de ½ a 1 colher de chá (3 a 5 ml). Neste livro, há uma única receita que recomendo para uso interno por bebês com menos de 1 ano de idade, o Chá Calmante para Crianças (p. 185). Mães lactantes podem contar com o efeito adicional de consumirem elas próprias a preparação (desde que seja seguro) e passar a proteção para o bebê.

De 1 a 2 anos: Se a dose do adulto é de 1 xícara (240 ml), a dose da criança é de 1 a 2 colheres de chá (5 a 10 ml). Se a dose do adulto é de 1 colher de sopa (15 ml), a dose da criança será de 5 a 8 gotas.

De 3 a 7 anos: Se a dose do adulto é de 1 xícara (240 ml), a dose da criança será de 2 colheres de chá a 2 colheres de sopa (10 a 30 ml). Se a dose do adulto é de 1 colher de sopa (15 ml), a dose da criança será de 8 a 15 gotas.

De 8 a 12 anos: Se a dose do adulto é de 1 xícara (240 ml), a dose da criança será de 2 a 4 colheres de sopa (30 a 60 ml). Se a dose do adulto é de 1 colher de sopa (15 ml), a dose da criança será de 15 a 30 gotas.

De 13 a 18 anos: Nesta faixa etária, em geral a criança pode consumir a dose total de um adulto, dependendo sobretudo de seu peso. Crianças mais novas e mais miúdas devem consumir de metade a três quartos da dose de um adulto.

INFUSÕES PARA AUMENTAR A IMUNIDADE

Nosso sistema imunológico pode ser bem delicado, mas há formas naturais de ajudá-lo utilizando ervas. Isso é importante sobretudo durante os meses de outono e de inverno, quando os vírus tendem a se espalhar. Por sorte existem muitas ervas, frutos silvestres e raízes que ajudam a aumentar a imunidade. E, caso sejamos contaminados, também ajudam a dar algum alívio. Talvez você já cultive muitas dessas ervas em seu jardim. Além de seu uso culinário cotidiano, a sálvia, o tomilho, o orégano e o alecrim têm uma poderosa ação medicinal. Outras, como as bagas de sabugueiro e os frutos de rosa, são facilmente coletadas na natureza em alguns países.[6] As receitas a seguir, de tinturas, chás e outras infusões de ervas, ajudam a manter o sistema imunológico saudável e a preservar seu bem-estar.

---

[6] Não se aplica ao Brasil, devido à diferença de estações entre hemisférios, flora natural etc. Podem ser encontradas em lojas de produtos fitoterápicos. (N.R.)

CHÁ PARA SUPERIMUNIDADE

Quando você sente que está ficando doente, às vezes uma xícara de chá quente é a única coisa que parece lhe cair bem. Escolha este superchá para ajudar seu sistema imunológico a derrotar os micróbios e trazer proteção contra futuras infecções! Gosto de usar ervas secas nessa mistura para chá pois, desse modo, posso preparar uma quantidade maior, e ter sempre disponível quando necessário. Apenas use porções iguais de cada erva seca, misture bem e acondicione em um pote com tampa. Use 2 colheres de sopa para 1 xícara (240 ml) de água sempre que precisar de uma força extra para sua imunidade.

Rende: 2 xícaras (480 ml)

Ingredientes
2 xícaras (480 ml) de água
1 colher de sopa (6 g) de bagas de sabugueiro secas
1 colher de sopa (8 g) de frutos de rosa secos
1 colher de sopa (6 g) de raiz de equinácea seca
1 colher de sopa (5 g) de gengibre seco

Instruções

Ferva a água e despeje-a sobre as ervas secas. Deixe a infusão descansar por 10 a 15 minutos; coe para retirar as ervas antes de consumi-la. Se desejar um chá mais forte, siga as instruções da página 15 para infusões longas ou de um dia para o outro.

Tome de 1 a 2 xícaras (240 a 480 ml), duas vezes por dia, ao primeiro sinal de resfriado ou gripe, ou vá tomando aos poucos ao longo do dia, enquanto estiver se sentindo mal, para ajudar a abreviar a duração da doença.

Este chá é seguro para crianças com 2 anos ou mais. Por favor, siga as recomendações de dosagem apresentadas na página 23.

Dica: Presenteie alguém com este chá para superimunidade! Coloque essa bela mistura para chá em um pote de conserva. Amarre com uma fita ou com barbante e acrescente uma etiqueta com as instruções de uso.

CHÁ DE VITAMINA C

É de conhecimento comum que a vitamina C é boa para o sistema imunológico. Em vez de recorrer a algum suplemento ou de tomar um suco de laranja ácido e cheio de açúcar, consuma este chá naturalmente rico em vitamina C. Os frutos de rosa constituem uma das fontes naturais mais ricas dessa vitamina, e as flores de hibisco também contêm uma boa dose dela. Este chá possui uma bela cor vermelho-rubi, que pode melhorar qualquer baixo astral! Gestantes devem evitar o uso do hibisco.

Rende: 2 xícaras (480 ml)

Ingredientes
2 xícaras (480 ml) de água
1 colher de sopa (8 g) de frutos de rosa secos
2 colheres de sopa (6 g) de flores de hibisco secas
1 colher de chá (2 g) de casca de laranja seca
1 colher de chá (2 g) de lascas de canela ou ½ pau de canela partido em pedaços

Instruções

Ferva a água e despeje-a sobre as ervas secas. Deixe a infusão descansar por 10 a 15 minutos; coe para retirar as ervas antes de consumi-la. Se desejar um chá mais forte, siga as instruções da página 15 para infusões longas ou de um dia para o outro. Este chá pode ser consumido quente ou gelado.

Tome de 1 a 2 xícaras (240 a 480 ml) por dia durante a temporada de resfriados e gripes para manter sua imunidade alta, ou tome 2 xícaras (480 ml) aos poucos, ao longo do dia, enquanto estiver se sentindo mal, para ajudar a diminuir o tempo de duração da doença.

Este chá é seguro para crianças com 2 anos ou mais. Por favor, siga as recomendações de dosagem apresentadas na página 23.

Dica: Como um efeito adicional, as flores de hibisco também são ótimas para baixar a pressão sanguínea.

TINTURA DE SABUGUEIRO E ASTRÁGALO

Tanto as bagas de sabugueiro quanto o astrágalo, ambos excelentes para aumentar a imunidade, são usados com frequência em tinturas. As bagas de sabugueiro são uma das plantas medicinais e comestíveis que mais gosto de coletar no final do verão e início do outono, bem a tempo para a temporada de resfriados e gripes.[7] Se está usando bagas de sabugueiro que você mesmo coletou, um truque para remover os frutinhos das hastes é congelar primeiro todo o cacho, e então eles se soltam sozinhos! A raiz de astrágalo chega até nós por meio da Medicina Tradicional Chinesa, trazendo consigo uma resposta suave, mas eficaz, de fortalecimento do sistema imunológico, que vai ajudar você a sentir-se bem durante todo o inverno.

Rende: cerca de 1 ½ xícara (360 ml)

Ingredientes
¼ de xícara (30 g) de bagas de sabugueiro secas
½ xícara (30 g) de raiz de astrágalo seca fatiada
1 ½ xícara (360 ml) de alguma bebida alcoólica neutra, como a vodca

Instruções

Junte as bagas de sabugueiro, o astrágalo e a bebida alcoólica em um pote de conserva de meio litro (500 ml). Tampe o pote e agite-o para misturar bem. Guarde-o em um local fresco e escuro para infundir por 4 a 6 semanas. Coe com uma peneira fina para retirar as ervas. Acondicione a tintura em frasquinhos com conta-gotas para facilitar o uso.

Tome 1 colher de chá (5 ml) 2 ou 3 vezes ao dia ao primeiro sinal de resfriado ou gripe, para obter maior eficácia. Pode ser tomada pura ou, se preferir, misturada em água ou chá.

Para crianças e pessoas que desejam evitar o álcool, use o Extrato Glicólico de Sabugueiro e Equinácea para Resfriados e Gripes (p. 186), ou prepare esta mesma tintura utilizando glicerina vegetal em vez de bebida alcoólica.

Dica: O astrágalo é uma erva segura, que pode ser consumida por toda a família. Algumas pessoas gostam até de incluí-lo como ingrediente ao prepararem caldos nutritivos!

---

[7] No Brasil, essa mesma espécie é usada para fins medicinais: *Sambucus nigra*, encontrada em lojas de produtos fitoterápicos e orgânicos. (N.R.)

Infusões para Aumentar a Imunidade

TINTURA DE RAIZ E FLOR DE EQUINÁCEA

Quase todo mundo hoje em dia já ouviu falar da equinácea, que se tornou uma planta medicinal bastante popular. Ela é excelente para aumentar a imunidade, e já foi demonstrado que reduz a duração de resfriados e gripes. Também é uma linda flor que você pode cultivar, e que cumpre uma função dupla: beleza em seu jardim e bem-estar em seu lar. Esta tintura é fácil de preparar, e usa tanto a raiz quanto à flor da equinácea, o que a torna ainda mais benéfica!

Rende: cerca de 1 ½ xícara (360 ml)

Ingredientes
½ xícara (40 g) de raiz de equinácea seca
½ xícara (20 g) de flores e/ou folhas de equinácea inteiras secas
1 ½ xícara (360 ml) de alguma bebida alcoólica neutra, como a vodca

Instruções

Junte a equinácea e a bebida alcoólica em um pote de conserva de meio litro (500 ml). Tampe o pote e agite-o para misturar bem. Guarde-o em um local fresco e escuro para infundir por 4 a 6 semanas. Quando a tintura estiver pronta para uso, coe com uma peneira fina a fim de retirar as ervas. Acondicione-a em frasquinhos com conta-gotas para facilitar o uso.

Tome 1 colher de chá (5 ml) 2 ou 3 vezes ao dia ao primeiro sinal de resfriado ou gripe, para obter maior eficácia. Pode ser tomada pura ou misturada em água ou chá.

Para crianças e pessoas que desejam evitar o álcool, use o Extrato Glicólico de Sabugueiro e Equinácea para Resfriados e Gripes (p. 186), ou prepare esta mesma tintura utilizando glicerina vegetal em vez de bebida alcoólica.

Dica: Tudo bem se você não tiver flores ou folhas de equinácea para adicionar a esta receita. A raiz é bastante medicinal por si só, e é possível encontrá-la na maioria dos locais que vendem ervas desidratadas orgânicas.[8]

---

[8] É possível encontrá-las também em lojas e sites de produtos orgânicos e fitoterápicos. (N.R.)

ALHO, GENGIBRE E SÁLVIA FERMENTADOS NO MEL

A fermentação de ervas frescas no mel é uma maneira saborosa de aumentar sua imunidade. Além do mais, é um processo divertido de fazer! O mel cru está repleto de leveduras silvestres e vai fermentar prontamente com a adição de umidade, mesmo que em pequena quantidade. A água presente no alho é suficiente para dar início ao processo, e o mel fermentado com alho é a versão mais básica. Gosto de adicionar, com o alho, outras ervas que fortalecem a imunidade, como gengibre fresco e sálvia, para torná-lo ainda mais eficaz. A sálvia é especialmente boa para dor de garganta e tosse. O mel torna-se mais líquido à medida que fermenta, e dura por toda uma estação, e até mais. Embora este preparado pareça forte, o sabor do alho e do gengibre fica muito mais suave depois da fermentação, proporcionando a você todos os benefícios dessas ervas, de uma maneira deliciosa.

Rende: cerca de 2 xícaras (480 ml)

Ingredientes

2 cabeças (50 g) de alho, dentes separados e sem casca
½ xícara (50 g) de gengibre fresco fatiado
2 maços pequenos (10 g) de folhas frescas de sálvia
1 ¼ de xícara (300 ml) de mel cru

Instruções

Junte o alho, o gengibre, as folhas de sálvia e o mel em um pote de conserva de meio litro (500 ml). Tampe o pote e inverta-o várias vezes para revestir totalmente as ervas com o mel. Elas provavelmente vão flutuar, e isso é normal. Afrouxe a tampa um pouco para permitir que os gases saiam e guarde o pote em um local fresco e escuro, para fermentar. Feche bem a tampa e vire o pote diariamente por uma semana ou duas, para revestir tudo com mel; afrouxe novamente a tampa depois de virar o pote. Em poucos dias você vai começar a ver algumas bolhas formando-se no pote e o mel vai adquirir uma textura mais líquida. Ele estará totalmente fermentado em cerca de um mês, mas pode ser consumido a qualquer momento durante o processo.

Tome 1 colher de sopa (15 ml) de mel, ou consuma um dente de alho inteiro ou uma fatia de gengibre sempre que sentir que está ficando doente, até 3 vezes por dia. Pode também ser tomado 1 ou 2 vezes por dia durante a temporada de resfriados e gripes, como medida preventiva e para ajudar a aumentar a imunidade como um todo.

Este mel fermentado é seguro para crianças com 2 anos ou mais. Por favor, siga as recomendações de dosagem apresentadas na página 23.

Dica: Substitua a sálvia por qualquer erva fresca que tiver em seu jardim. Alecrim, tomilho, orégano e hortelã funcionam muito bem e todas essas ervas são boas para o sistema imunológico.

CEBOLA ROXA E TOMILHO FERMENTADOS NO MEL

Esta receita é bem semelhante à de Alho, Gengibre e Sálvia Fermentados no Mel, da página anterior, mas dessa vez vamos usar cebola roxa e tomilho. Embora o alho e o gengibre sejam bem famosos por fortalecerem o sistema imunológico, muita gente não conhece os benefícios proporcionados pela cebola! Ela é rica em antioxidantes e vitamina C, além de conter outros compostos que também são bons para a saúde. O tomilho é uma das ervas mais potentes para a imunidade, e é bem provável que você já o cultive em seu jardim de plantas medicinais. Sinta-se à vontade para substituí-lo por qualquer outra erva culinária fresca que tiver à mão, pois a maioria delas também possui propriedades medicinais.

Rende: cerca de 2 xícaras (480 ml)

Ingredientes

1 xícara (130 g) de cebola roxa fatiada
½ xícara, sem apertar (4 g), de ramos de tomilho fresco
1 ¼ de xícara (300 ml) de mel cru

Instruções

Junte a cebola, o tomilho e o mel em um pote de conserva de meio litro (500 ml). Tampe o pote e inverta-o várias vezes para revestir com mel as fatias de cebola e o tomilho. Eles provavelmente vão flutuar e isso é normal. Afrouxe a tampa um pouco para permitir que os gases saiam e guarde o pote em um local fresco e escuro, para fermentar. Feche bem a tampa e vire o pote diariamente por uma semana ou duas, para revestir tudo com mel; afrouxe novamente a tampa depois de virar o pote. Em poucos dias você vai começar a ver algumas bolhas formando-se no pote e o mel vai adquirir uma textura mais líquida. Ele estará totalmente fermentado em cerca de um mês, mas pode ser consumido a qualquer momento durante o processo.

Tome 1 colher de sopa (15 ml) de mel, ou consuma algumas fatias de cebola, sempre que sentir que está ficando doente, até 3 vezes por dia. Pode também ser tomado 1 ou 2 vezes diariamente durante a temporada de resfriados e gripes, como medida preventiva e para ajudar a aumentar a imunidade como um todo.

Este mel fermentado é seguro para crianças com 2 anos ou mais. Por favor, siga as recomendações de dosagem apresentadas na página 23.

Dica: Este preparado pode também ser usado como uma saborosa marinada ou cobertura para carnes ou legumes!

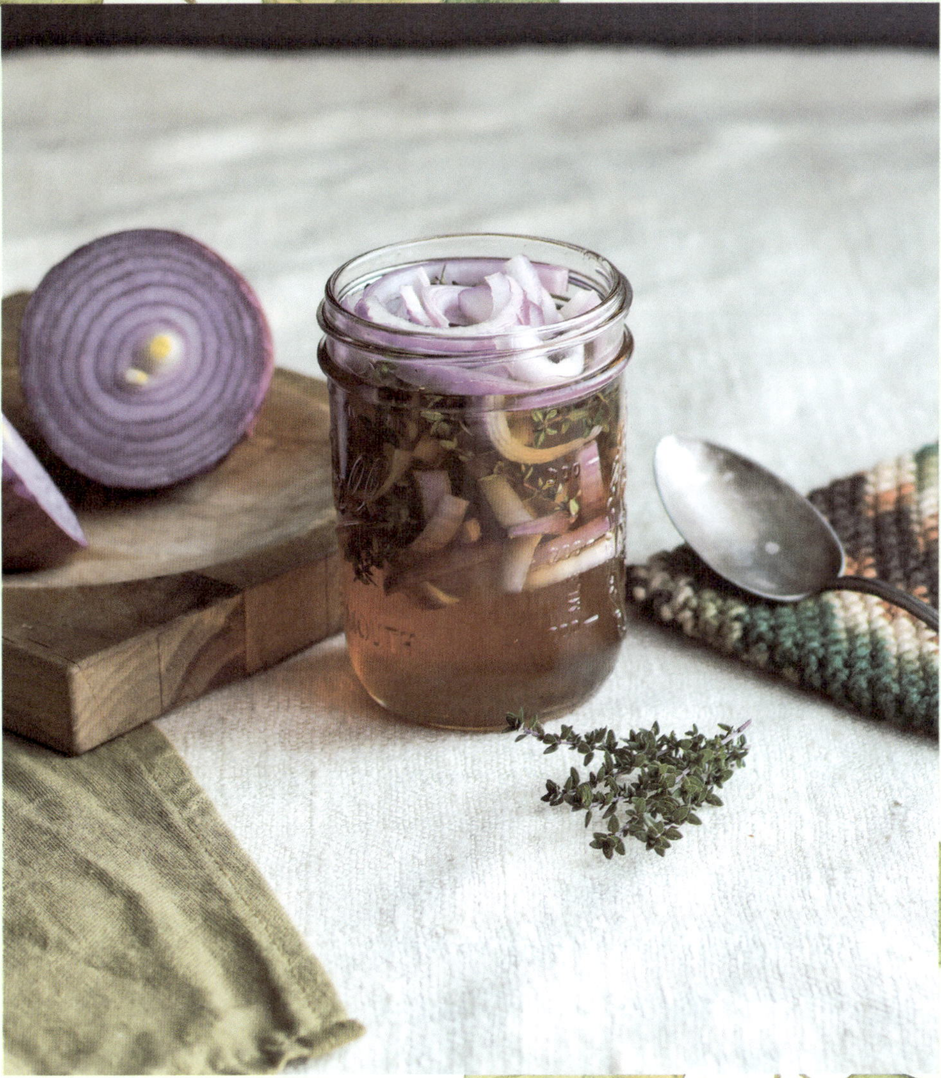

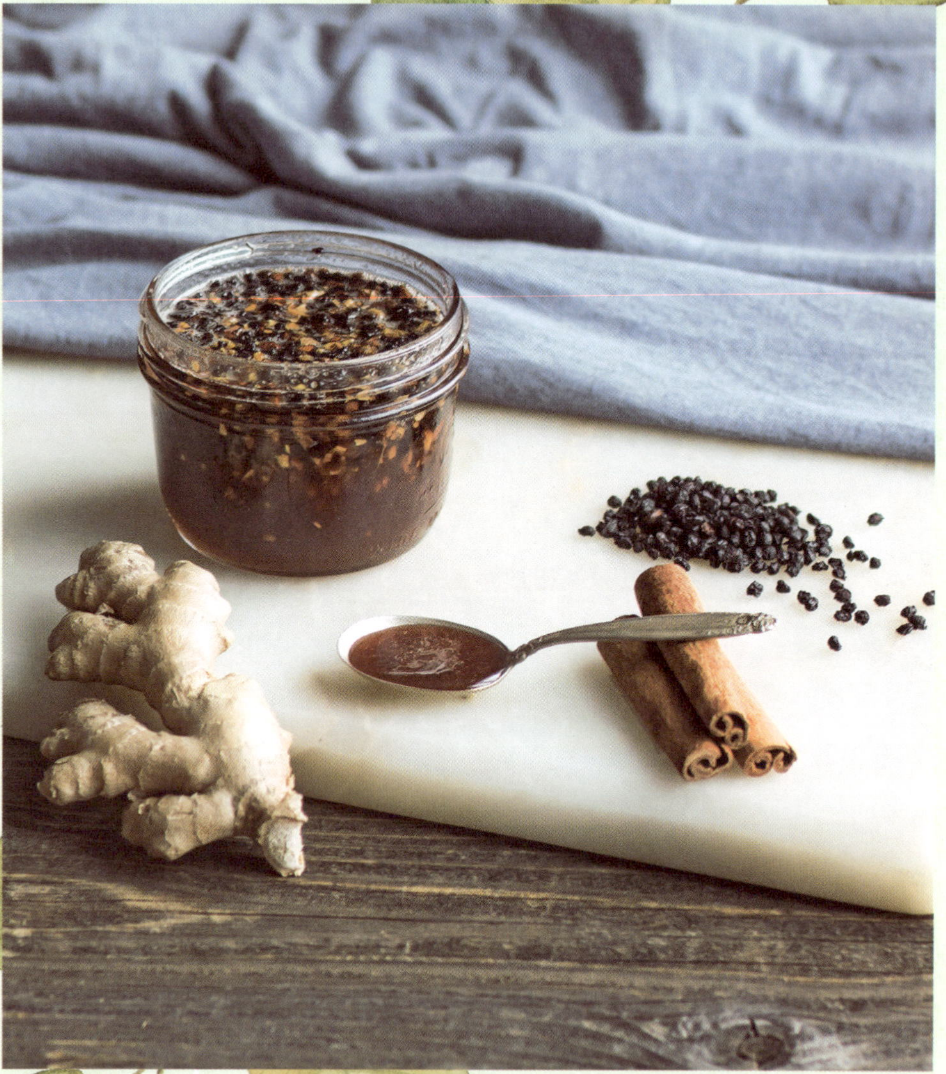

MEL COM SABUGUEIRO, GENGIBRE E CANELA

Infundir o mel com ervas secas é uma ótima maneira de obter seus benefícios de uma maneira altamente palatável. As bagas de sabugueiro são uma de minhas ervas favoritas para aumentar a imunidade, e geralmente são fáceis de coletar na natureza no fim do verão e início do outono. Sempre faço questão de colher e secar uma quantidade suficiente delas para ter disponíveis durante o inverno.[9] O gengibre e a canela intensificam o sabor desse mel, ao mesmo tempo que proporcionam ainda mais apoio imunológico. Dissolva no chá uma colherada do mel coado, salpique-o sobre frutas ou iogurte ou simplesmente consuma-o sozinho.

Rende: cerca de ¾ de xícara (180 ml)

Ingredientes

2 colheres de sopa (12 g) de bagas de sabugueiro secas
1 colher de sopa (5 g) de gengibre seco em pedaços
2 colheres de chá (5 g) de lascas de canela ou 1 pau de canela partido em pedaços
¾ de xícara (180 ml) de mel cru

Instruções

Junte as bagas de sabugueiro, o gengibre, a canela e o mel em um pote de conserva de ¼ de litro (250 ml). Mexa bem, para que todas as ervas fiquem suspensas no mel. Tampe o pote e guarde-o em um local fresco e escuro para infundir por 4 a 6 semanas ou mais, mexendo ou invertendo o pote a cada poucos dias, ou sempre que se lembrar. Quando estiver pronto para o consumo, coe o mel com uma peneira a fim de retirar as ervas.

Tome 1 colher de sopa (15 ml) sempre que sentir que está ficando doente, até 3 vezes por dia. Pode também ser tomado 1 ou 2 vezes por dia durante a temporada de resfriados e gripes, como medida preventiva e para ajudar a aumentar a imunidade como um todo. Pode ser tomado puro, mas também fica bom quando misturado no chá.

Este mel de infusão é seguro para crianças com 2 anos ou mais. Por favor, siga as recomendações de dosagem apresentadas na página 23.

Dica: Se você utilizar bagas de sabugueiro e gengibre frescos, a água presente nessas ervas vai criar um mel fermentado, como nas duas receitas anteriores.

---

[9] Não se aplica ao Brasil, em razão da diferença de estações entre hemisférios, flora natural etc. Podem ser encontradas em lojas de produtos fitoterápicos. (N.R.)

Infusões para Aumentar a Imunidade

OXIMEL DE ERVAS CULINÁRIAS FRESCAS

Um oximel é uma mistura de mel e vinagre que em geral é infundida com ervas e usada como medicamento. Tanto o mel cru quanto o vinagre cru de maçã são benéficos para o sistema imunológico por si sós, e seu efeito é ampliado quando combinado com ervas medicinais. Para mim, a proporção perfeita entre mel e vinagre é de meio a meio — um pouco doce, um pouco ácida, e desce muito bem. Nesta receita de oximel, indico o uso de qualquer erva fresca que você cultive em seu jardim. A maior parte das ervas de uso culinário é também medicinal e ajuda a imunidade, portanto, elas servem a dois propósitos!

Rende: cerca de 1 ½ xícara (360 ml)

Ingredientes

1 xícara, sem apertar (12 g), de ervas culinárias frescas, como alecrim, tomilho, sálvia, manjericão, orégano e hortelã (em geral uso folhas inteiras e ramos)
¾ de xícara (180 ml) de vinagre cru de maçã
¾ de xícara (180 ml) de mel cru

Instruções

Junte as ervas frescas, o vinagre e o mel em um pote de conserva de meio litro (500 ml). Tampe o pote e agite-o para misturar bem o mel e o vinagre. Guarde-o em um local fresco e escuro para infundir por 4 a 6 semanas. Quando estiver pronto para o consumo, coe com uma peneira a fim de retirar as ervas.

Tome 1 colher de sopa (15 ml) sempre que sentir que está ficando doente, até 3 vezes por dia. Pode também ser tomado 1 ou 2 vezes por dia durante a temporada de resfriados e gripes, como medida preventiva e para ajudar a aumentar a imunidade como um todo. Pode ser tomado puro ou misturado em água.

Esse oximel é seguro para crianças com 2 anos ou mais. Por favor, siga as recomendações de dosagem apresentadas na página 23.

Dica: Este oximel também é ótimo como marinada para carnes e legumes, ou você pode misturá-lo com azeite de oliva e ter um molho instantâneo para saladas!

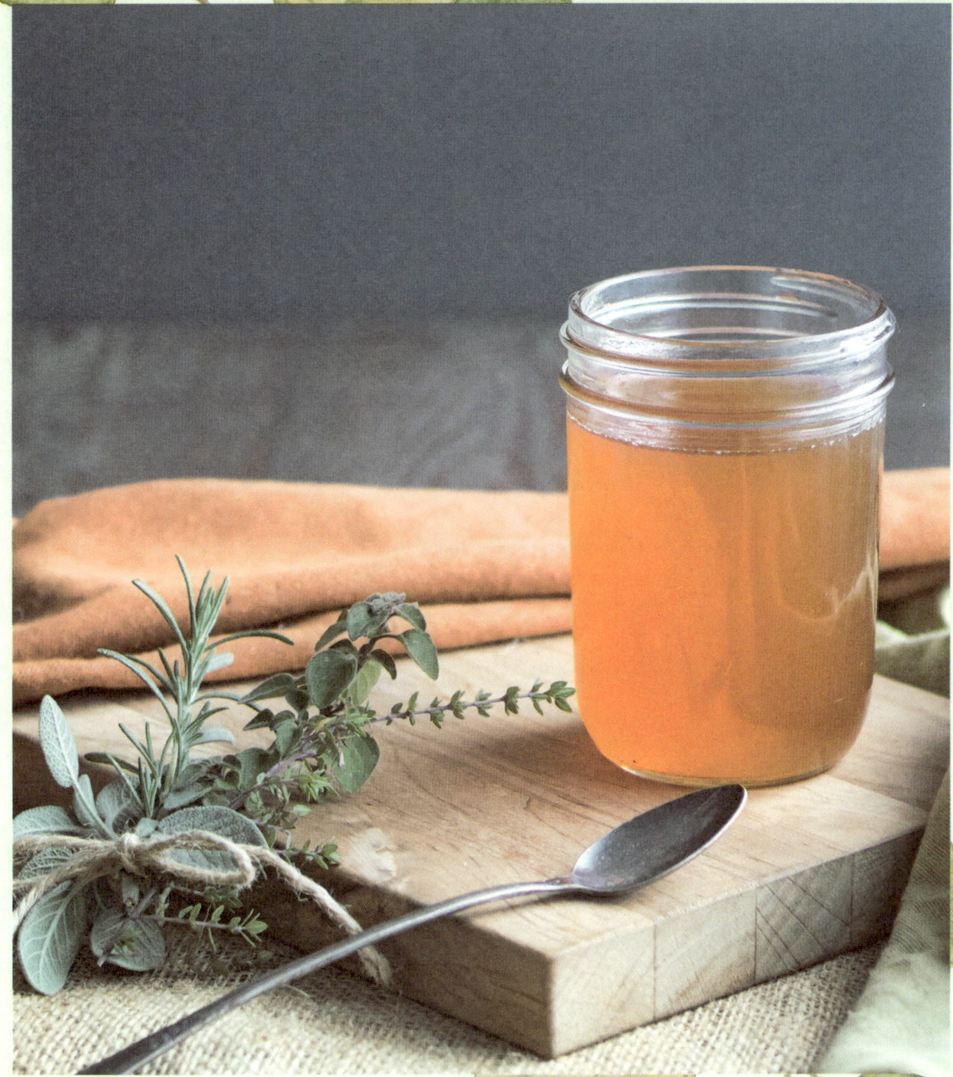

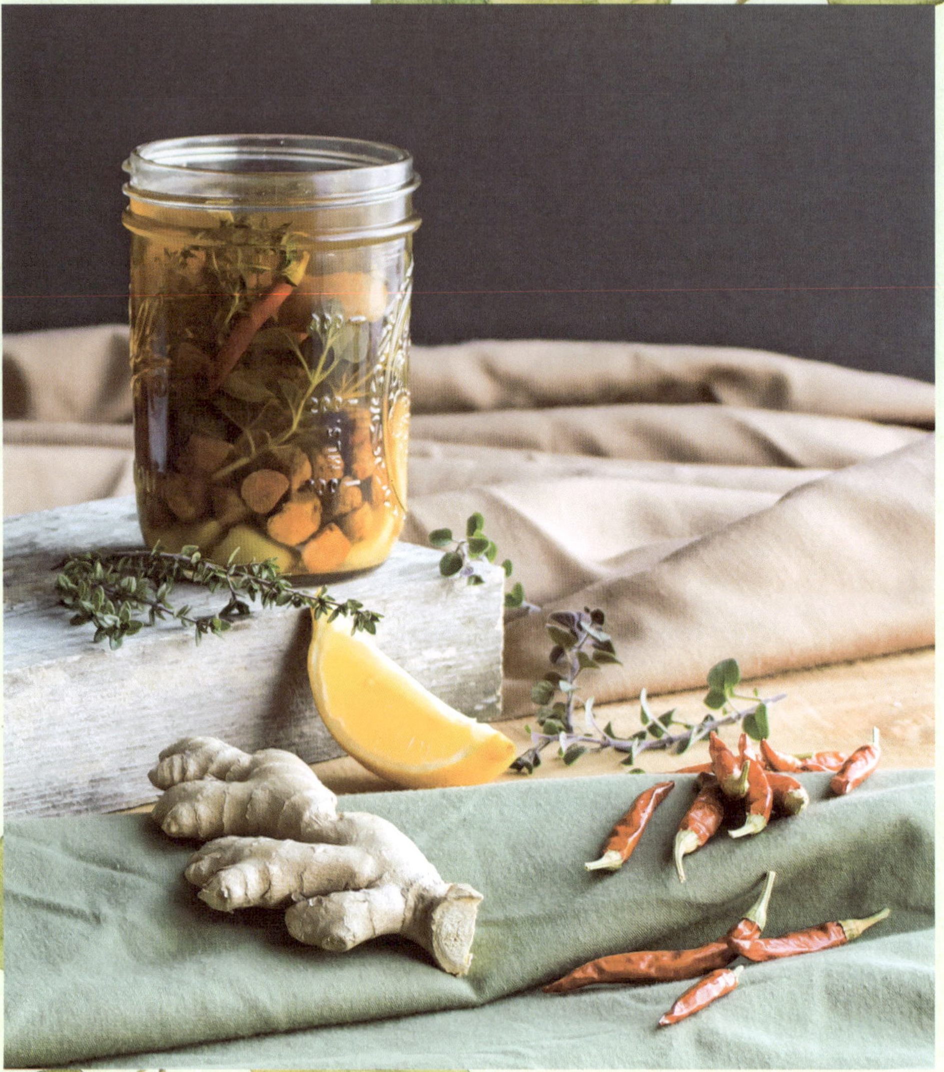

INFUSÃO DE VINAGRE PARA AUMENTAR A IMUNIDADE (QUENTE OU NÃO)

Muitas vezes chamada, em inglês, de *fiery cider* ("sidra ardente") ou algo parecido, a infusão de ervas que fortalecem a imunidade, com pimenta picante, em vinagre de maçã tornou-se popular em anos recentes – e por uma boa razão. É um potente elixir, que vai acender um fogo em sua barriga e fazer com que você se sinta saudável durante todo o inverno. Uma pergunta que sempre me fazem é se é necessário usar a pimenta picante, e a resposta é não. As pimentas picantes trazem benefícios ao sistema imunológico, mas muita gente não as tolera e prefere não usá-las. Esta receita é benéfica para a imunidade, com ou sem pimenta, de acordo com a sua preferência. Se decidir usar pimenta, pode escolher alguma mais suave, como peperoncino ou jalapenho, ou usar algo superpicante, como a pimenta habanero ou a pimenta tailandesa forte. Outras opções incluem as pimentas-caiena, serrano, anaheim e tabasco.

Rende: cerca de 1 ½ xícara (360 ml)

Ingredientes

- 6 dentes (21 g) de alho
- ¼ de xícara (28 g) de gengibre fresco fatiado
- ¼ de xícara (28 g) de raiz de cúrcuma fresca fatiada
- 1 punhado pequeno (3 g) de ramos de orégano fresco
- 1 punhado pequeno (3 g) de ramos de tomilho fresco
- Raspa da casca e suco de 1 limão
- 1 a 2 pimentas frescas picantes, como jalapenho, caiena ou habanero, fatiadas (opcional)
- 1 ½ xícara (360 ml) de vinagre cru de maçã
- 1 a 3 colheres de sopa (15-45 ml) de mel cru (opcional)

Instruções

Junte todas as ervas, a pimenta (caso opte por utilizá-la) e o vinagre de maçã em um pote de conserva de ½ litro (500 ml). Tampe o pote e guarde-o em um local fresco e escuro para infundir por 4 a 6 semanas. Quando a infusão estiver pronta para uso, coe para retirar as ervas e adicione o mel (caso opte por utilizá-lo), mexendo para misturar.

Tome 1 colher de sopa (15 ml) sempre que sentir que está ficando doente, até 3 vezes por dia. Esta infusão pode também ser tomada 1 ou 2 vezes por dia durante a temporada de resfriados e gripes, como medida preventiva e para ajudar a aumentar a imunidade como um todo. Pode ser tomada pura ou misturada em água.

Esta infusão de vinagre, sem a pimenta picante, é segura para crianças com 2 anos ou mais. Por favor, siga as recomendações de dosagem apresentadas na página 23 e use diluída em água.

Dica: Outras adições possíveis incluem raiz-forte fresca fatiada, um raminho de alecrim fresco, folhas frescas de sálvia ou raiz de astrágalo seca.

ÓLEO INFUSO DE ORÉGANO E LIMÃO

Quando a ameaça das doenças de inverno estiver rondando, o óleo com infusão de orégano pode ser de grande ajuda. O orégano fresco está repleto de antioxidantes e é antibacteriano, o que faz dele uma das ervas mais saudáveis de seu jardim. Também tem poderosa ação antimicrobiana, e por isso pode ser empregado como um sanitizador tópico natural. Este é o único óleo de infusão neste livro em que indico o uso de ervas frescas, uma vez que normalmente são utilizadas ervas secas para evitar que o óleo fique rançoso. A adição de suco de limão ajuda o preparado a durar mais, além de aumentar sua acidez o bastante a fim de torná-lo um ambiente desfavorável para o botulismo.

Rende: cerca de ¾ de xícara (180 ml)

Ingredientes
1 xícara, sem apertar (11 g), de ramos de orégano fresco
¾ de xícara (180 ml) de azeite de oliva extravirgem
2 colheres de sopa (30 ml) de suco de limão

Instruções

Junte o orégano, o azeite de oliva e o suco de limão em um pote de conserva de ¼ de litro (250 ml). Como essa receita utiliza ervas frescas, é importante assegurar-se de que o óleo cubra completamente o orégano. Tampe o pote e agite-o para misturar. Guarde-o em um local fresco e escuro para infundir por 4 a 6 semanas. Quando estiver pronto para o consumo, coe o óleo com uma peneira fina a fim de retirar o orégano, e assegure-se de utilizá-lo no prazo de um mês.

Uma colher de sopa (15 ml) pode ser ingerida por dia durante a temporada de resfriados e gripes, como medida preventiva e para aumentar a imunidade, ou 2 vezes ao dia ao primeiro sinal de mal-estar, para acelerar a recuperação. Além disso, pode ser usado de forma tópica como agente antimicrobiano e sanitizador natural. Esfregue uma fina camada nas mãos para ajudar a desinfetar e higienizar.

Esta infusão em óleo é segura para crianças com 2 anos ou mais. Por favor, siga as recomendações de dosagem apresentadas na página 23.

Dica: Este óleo com infusão de orégano também pode ser usado na culinária. Sirva-o como mistura para mergulhar pão de casca grossa, ou use-o para pincelar legumes ou carnes grelhados.

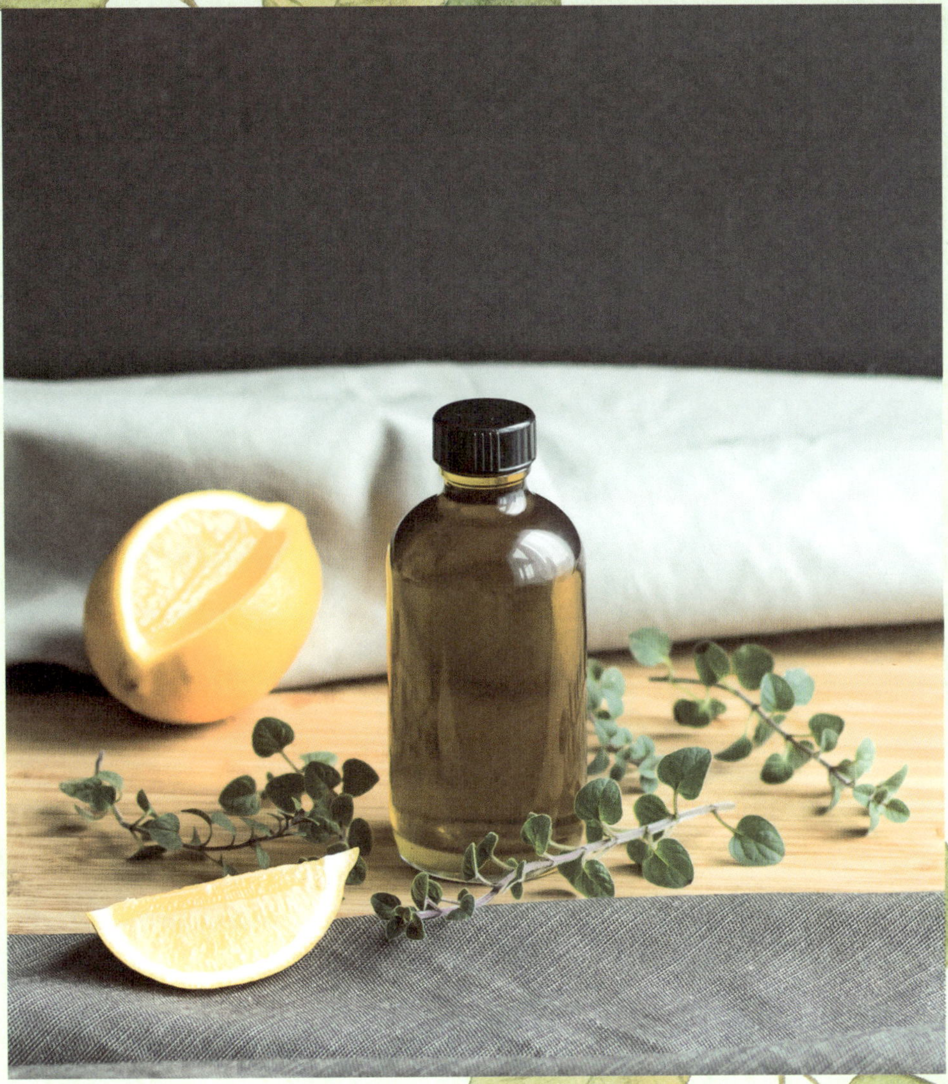

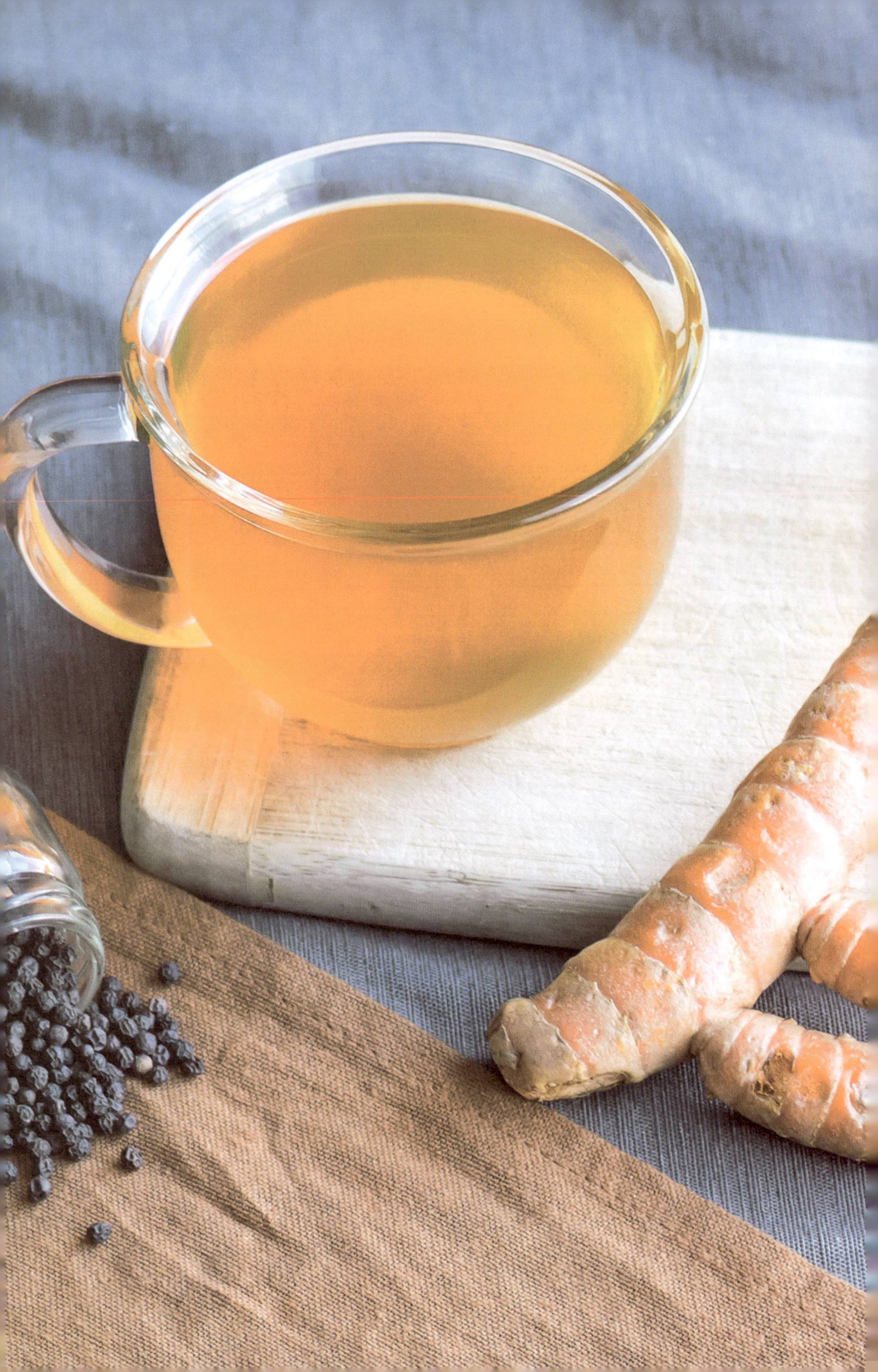

INFUSÕES PARA ATENUAR AS DORES

As ervas estão sempre disponíveis quando precisamos delas e muitas têm propriedades medicinais maravilhosas para nossas dores do dia a dia. A arnica ajuda nos casos de músculos doloridos e hematomas. A lavanda e a hortelã-pimenta são calmantes e boas para dores musculares. E a calêndula, a tanchagem e a mil-folhas são poderosas na cura de pequenos cortes, queimaduras, picadas de insetos e machucados. A infusão dessas ervas em óleos é uma ótima maneira de utilizar suas propriedades; use a própria infusão ou transforme-a em bálsamos e pomadas.

Ervas com potente ação analgésica e anti-inflamatória, como o salgueiro-branco, a casca de bétula, o manjericão, o tomilho e a cúrcuma, também são ótimas de ter à mão para preparar chás que aliviam dores incômodas e rigidez. Nos últimos tempos, a maconha está se tornando bem conhecida como aliada contra a dor crônica. Com essas ervas e esses remédios agindo a seu favor, você vai se ver livre das dores em um instante.

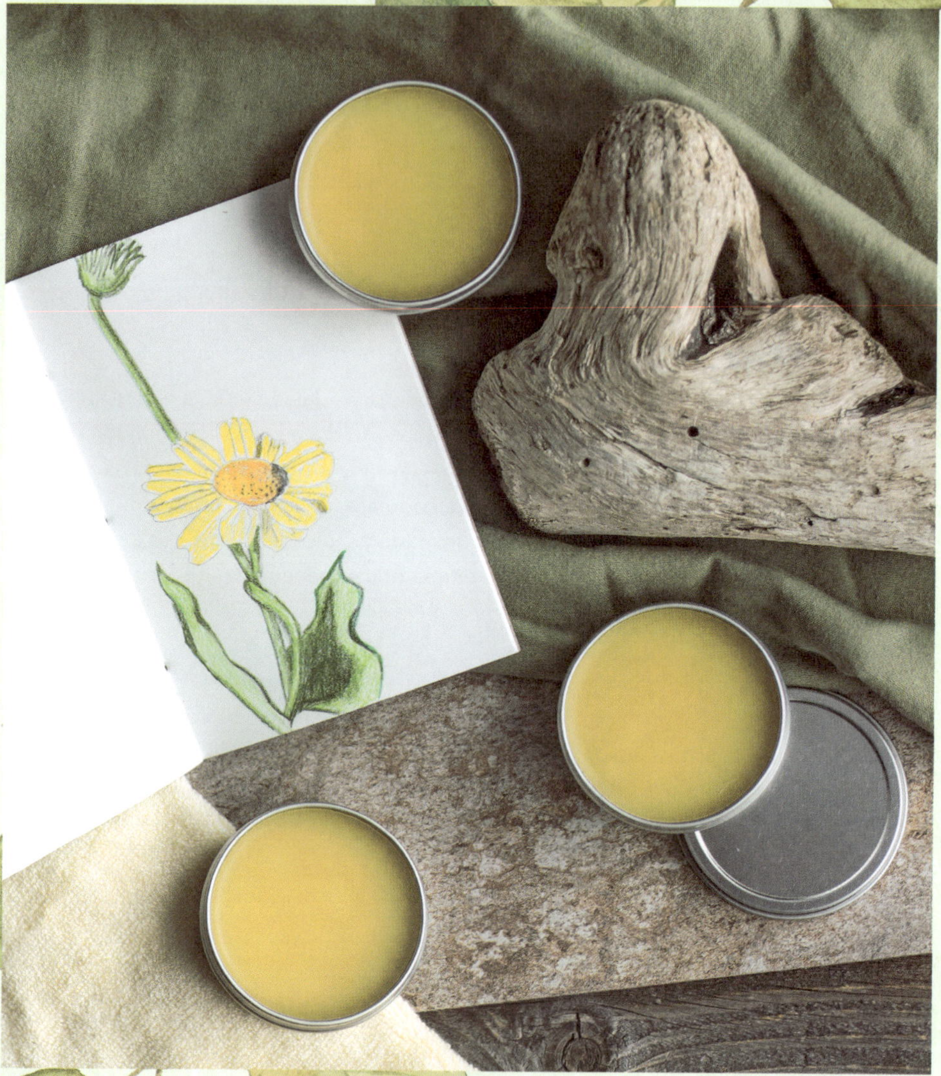

POMADA DE ARNICA PARA ENTORSES E CONTUSÕES

Arnica montana, uma flor amarela das montanhas, é especialmente eficaz para aliviar a dor associada a dores musculares, entorses, estiramentos e contusões. Essa bela flor tem poderosas propriedades anti-inflamatórias, que rivalizam com as dos analgésicos comerciais. Esta pomada é uma ótima maneira de aplicar facilmente a arnica, com o benefício adicional de ser maravilhosa para a pele. Um alerta: a arnica, uma planta tóxica quando consumida internamente, deve ser usada apenas de maneira tópica e na pele sem ferimentos abertos, e nunca deve ser ingerida. Por esse motivo, deve ser guardada fora do alcance de crianças e de animais de estimação.

Rende: cerca de 150 ml de pomada

Ingredientes

Para o óleo de infusão
½ xícara, sem apertar (5 g), de flores de arnica secas
¼ de xícara (60 ml) de óleo de coco, derretido
¼ de xícara (60 ml) de azeite de oliva
¼ de xícara (60 ml) de óleo de amêndoas doce

Para a pomada
½ xícara (120 ml) de óleo com infusão de arnica
14 g de cera de abelha
14 g de manteiga de karité

Instruções

Junte as flores de arnica com o azeite de oliva e os óleos de coco e de amêndoas doce em um pote de conserva de ¼ de litro (250 ml). Tampe o pote e agite-o para misturar bem. Guarde-o em um local fresco e escuro para infundir por 4 a 6 semanas.

Quando for o momento de preparar a pomada, coe o óleo com uma peneira fina para retirar as flores. Se o óleo de coco presente na infusão estiver sólido, aqueça-o suavemente, colocando o pote em uma panela com água quente para derreter a mistura antes de coar. Meça ½ xícara (120 ml) do óleo de infusão. Coloque o óleo em banho-maria sobre fogo médio (veja na página 20 como preparar seu próprio banho-maria). Adicione a cera de abelha ao óleo e continue a aquecer até que ela derreta totalmente. A seguir, adicione a manteiga de karité e, quando esta tiver derretido, retire a mistura do fogo. Despeje a mistura com cuidado em frascos ou latinhas. Deixe a pomada esfriar e adquirir consistência por 3 a 4 horas antes de usar.

Aplique a pomada no caso de dores musculares, entorses, estiramentos e contusões, com a frequência que for necessária, por vários dias, ou até que a dor tenha desaparecido.

Esta pomada de arnica é segura para uso em crianças com 8 anos ou mais, depois de ser feito um teste de contato (ver p. 23). Para crianças com menos de 8 anos, recomendo usar, em vez dela, o Bálsamo para Dodóis (p. 182).

Dica: Outras ervas que você pode usar para o alívio da dor são a erva-de-são-joão, a pimenta-caiena e a hortelã-pimenta.

Infusões para Atenuar as Dores

ÓLEO DE COCO INFUSO DE MACONHA PARA DORES CORPORAIS

Com a legislação dos Estados Unidos começando a relaxar um pouco quanto ao uso medicinal da maconha, ela está se tornando uma escolha popular para o alívio de todo tipo de dor, de distensões musculares à dor crônica e tudo o que houver no meio. Há dois componentes principais na maconha que proporcionam benefícios medicinais: o Tetrahidrocanabinol (THC), que é o mesmo composto que tem efeitos psicotrópicos quando inalado ou ingerido, e o Canabidiol (CBD), que é particularmente bom para o controle da dor. Eu uso o método do fogão para aquecer esse óleo de infusão; ele facilita um processo chamado "descarboxilação", que torna os compostos medicinais da maconha mais biodisponíveis. Ao usar a maconha medicinal topicamente, faz sentido buscar uma variedade que seja rica em CBD, e fica a seu critério decidir se quer um nível de THC mais elevado ou mais baixo. Algumas boas cepas em termos de CBD são Charlotte's Web, Harlequin e ACDC. Procure uma farmácia que comercialize a maconha, de modo a receber mais informações quanto à cepa que melhor atende às suas necessidades. Por favor, verifique a legislação local antes de usar a maconha como medicamento, para ter certeza de que é legal em seu país.

Rende: cerca de 1 xícara (240 ml)

Ingredientes

¼ a ½ xícara (5 a 10 g) de botões secos ou restos de poda de maconha
1 xícara (240 ml) de óleo de coco

Instruções

Junte a maconha e o óleo de coco em uma panela pequena e aqueça em fogo baixo por 4 a 8 horas. Quanto mais tempo aquecer a mistura, mais forte será o óleo final. Tenha cuidado para que o óleo não esquente demais e acabe queimando a maconha, procure manter a temperatura abaixo de 65 °C. Coe com uma peneira fina para retirar o material vegetal e acondicione o óleo em um pote de vidro. À temperatura ambiente (abaixo de 24 °C), o óleo permanecerá sólido, mas vai derreter em contato com a pele.

Friccione em músculos, articulações ou outras áreas doloridas, com a frequência que for necessária, para obter alívio.

Não recomendo o uso desta infusão em crianças e jovens com menos de 18 anos.

Dica: Este óleo de maconha pode ser transformado em pomada derretendo-se, em banho-maria, 28 g de cera de abelha em 1 xícara (240 ml) do óleo de infusão coado, e vertendo a mistura, a seguir, em latinhas ou frascos.

Ervas que Curam

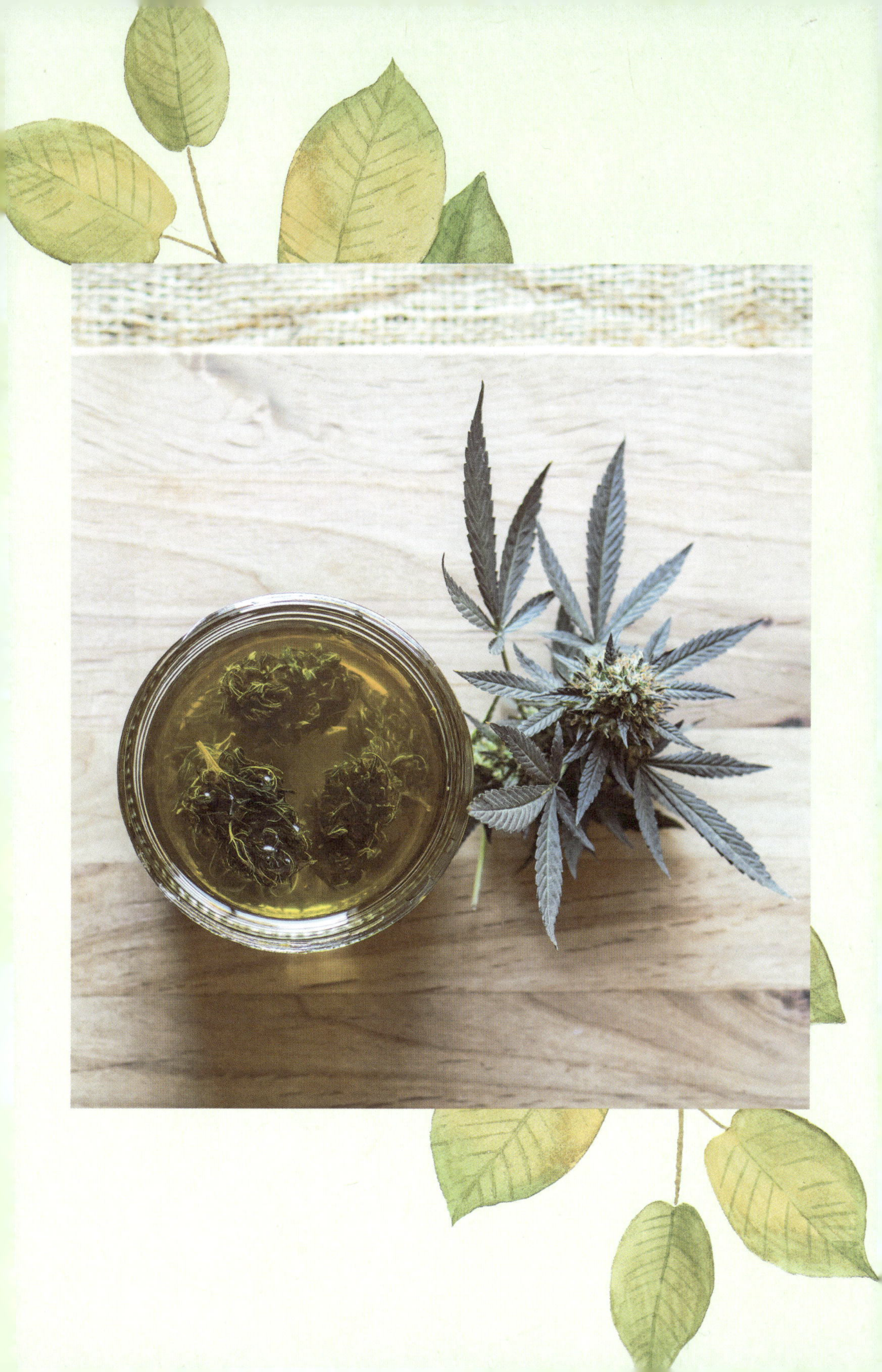

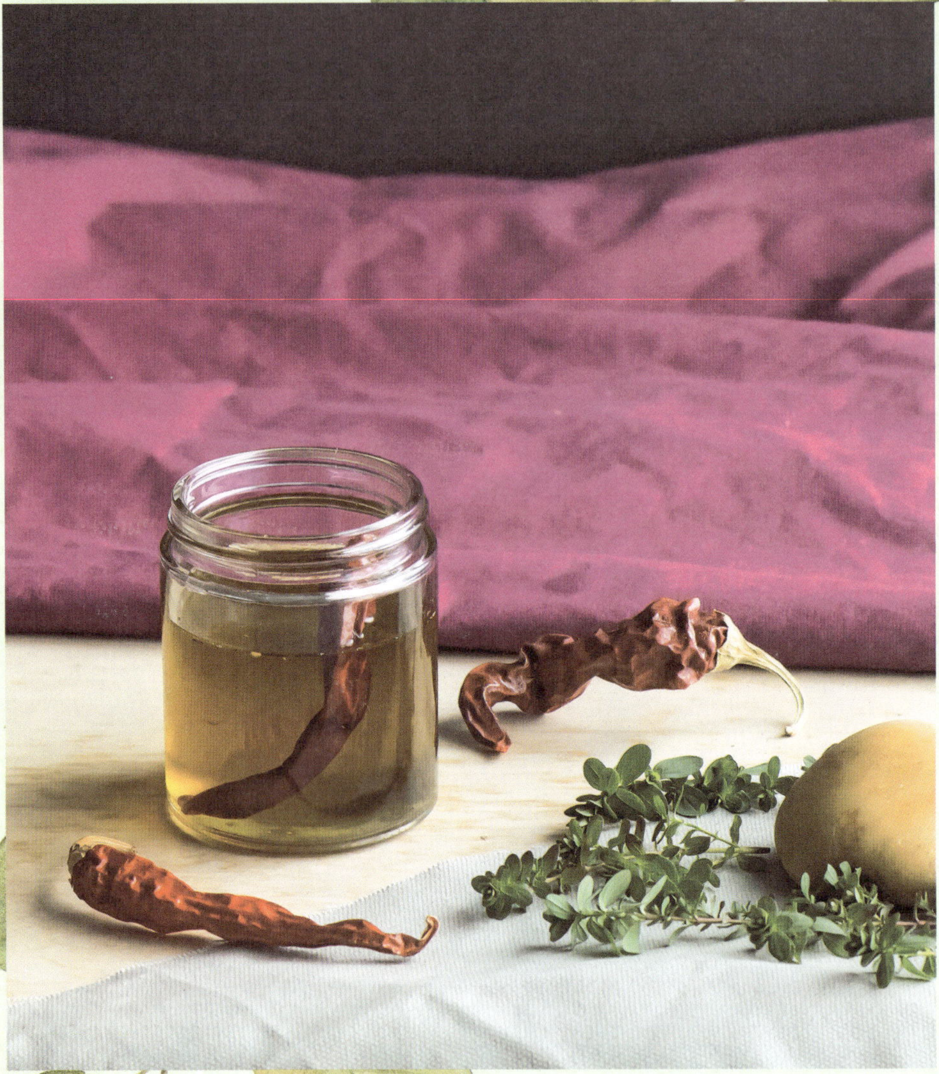

ÓLEO DE ERVA-DE-SÃO-JOÃO E PIMENTA-CAIENA PARA AQUECER

A erva-de-são-joão (ou hipérico) popularizou-se como um remédio caseiro para o estado de ânimo e a depressão (ver na página 131 a receita para uma tintura de erva-de-são-joão para levantar o astral). Ela não é tão conhecida por sua capacidade de aliviar dores musculares e articulares. Quando você adiciona o efeito aquecedor da pimenta-caiena a este óleo de infusão, ele se torna altamente eficaz como analgésico tópico e localizado. Se tiver pele sensível, faça antes um teste de contato para certificar-se de que não terá nenhuma reação à pimenta. Fique à vontade para deixar de fora a pimenta-caiena, caso queira – a erva-de-são-joão por si só proporciona imensos benefícios terapêuticos.

Rende: cerca de ¾ de xícara (180 ml)

Ingredientes

⅓ de xícara (20 g) de flores e folhas de erva-de-são-joão secas ou ⅔ de xícara (40 g) de flores e folhas dessa erva frescas
1 pimenta-caiena pequena seca
½ xícara (120 ml) de azeite de oliva
¼ de xícara (60 ml) de óleo de coco derretido

Instruções

Se estiver usando flores de erva-de-são-joão secas, junte-as à pimenta-caiena, ao azeite de oliva e ao óleo de coco em um pote de conserva de ¼ de litro (250 ml). Tampe o pote e agite-o para misturar bem. Guarde-o em um local fresco e escuro para infundir por 4 a 6 semanas. Antes de usar, coe com uma peneira fina para retirar o material vegetal e a pimenta-caiena. Se o óleo de coco presente na infusão estiver sólido, aqueça-a suavemente, colocando o pote em uma panela com água quente para derreter a mistura antes de coar.

Se preferir usar flores de erva-de-são-joão frescas, por favor, siga as instruções para a infusão de óleos pelo método do calor, na página 17, e assegure-se de utilizar esse óleo no prazo de um mês.

Friccione o óleo em músculos e articulações doloridos, conforme necessário, para obter alívio.

Este óleo, sem a pimenta-caiena, é seguro para o uso em crianças com 2 anos ou mais, depois de feito um teste de contato (ver p. 23).

Dica: Se preferir, este óleo para aquecer pode ser transformado em pomada. Simplesmente derreta, em banho-maria, 14 g de cera de abelha em ½ xícara (120 ml) do óleo de infusão coado e então acondicione em latinhas ou frascos.

Infusões para Atenuar as Dores

ÓLEO COM LAVANDA E HORTELÃ-PIMENTA PARA DORES MUSCULARES

Todos nós sentimos alguma dorzinha ou rigidez de vez em quando, seja em razão de uma caminhada longa e cansativa ou por ter trabalhado o dia todo no jardim. Por sorte, você pode contar com a lavanda e a hortelã-pimenta para o alívio da dor! Este é o óleo ao qual você deve recorrer nos casos de dores musculares após um esforço excessivo. Depois de relaxar os músculos cansados em um banho de imersão quente, friccione-os com este óleo de infusão para ajudar a aliviar a dor. De quebra, você vai ficar com um cheiro maravilhoso!

Rende: cerca de ¾ de xícara (180 ml)

Ingredientes

¼ de xícara (8 g) de flores de lavanda secas
¼ de xícara (8 g) de hortelã-pimenta seca
½ xícara (120 ml) de óleo de coco derretido
¼ de xícara (60 ml) de óleo de amêndoas doce
5 a 10 gotas de óleo essencial de lavanda (opcional, veja Nota abaixo)
5 a 10 gotas de óleo essencial de hortelã-pimenta (opcional, veja Nota abaixo)

Instruções

Junte a lavanda e a hortelã-pimenta com os óleos de coco e de amêndoas doce em um pote de conserva de ¼ de litro (250 ml). Tampe o pote e agite-o para misturar bem. Guarde-o em um local fresco e escuro para infundir por 4 a 6 semanas. Coe com uma peneira fina para retirar o material vegetal. Se o óleo de coco presente na infusão estiver sólido, aqueça-a suavemente, colocando o pote em uma panela com água quente para derreter a mistura antes de coar. Adicione os óleos essenciais (caso opte por utilizá-los) e mexa bem.

Friccione o óleo em músculos e articulações doloridos, conforme necessário, para obter alívio da dor.

Este óleo de infusão é seguro para uso em crianças com 2 anos ou mais, depois de feito um teste de contato (ver p. 23).

Nota: Exclua os óleos essenciais se for utilizar este preparo em crianças com menos de 13 anos.

Dica: A lavanda e a hortelã-pimenta são eficazes no alívio de dores de cabeça. Experimente massagear um pouco deste óleo de infusão nas têmporas ou atrás das orelhas para obter algum alívio.

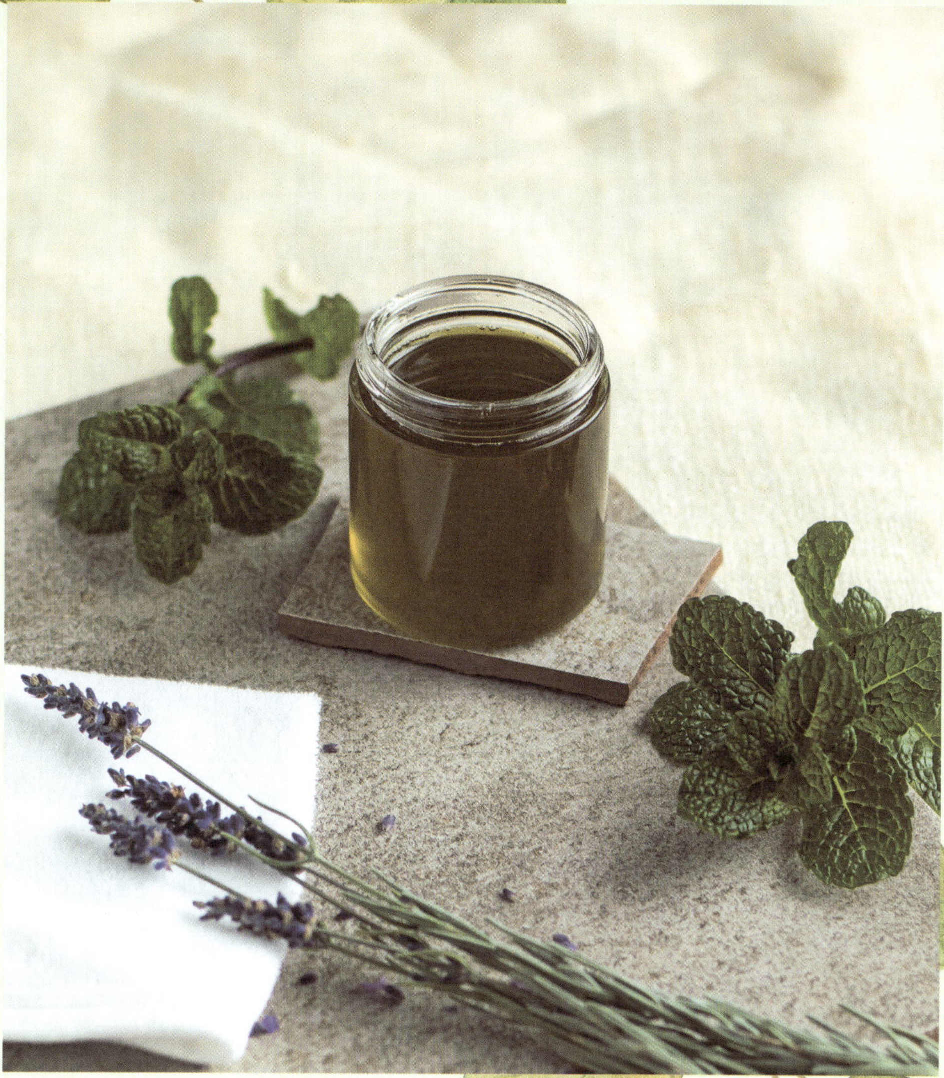

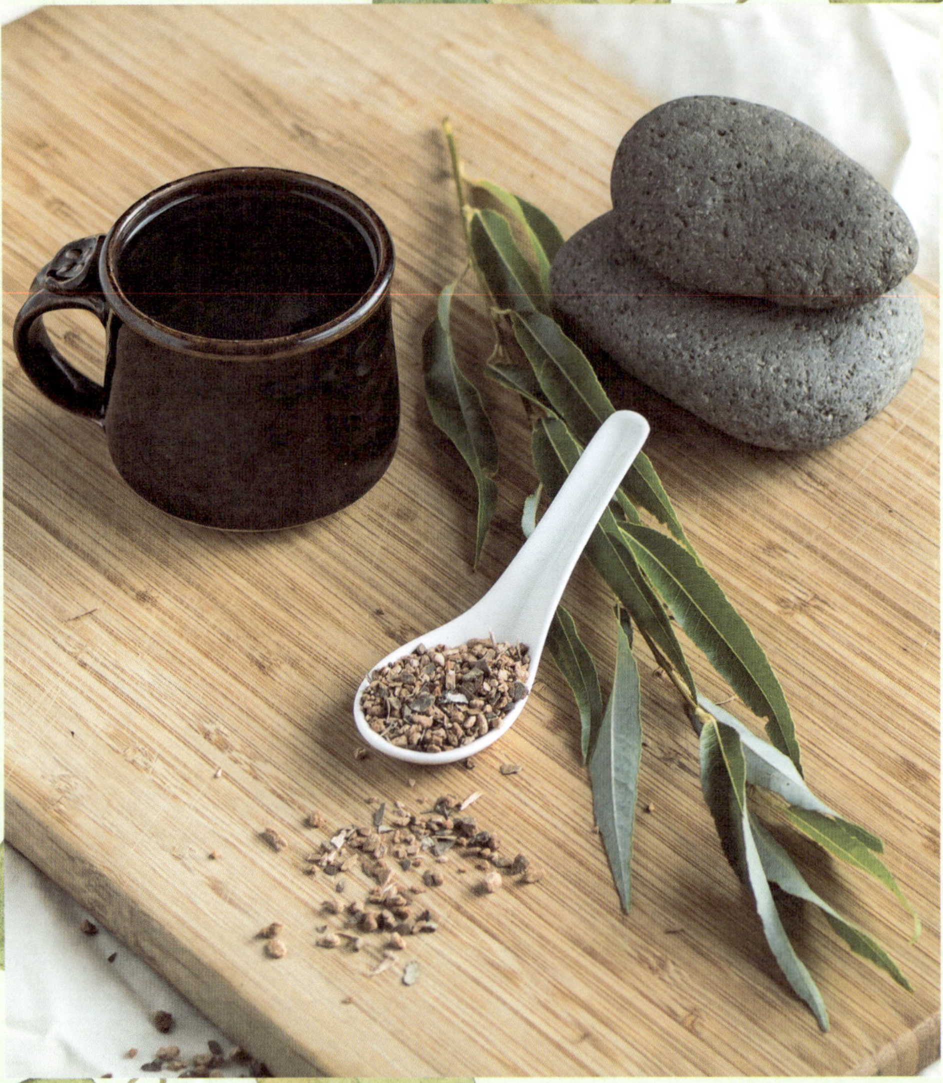

CHÁ DE SALGUEIRO-BRANCO E CASCA DE BÉTULA PARA ALÍVIO DA DOR

Muitos medicamentos farmacêuticos têm sua origem na fitoterapia. A casca de salgueiro-branco é um bom exemplo, pois foi de um de seus componentes principais – o ácido salicílico – que a aspirina se derivou originalmente. A casca de bétula também contém um pouco de ácido salicílico e possui um sabor delicado e aromático, que lembra o da gaultéria e torna esse chá agradável de tomar. O uso da erva inteira, em vez de um componente isolado, permite o aproveitamento dos benefícios proporcionados pelos flavonoides e outros componentes naturais, além de eliminar um eventual efeito agressivo da aspirina no estômago. Tenha em mente que este chá apresenta uma leve ação de afinar o sangue, como a da aspirina, portanto evite tomá-lo caso isso seja um problema para você. Ele também deve ser evitado por gestantes e lactantes, bem como por crianças e jovens com menos de 18 anos.

Rende: 2 xícaras (480 ml)

Ingredientes

2 xícaras (480 ml) de água
2 colheres de sopa (8 g) de casca ou ramos de salgueiro-branco, picados em pedaços pequenos
1 colher de sopa (6 g) de casca ou ramos de bétula, picados em pedados pequenos

Instruções

Ferva a água e despeje-a sobre as cascas de salgueiro-branco e de bétula. Deixe a infusão descansar por 10 a 15 minutos; coe para retirar as cascas antes de consumi-la. Se desejar um chá mais forte, siga as instruções da página 15 para infusões ou decocções longas ou de um dia para o outro.

Tome de 1 a 2 xícaras (240 a 480 ml) ao longo do dia para ajudar no alívio da dor aguda e da inflamação. Não tome por mais do que 1 ou 2 semanas seguidas.

Não recomendo que crianças e jovens com menos de 18 anos, gestantes e lactantes tomem este chá.

Dica: Tanto o salgueiro-branco quanto a bétula são relativamente fáceis de encontrar,[10] então, pegue seu Guia de Campo e saia em busca da aspirina natural! O salgueiro-branco cresce em abundância em quase todos os lugares,[11] e aparas da casca ou pequenos ramos podem ser retirados sem risco de danificar a árvore. Casca e pequenos ramos de bétula só devem ser removidos de árvores já mortas ou que estão morrendo, para não danificar plantas saudáveis ou inibir seu crescimento. Descarte a parte externa da casca, pois é a parte interna que tem maior efeito.

---

[10] Não se aplica ao Brasil, em razão da diferença de estações entre hemisférios, flora natural etc. Podem ser encontradas em lojas de produtos fitoterápicos. (N.R.)
[11] De novo, não se aplica ao Brasil. Aqui, é muito comum como espécie cultivada, sobretudo em parques urbanos, o salgueiro-chorão (*Salix babylonica*). Ambas as espécies de salgueiro têm propriedades similares às da aspirina, embora o "salgueiro-chorão" não seja utilizado industrialmente. Ver seção "Perfis de Ervas e Flores", na p. 193.

CHÁ DE MANJERICÃO, TOMILHO E ORÉGANO PARA DOR CRÔNICA

Ter um jardim de ervas em casa, mesmo que seja num peitoril de janela banhado pelo sol, traz benefícios que vão além do uso culinário. A maioria das ervas de cultivo comum é altamente medicinal, de modo que faz sentido tê-las sempre à mão! O manjericão, o tomilho e o orégano têm propriedades que reduzem a dor e a inflamação, e proporcionam um chá maravilhoso e gostoso de beber. Recomendo o uso de ervas frescas nessa mistura, se possível orgânicas. Mesmo que você não cultive essas ervas, deve ser fácil encontrá-las em seu mercado local. Mulheres grávidas devem evitar o uso de grandes quantidades de manjericão.

Rende: 2 xícaras (480 ml)

Ingredientes
2 xícaras (480 ml) de água
½ xícara, sem apertar (8 g), de mistura de manjericão, tomilho e orégano frescos picados em pedaços grandes

Instruções
Ferva a água e despeje-a sobre as ervas frescas em um pote de conserva de ½ litro (500 ml). Deixe a infusão descansar por 10 a 15 minutos; coe para retirar as ervas antes de consumi-la. Se desejar um chá mais forte, siga as instruções da página 15 para infusões longas ou de um dia para o outro.

Tome diariamente, com a frequência que for necessária, para ajudar a aliviar a dor crônica e a inflamação. Pode levar várias semanas de uso diário para que haja uma redução da dor.

Este chá é seguro para crianças com 2 anos ou mais. Por favor, siga as recomendações de dosagem apresentadas na página 23.

Dica: Essas três ervas também são ótimas para o sistema imunológico; tome este chá quando sentir que está ficando doente, para ajudá-lo a se curar depressa!

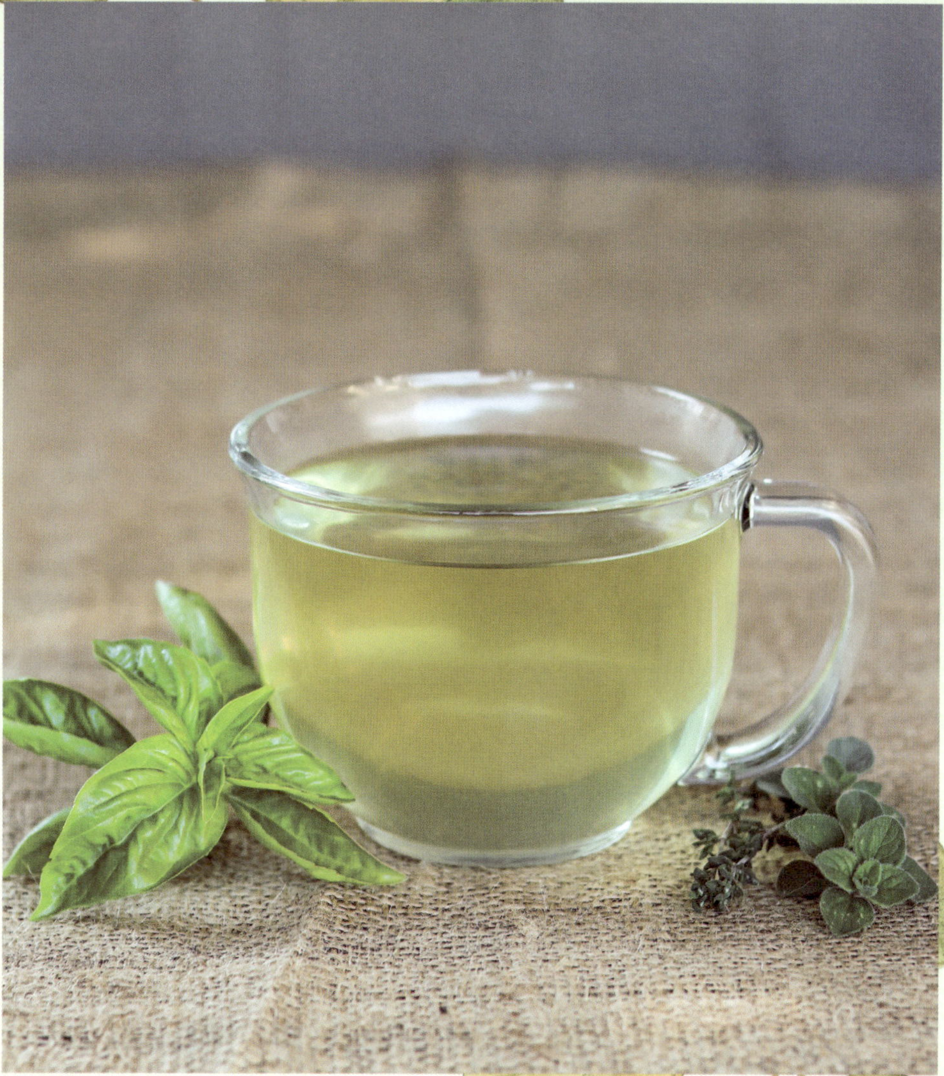

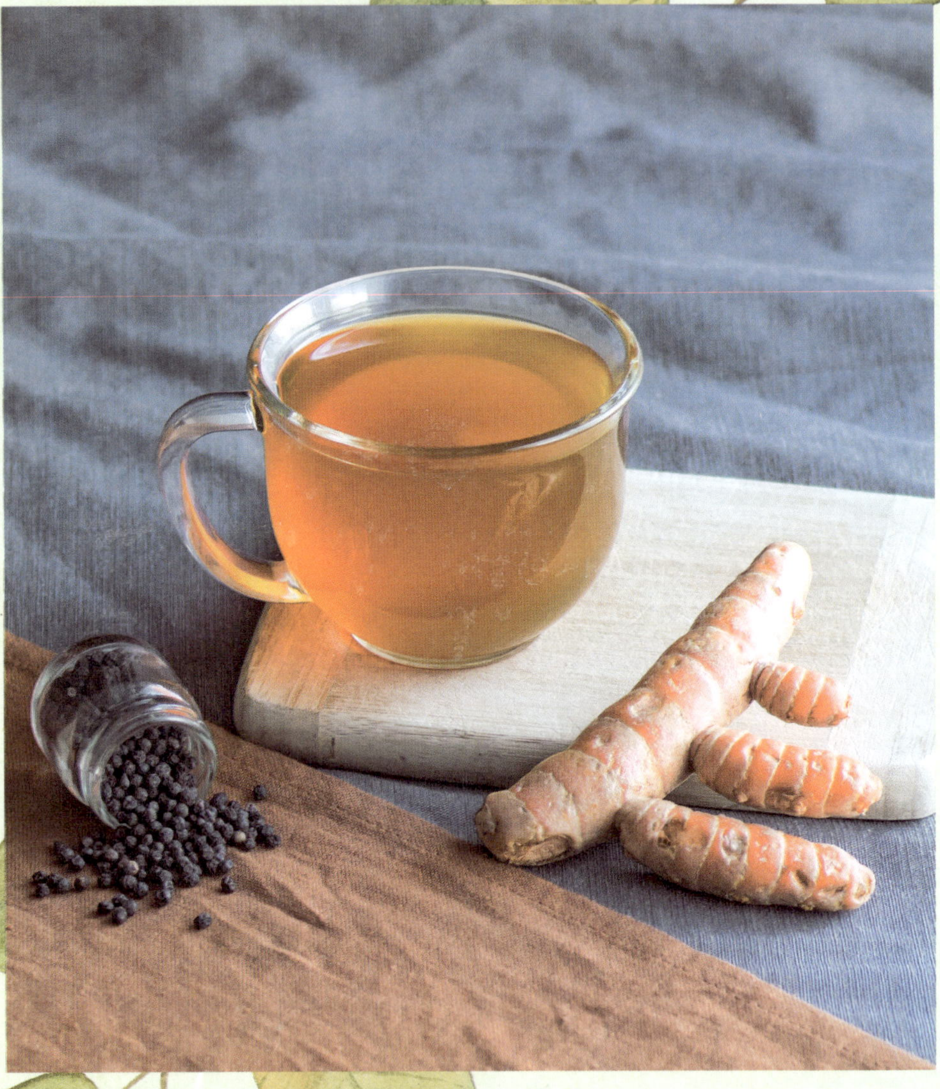

CHÁ DE CÚRCUMA E PIMENTA-DO-REINO PARA INFLAMAÇÃO CRÔNICA

Nos últimos anos, a cúrcuma tornou-se um importante aliado vegetal, especialmente para as pessoas que sofrem com inflamações excessivas, como artrite, síndrome do intestino irritável ou antigas lesões esportivas. Essa planta pertence à mesma família do gengibre, um parente mais conhecido, e sua raiz é um anti-inflamatório natural. O problema é que a curcumina, o principal componente da cúrcuma que lhe confere suas propriedades, não é absorvida facilmente pelo corpo. Por sorte, isso é fácil de corrigir, pois a piperina, presente na pimenta-do-reino, aumenta a biodisponibilidade da curcumina. Tenho boas lembranças de ter tomado chá de cúrcuma na Costa Rica durante minha lua de mel, e toda vez que encontro cúrcuma fresca no mercado, compro um pouco para preparar uma xícara deste chá que é ótimo para aquecer!

Rende: 2 xícaras (480 ml)

Ingredientes
¾ de xícara (75 g) de cúrcuma fresca fatiada
2 colheres de chá (6 g) de grãos inteiros de pimenta-do-reino
2 ½ xícaras (600 ml) de água

Instruções
Junte a cúrcuma, os grãos de pimenta-do-reino e a água em uma panela pequena. Aqueça até levantar fervura. Ferva por 10 a 15 minutos, tire do fogo e deixe descansar por vários minutos para esfriar um pouco. Quando estiver pronto para o consumo, coe a fim de retirar a cúrcuma e os grãos de pimenta-do-reino. Tenha em mente que a cúrcuma fresca pode manchar os utensílios de cozinha, as mãos e a roupa com uma cor laranja brilhante que pode ser difícil de remover.

Tome de 1 a 2 xícaras (240 a 480 ml) por dia para ajudar a reduzir a inflamação crônica.

Este chá é seguro para crianças com 2 anos ou mais. Por favor, siga as recomendações de dosagem apresentadas na página 23.

Dica: O leite de cúrcuma (também chamado de leite dourado) é muito usado na medicina ayurvédica, e é uma ótima maneira de consumir uma dose dessa erva. Substitua a água por leite (os leites vegetais também funcionam), adicione a cúrcuma e a pimenta-do-reino e aqueça em fogo baixo em uma panela por 10 a 15 minutos. Caso queira, acrescente 1 ou 2 colheres de mel cru, mexendo para misturar e obter uma saborosa bebida medicinal!

Infusões para Atenuar as Dores

POMADA CICATRIZANTE COM QUATRO ERVAS

Esta é uma receita que formulei muitos anos atrás e que sempre volto a utilizar. Essas quatro ervas têm suas próprias ações específicas no tratamento de pequenos cortes e arranhões e, quando combinadas, constituem um cicatrizante potente. A mil-folhas contém o sangramento; a tanchagem é calmante e previne infecções; o confrei ajuda no crescimento de novas células da pele; e a calêndula acelera a cura e reduz as cicatrizes. Um ponto a ser observado é que essa pomada deve ser utilizada apenas em pequenos ferimentos. Qualquer ferimento profundo ou que potencialmente exija pontos deve ser examinado por um médico.

Rende: cerca de 150 ml de pomada

Ingredientes

Para o óleo de infusão
2 colheres de sopa (3 g) de flores secas de calêndula
2 colheres de sopa (5 g) de flores secas de mil-folhas
2 colheres de sopa (5 g) de folhas secas de tanchagem
2 colheres de sopa (5 g) de folhas secas de confrei

¼ de xícara (60 ml) de óleo de coco, derretido
¼ de xícara (60 ml) de azeite de oliva
¼ de xícara (60 ml) de óleo de amêndoas doce

Para a pomada
½ xícara (120 ml) de óleo com infusão das quatro ervas
14 g de cera de abelha

Instruções

Junte a calêndula, a mil-folhas, a tanchagem e o confrei com o azeite de oliva e os óleos de coco e de amêndoas doce em um pote de conserva de ¼ de litro (250 ml). Tampe o pote e agite-o para misturar bem. Guarde-o em um local fresco e escuro para infundir por 4 a 6 semanas.

Quando for o momento de preparar a pomada, coe o óleo com uma peneira fina para retirar as ervas. Se o óleo de coco presente na infusão estiver sólido, aqueça-a suavemente, colocando o pote em uma panela com água quente para derreter a mistura antes de coar. Meça ½ xícara (120 ml) do óleo de infusão; guarde o que restar do óleo para usar mais tarde, caso deseje. Coloque o óleo em banho-maria sobre fogo médio (veja na página 20 como preparar seu próprio banho-maria). Adicione a cera de abelha ao óleo e continue a aquecer até que ela derreta totalmente. Despeje a mistura com cuidado em frascos ou latinhas. Deixe a pomada esfriar e adquirir consistência por 3 a 4 horas antes de usar.

Aplique em pequenos cortes, arranhões e machucados, conforme for necessário, para ajudar a acelerar a cicatrização.

Esta pomada é segura para uso em crianças com 13 anos ou mais, depois de ser feito um teste de contato (ver p. 23). Para crianças com menos de 13 anos, recomendo usar, em vez dela, o Bálsamo para Dodóis (p. 182).

Dica: Você também pode usar esta pomada em erupções cutâneas, picadas de insetos, contusões, pequenas queimaduras, acne e cicatrizes.

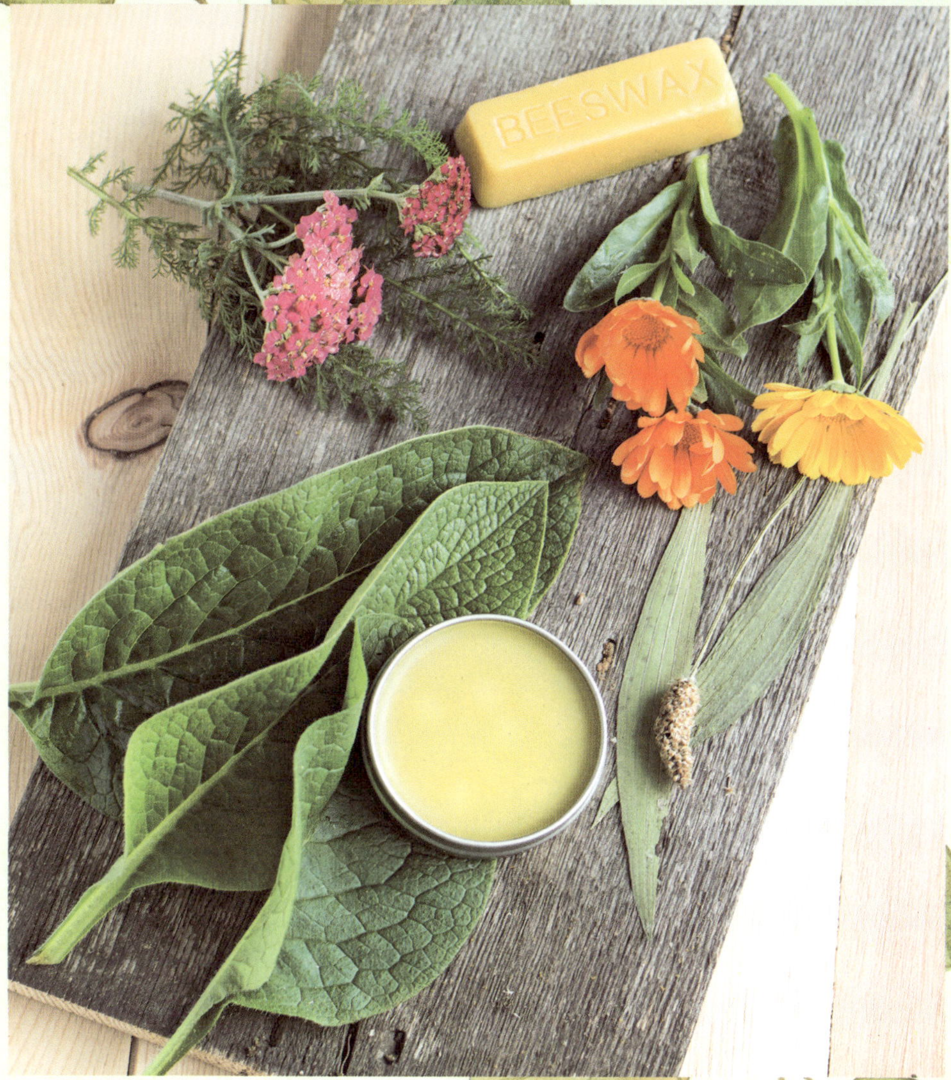
BEESWAX

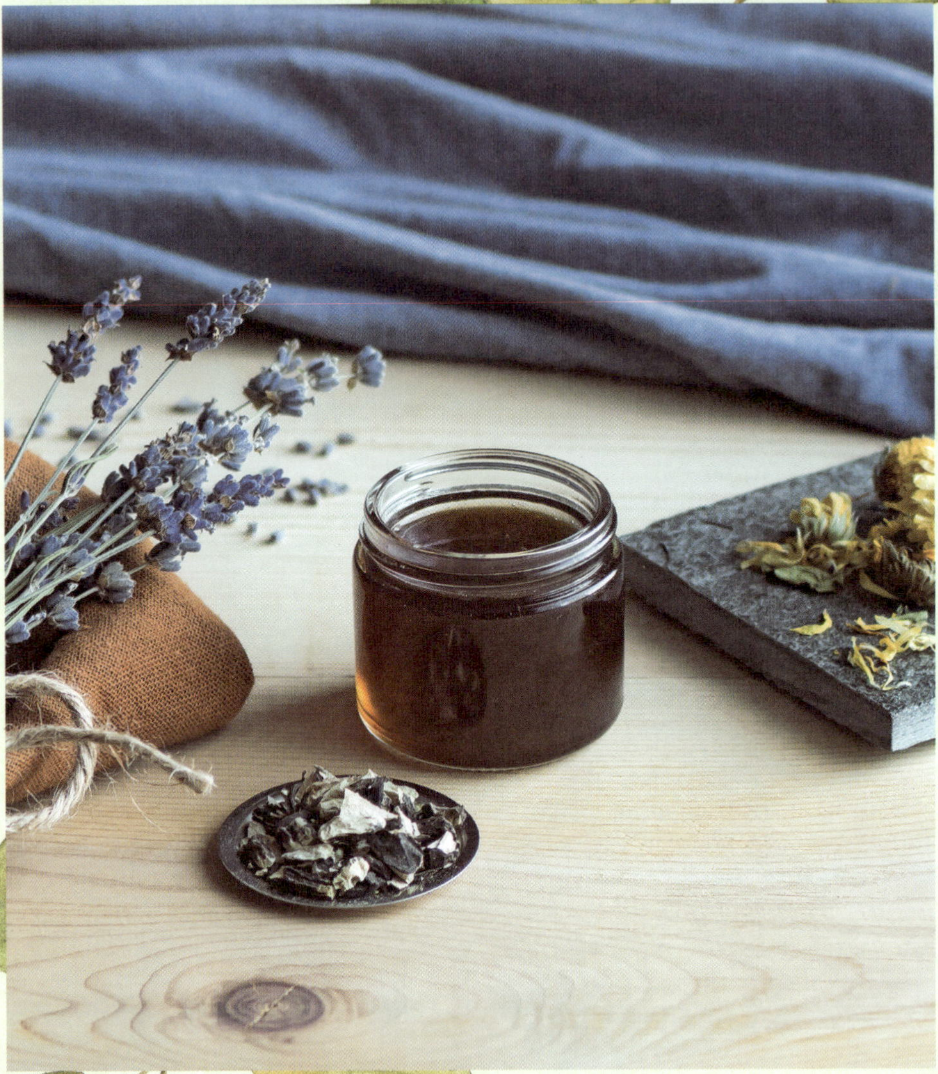

POMADA COM ERVAS E MEL PARA QUEIMADURAS

As queimaduras podem ser difíceis de tratar e algo que você deve sempre ter em mente é que não se deve aplicar nelas nada à base de óleo, pois ele pode reter o calor no local. Isso significa que os óleos de infusão e as pomadas tradicionais não são ideais, embora possam ajudar nos casos em que o processo de cicatrização já teve início. O mel é calmante para as queimaduras, além de ser antibacteriano. Ele constitui uma maravilhosa pomada natural para queimaduras quando combinado com ervas medicinais e uma pequena quantidade de óleo de coco e de vinagre de maçã. A lavanda é especialmente incrível para o tratamento de queimaduras! Para queimaduras de segundo e de terceiro graus, por favor, consulte seu médico antes de utilizar este remédio.

Rende: cerca de ¾ de xícara (180 ml)

Ingredientes

¼ de xícara (5 g) de flores de calêndula secas
2 colheres de sopa (5 g) de flores de lavanda secas
1 colher de sopa (7 g) de raiz de confrei seca
½ xícara (120 ml) de mel cru
2 colheres de sopa (30 ml) de óleo de coco derretido
2 colheres de sopa (30 ml) de vinagre cru de maçã

Instruções

Junte a calêndula, a lavanda e a raiz de confrei em um pote de conserva de ¼ de litro (250 ml) e então adicione o mel, o óleo de coco e o vinagre de maçã. Mexa bem para misturar, tampe o pote e guarde-o em um local fresco e escuro para infundir por 4 a 6 semanas, mexendo de vez em quando. Antes de usar, coe com uma peneira fina para retirar as ervas.

Aplique uma pequena quantidade em uma queimadura leve, várias vezes ao dia, para obter alívio e acelerar a cura.

Esta pomada para queimaduras é segura para uso em crianças com 13 anos ou mais, depois de ser feito um teste de contato (ver p. 23). Para uso em crianças com menos de 13 anos, exclua a raiz de confrei; desse modo, a pomada é segura para crianças com 1 ano ou mais.

Dica: Esta pomada também funciona muito bem no tratamento de pequenos cortes, arranhões, picadas de insetos e erupções cutâneas.

Infusões para Atenuar as Dores

BÁLSAMO PARA COCEIRA E DOR DE PICADAS

Quando acontecem as picadas de insetos, inevitáveis no verão, a tanchagem é sua erva amiga! Ela é calmante e acaba com a coceira quase que de imediato. De fato, se por acaso você for picado, procure a seu redor alguma folha de tanchagem – a planta é fácil de identificar e cresce quase em qualquer lugar. Masque-a e aplique diretamente na área afetada. Ela vai aliviar a dor na hora e o processo de cura terá início. É bem prático preparar este bálsamo em tubos para protetor labial, de modo que você pode levá-lo na mochila, no estojo de primeiros socorros ou com o material de acampamento. Comece a fazer o óleo de infusão para este bálsamo durante a primavera, de modo a estar preparado para as picadas de insetos quando o verão chegar!

Rende: cerca de 150 ml de bálsamo

Ingredientes

Para o óleo de infusão

- ¼ de xícara (10 g) de folhas secas de tanchagem
- 2 colheres de sopa (4 g) de esparguta seca
- 2 colheres de sopa (5 g) de flores de lavanda secas
- ¼ de xícara (60 ml) de óleo de coco, derretido
- ¼ de xícara (60 ml) de azeite de oliva
- ¼ de xícara (60 ml) de óleo de amêndoas doce

Para o bálsamo

- ½ xícara (120 ml) do óleo de infusão
- 14 g de cera de abelha (dobre a quantidade se estiver usando tubos)
- 14 g de manteiga de karité

Instruções

Junte a tanchagem, a esparguta e a lavanda com o azeite de oliva e os óleos de coco e de amêndoas doce em um pote de conserva de ¼ de litro (250 ml). Tampe o pote e agite-o para misturar bem. Guarde-o em um local fresco e escuro para infundir por 4 a 6 semanas.

Quando for o momento de preparar o bálsamo, coe o óleo com uma peneira fina para retirar as ervas. Se o óleo de coco presente na infusão estiver sólido, aqueça-a suavemente, colocando o pote em uma panela com água quente para derreter a mistura antes de coar. Meça ½ xícara (120 ml) do óleo de infusão; guarde o que restar do óleo para usar mais tarde, caso deseje. Coloque o óleo em banho-maria sobre fogo médio (veja na página 20 como preparar seu próprio banho-maria). Adicione a cera de abelha ao óleo e continue a aquecer até que ela derreta totalmente. A seguir, adicione a manteiga de karité e, quando esta tiver derretido, retire a mistura do fogo. Despeje a mistura com cuidado em frascos, latinhas ou tubos para protetor labial. Deixe o bálsamo esfriar e adquirir consistência por 3 a 4 horas antes de usar.

Aplique com a frequência que for necessária para aliviar a coceira e o desconforto de picadas de insetos e ferroadas.

Esta pomada é segura para uso em crianças de 6 meses ou mais, depois de ser feito um teste de contato (ver p. 23).

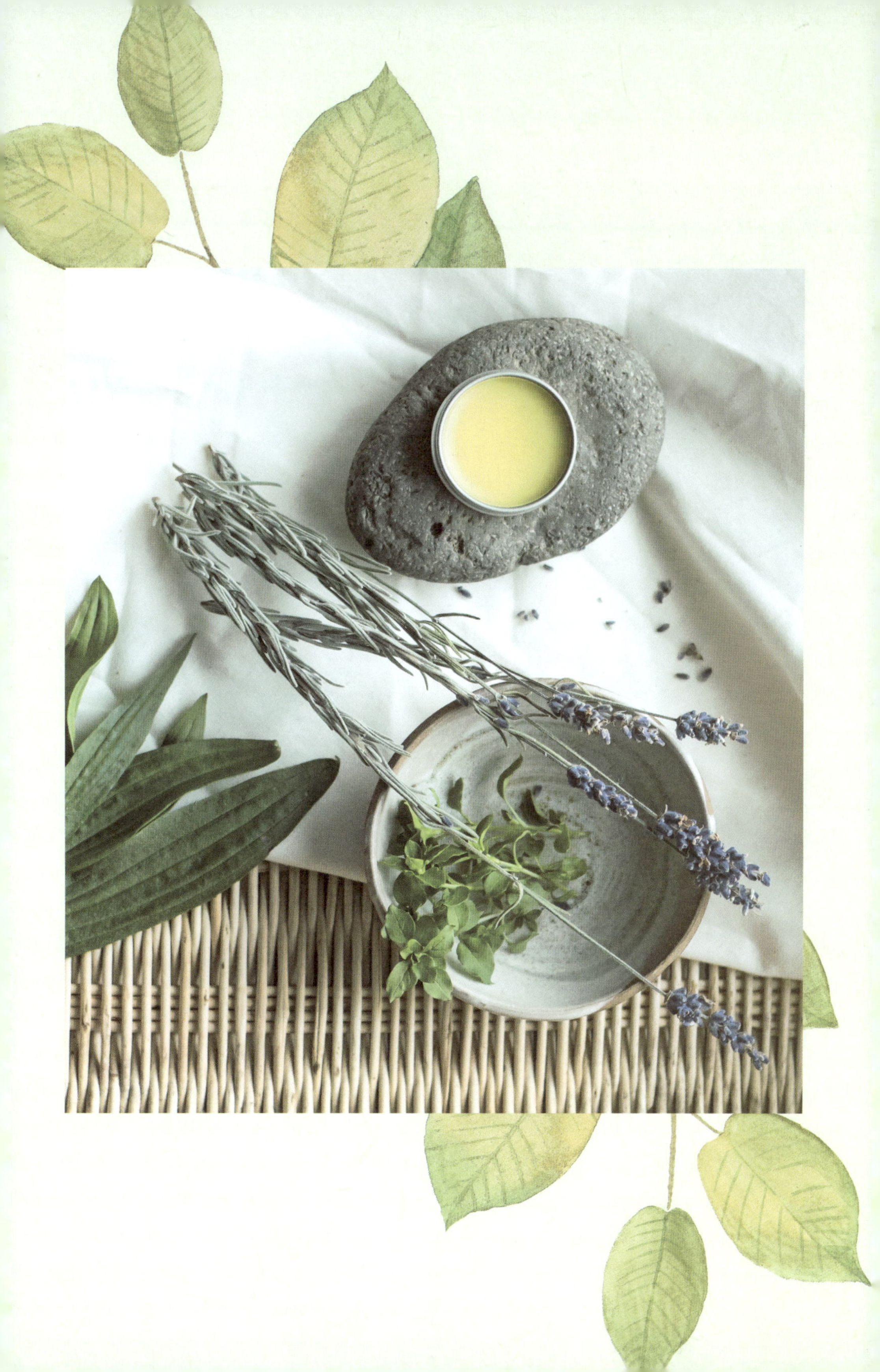

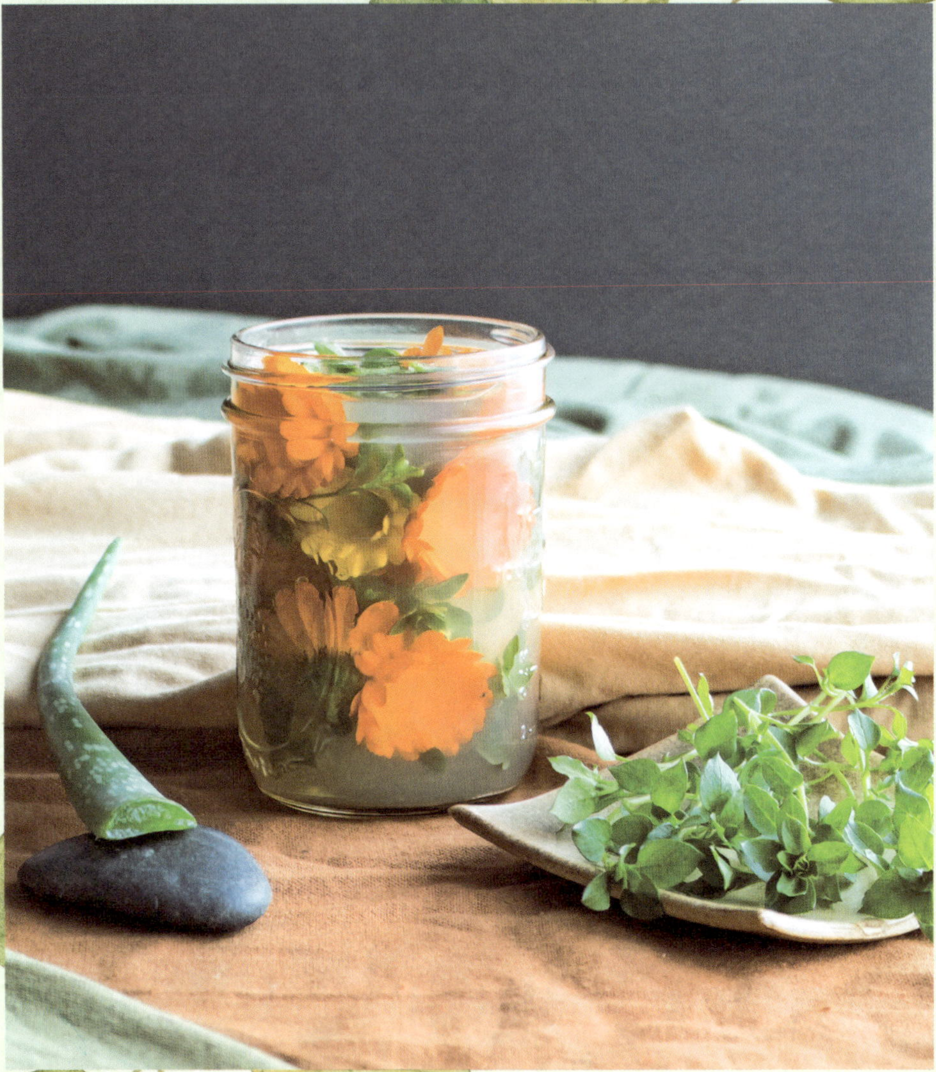

INFUSÃO DE *ALOE VERA* PARA QUEIMADURA DE SOL

A *Aloe vera*, ou babosa, é uma suculenta que ficou bem conhecida por trazer alívio a queimaduras de sol. O gel puro é excelente para essa finalidade, e a adição de ervas frescas torna-o ainda mais benéfico. As flores de calêndula ajudam a acelerar a cura, e a esparguta fresca é mucilaginosa, o que significa que ela também tem propriedades refrescantes e calmantes. Prefiro usar calêndula e esparguta frescas nesta infusão, mas ela também funciona com as ervas secas, caso você só consiga obtê-las nesse estado. Se tiver acesso a uma grande quantidade de pés de babosa, você pode cortar as folhas no sentido do comprimento e raspar o gel, passando-o a seguir no liquidificador para obter uma consistência uniforme. Caso contrário, recomendo usar para esta receita um gel de *Aloe vera* pronto minimamente processado. Comece a fazer esta infusão na primavera, para estar preparado para as queimaduras do sol de verão!

Rende: cerca de 2 xícaras (480 ml)

Ingredientes
½ xícara, sem apertar (8 g), de flores de calêndula frescas
½ xícara, sem apertar (8 g), de esparguta fresca
2 xícaras (480 ml) de gel de *Aloe vera* puro

Instruções

Junte a calêndula, a esparguta e o gel de *Aloe vera* em um pote de conserva de ½ litro (500 ml). Tampe o pote e agite-o para misturar bem. Guarde-o em um local fresco e escuro para infundir por 3 a 4 semanas. Antes de usar, coe a infusão com uma peneira fina para retirar as ervas. Recomenda-se guardar esta infusão na geladeira, para aumentar sua duração e obter um efeito mais refrescante quando aplicada na pele queimada de sol. Ela dura cerca de 2 a 3 meses.

Aplique com a frequência que for necessária para aliviar e ajudar a tratar queimaduras de sol.

Esta infusão é segura para uso em crianças com 6 meses ou mais, depois de ser feito um teste de contato (ver p. 23).

Dica: A *Aloe vera* é uma planta suculenta medicinal ótima para se cultivar em casa. Se você não tem a infusão já preparada, simplesmente arranque uma folha da planta e esfregue a parte onde foi quebrada sobre a queimadura para obter alívio imediato!

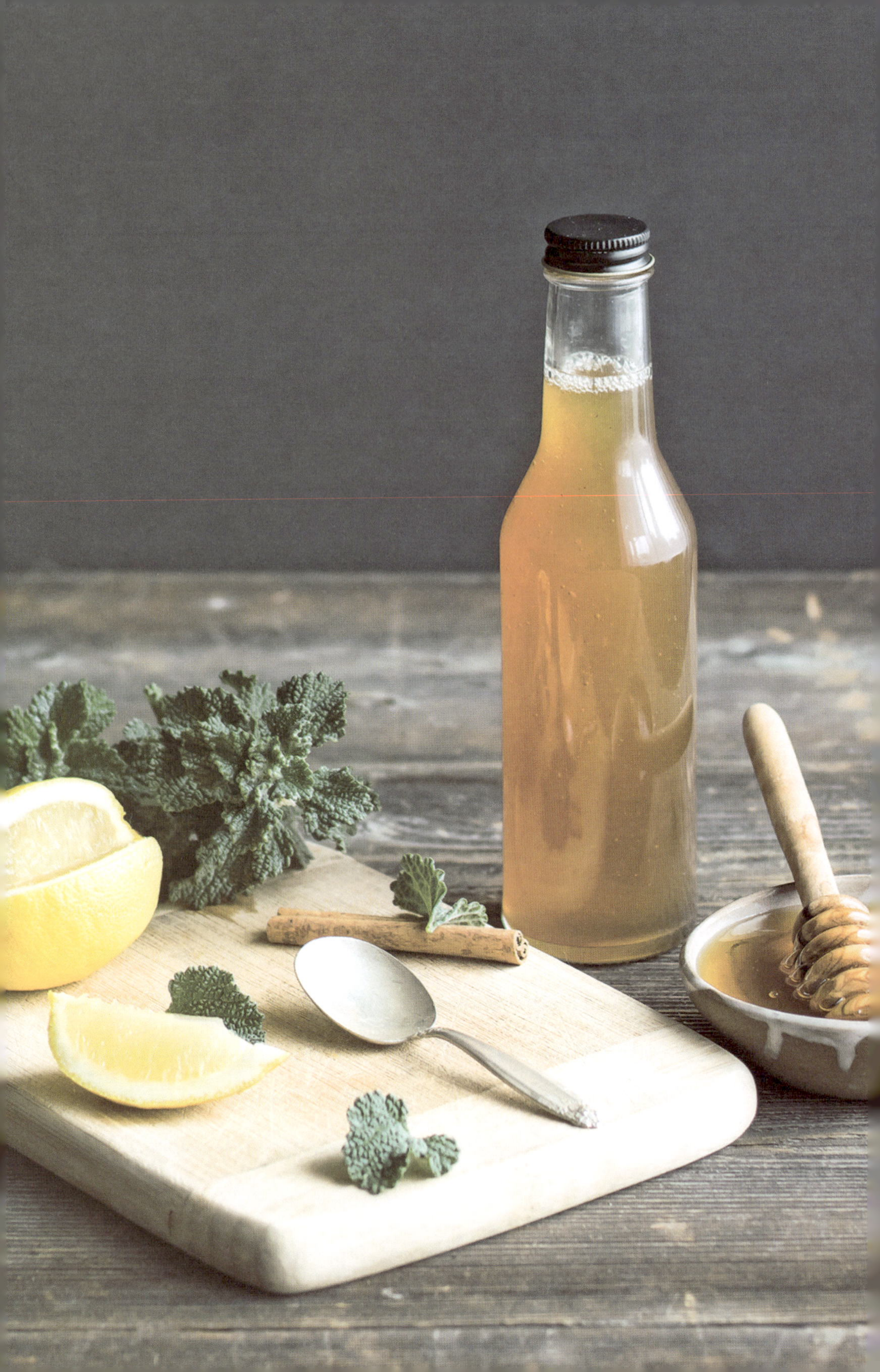

INFUSÕES PARA ALIVIAR MALES VARIADOS

De tempos em tempos todos nós somos afligidos por males variados, alguns mais sérios do que outros. Quando surge algum problema, muitas vezes é uma boa solução recorrer às ervas. Dores de cabeça, de dente, de ouvido, de garganta, infecções do trato urinário e eczema são todos problemas comuns que podem ser tratados com a fitoterapia. Existem algumas ervas incríveis que promovem a saúde e que podem nos ajudar com tais desconfortos de modo seguro, muitas vezes sem termos que recorrer a medicamentos farmacêuticos. A erva-cidreira (ou melissa), uma planta que cresce quase em qualquer lugar, e em abundância,[12] pode atenuar dores de cabeça e tratar o herpes labial. A mil-folhas é altamente eficaz para reduzir a febre, por uso interno ou externo. A sálvia comum e o marroio-branco acalmam com rapidez a dor de garganta. A uva-ursi não apenas alivia e cura infecções urinárias, mas pode prevenir seu reaparecimento. Para cada mal, há uma erva que pode ajudar!

---

[12] De um modo geral, a erva-cidreira, conhecida também como melissa ou capim-cidreira, é comum no Brasil. (N.R.)

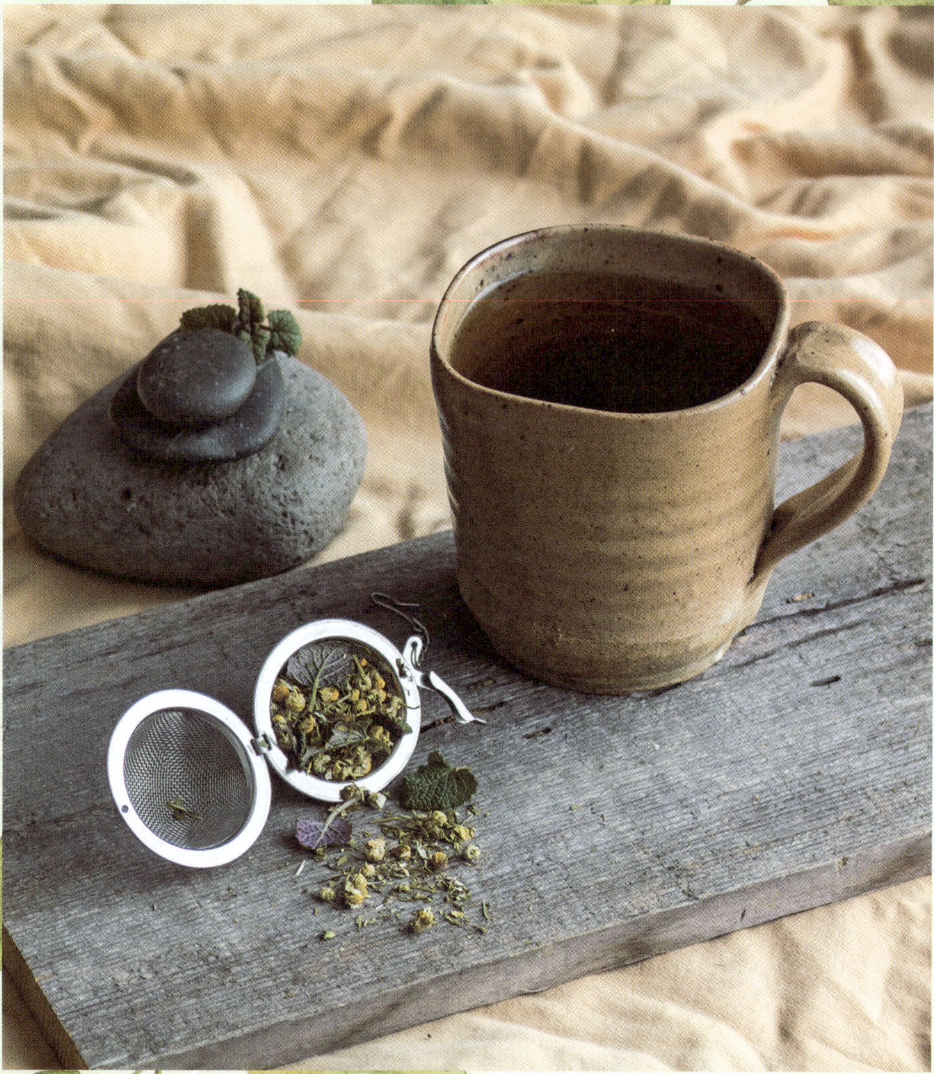

CHÁ PARA ALÍVIO DA DOR DE CABEÇA

Todo mundo tem dor de cabeça de vez em quando, e não é nem um pouco divertido. Por sorte, existem ervas que são bastante eficazes em ajudar a aliviar esse mal. A escutelária é particularmente boa para isso. Ela também acalma os nervos que, no fim das contas, podem ser a causa da dor de cabeça. A erva-cidreira (também conhecida como melissa) e a camomila são relaxantes e podem ajudar a diminuir as tensões. Prepare uma caneca quente deste chá, acomode-se confortavelmente e saboreie-o enquanto a dor de cabeça vai embora!

Rende: 2 xícaras (480 ml)

Ingredientes
2 xícaras (480 ml) de água
2 colheres de sopa (3 g) de escutelária seca
1 colher de sopa (1 g) de erva-cidreira (melissa) seca
1 colher de sopa (1 g) de flores de camomila secas

Instruções
Ferva a água e despeje-a sobre as ervas secas. Deixe a infusão descansar por 10 a 15 minutos; coe para retirar as ervas antes de consumi-la.

Tome de 1 a 2 xícaras (240 a 480 ml), bebendo aos poucos enquanto a dor de cabeça persistir, para ajudar a aliviá-la.

Este chá é seguro para crianças com 2 anos ou mais. Por favor, siga as recomendações de dosagem apresentadas na página 23.

Dica: A escutelária é uma planta da família das mentas que pode ser coletada na natureza em algumas áreas.[13] Além de atenuar a dor de cabeça, é usada com frequência para aliviar estresse, ansiedade e tensão muscular.

---

[13] No Brasil, é possível comprar essa planta em formato de chá (erva desidratada) ou pílulas, bem como em forma de mudas da espécie. (N.T.)

Infusões para Aliviar Males Variados

TINTURA DE MATRICÁRIA PARA PREVENÇÃO DE ENXAQUECA

Se você sofre de enxaquecas, provavelmente já tentou de tudo para aliviar a dor horrível e a pressão que sente quando está prestes a ter uma. Esta tintura de matricária talvez não faça a dor sumir quando ela já se instalou, mas pode ajudar a evitar que novas enxaquecas aconteçam. É necessário tomá-la regularmente por 2 a 3 meses antes que seus efeitos possam ser notados. A matricária é fácil de cultivar e tem bonitas florezinhas parecidas com margaridas, que constituem uma boa adição a qualquer jardim de ervas medicinais. Seu uso deve ser evitado por mulheres grávidas.

Rende: cerca de ¾ de xícara (180 ml)

Ingredientes
1 xícara, sem apertar (21 g), de flores e folhas de matricária frescas e inteiras
¾ de xícara (180 ml) de vodca ou outra bebida alcoólica neutra

Instruções
Junte a matricária e a bebida alcoólica em um pote de conserva de ¼ de litro (250 ml) e tampe. Coloque o jarro em um local fresco e escuro para infundir por 4 a 6 semanas. Quando estiver pronta para o consumo, coe com uma peneira fina para retirar as ervas. Acondicione a tintura em frasquinhos com conta-gotas para facilitar o uso.

Tome 1 colher de chá (5 ml) por dia, como prevenção contra enxaquecas.

Para uso por crianças e por pessoas que desejam evitar o álcool, esta tintura pode ser preparada com glicerina vegetal em vez da bebida alcoólica. Feita dessa maneira, é segura para crianças com 2 anos ou mais. Por favor, siga as recomendações de dosagem apresentadas na página 23.

Dica: A matricária é ótima não apenas para tratar enxaquecas, mas também para dores de cabeça comuns. Combine-a em um chá de erva-cidreira e lavanda para ajudar a amenizar a dor.

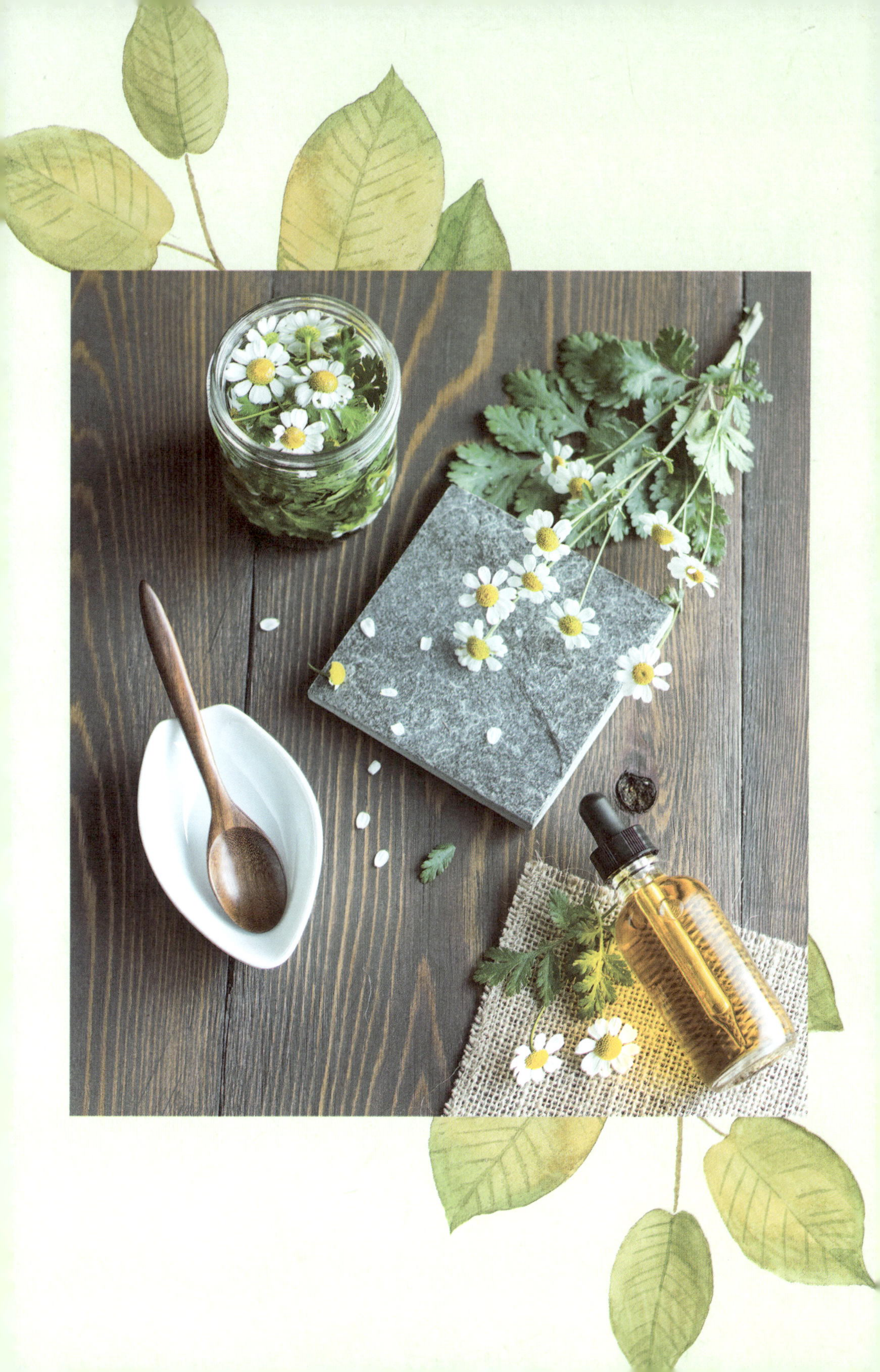

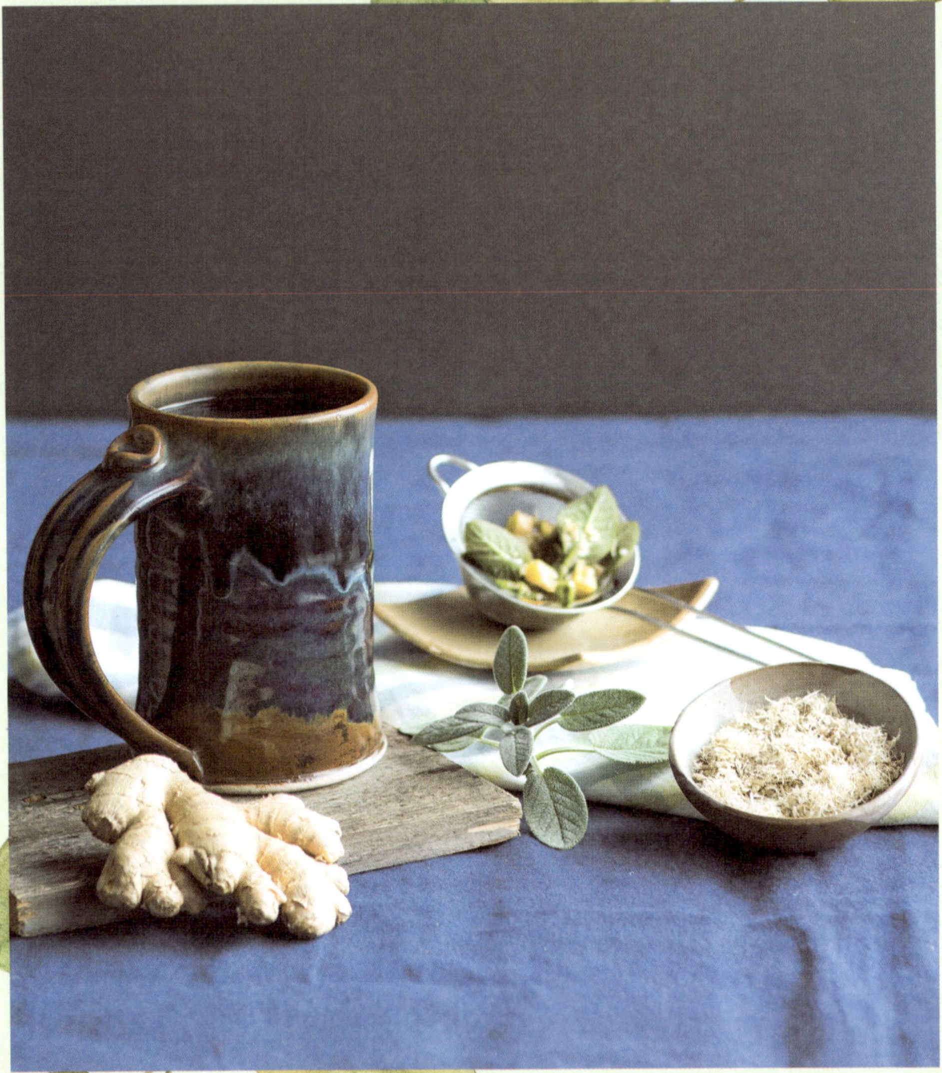

CHÁ DE SÁLVIA, ALTEIA E GENGIBRE PARA DOR DE GARGANTA

A dor de garganta pode ser realmente desconfortável, e às vezes uma xícara de chá quente é a única coisa que parece tolerável. A sálvia é particularmente eficaz no alívio da dor de garganta, pois possui propriedades antibacterianas e anti-inflamatórias. A raiz de alteia adiciona uma qualidade mucilaginosa calmante, que ajuda a atenuar a dor, e o gengibre tem ação comprovada na prevenção e no alívio de muitos sintomas de resfriado e gripe. Com um pouquinho de mel e limão, caso deseje, este potente e delicioso chá vai ajudar a melhorar sua dor de garganta em um instante. A sálvia deve ser evitada por lactantes, pois pode reduzir a produção de leite. Tomilho ou orégano são duas boas alternativas, uma vez que possuem propriedades benéficas similares.

Rende: 2 xícaras (480 ml)

Ingredientes
2 ½ xícaras (600 ml) de água
½ xícara, sem apertar (8 g), de folhas frescas de sálvia picadas em pedaços grandes
1 colher de sopa (2 g) de raiz de alteia seca
1 pedaço de 2,5 cm de gengibre fresco fatiado
Mel e/ou limão a gosto (opcional)

Instruções

Ferva a água e despeje-a sobre as ervas. Deixe a infusão descansar por 10 a 15 minutos; coe para retirar as ervas antes de consumi-la. Adicione 1 colher ou 2 de mel e um pouco de limão espremido, caso deseje.

Tome de 1 a 2 xícaras (240 a 480 ml), com a frequência que for necessária, para ajudar a acalmar a garganta seca, dolorida ou coçando.

Este chá é seguro para crianças com 2 anos ou mais. Por favor, siga as recomendações de dosagem apresentadas na página 23.

Dica: A sálvia é uma erva perene de fácil cultivo, e permanece firme e sempre-verde mesmo em temperaturas abaixo de zero. Procuro ter ao menos um pé de sálvia em meu jardim, para ter acesso a suas propriedades medicinais e culinárias o ano todo.

XAROPE DE MARROIO-BRANCO PARA DOR DE GARGANTA

Garganta dolorida, seca e raspando é, com frequência, o primeiro sinal de um resfriado, e às vezes persiste durante dias. Em vez de tomar algum xarope comercial açucarado para a garganta, prepare esta receita caseira usando marroio-branco. O marroio-branco é uma erva amarga que há muito tempo vem sendo usada no tratamento de dor de garganta e tosse, muitas vezes sob a forma de "balas de marroio". O olmo-vermelho é mucilaginoso e tem um intenso efeito calmante em casos de inflamação ou dor de garganta. O mel atenua o amargor do marroio-branco e ajuda a revestir a garganta e aliviar a dor. A casca de laranja e a canela melhoram o sabor do xarope para torná-lo um pouco mais palatável.

Rende: cerca de 2 xícaras (480 ml)

Ingredientes
1 xícara, sem apertar (18 g), de lascas frescas de marroio-branco
¼ de xícara (10 g) de olmo-vermelho seco
1 colher de sopa (8 g) de casca de laranja seca
1 pau de canela
2 xícaras (480 ml) de água
1 xícara (240 ml) de mel cru

Instruções

Junte o marroio-branco, o olmo-vermelho, a casca de laranja, a canela e a água em uma panela pequena. Aqueça até levantar fervura, e então abaixe o fogo e deixe ferver por cerca de 20 minutos, ou até que o líquido tenha se reduzido à metade. Tire a panela do fogo e deixe esfriar até a temperatura ambiente. Coe com uma peneira fina para retirar as ervas e então adicione o mel, mexendo para misturar. Guarde o xarope em um pote tampado, na geladeira, e ele vai continuar bom por 2 a 4 semanas. Caso deseje aumentar sua durabilidade, congele o xarope em sacos plásticos ou em formas de gelo, descongelando-o à medida que precisar.

Tome 1 colher de sopa (15 ml) a cada 2 horas conforme necessário, para ajudar no alívio da dor de garganta.

Este xarope é seguro para crianças com 2 anos ou mais. Por favor, siga as recomendações de dosagem apresentadas na página 23.

Dica: O olmo-vermelho é considerado uma planta ameaçada, em razão da coleta excessiva e antiética, de modo que tento utilizá-lo com parcimônia. Se você preferir usar outra erva, a raiz de alteia é uma ótima substituta.

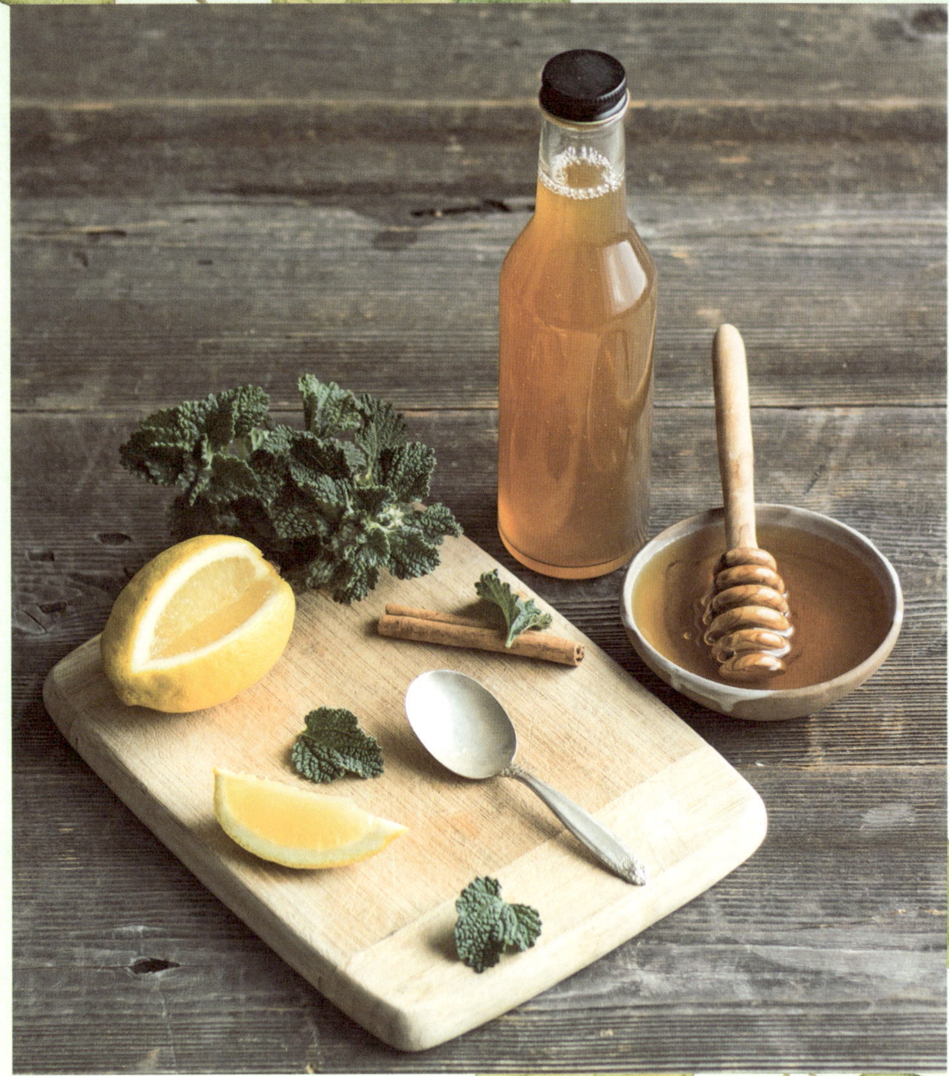

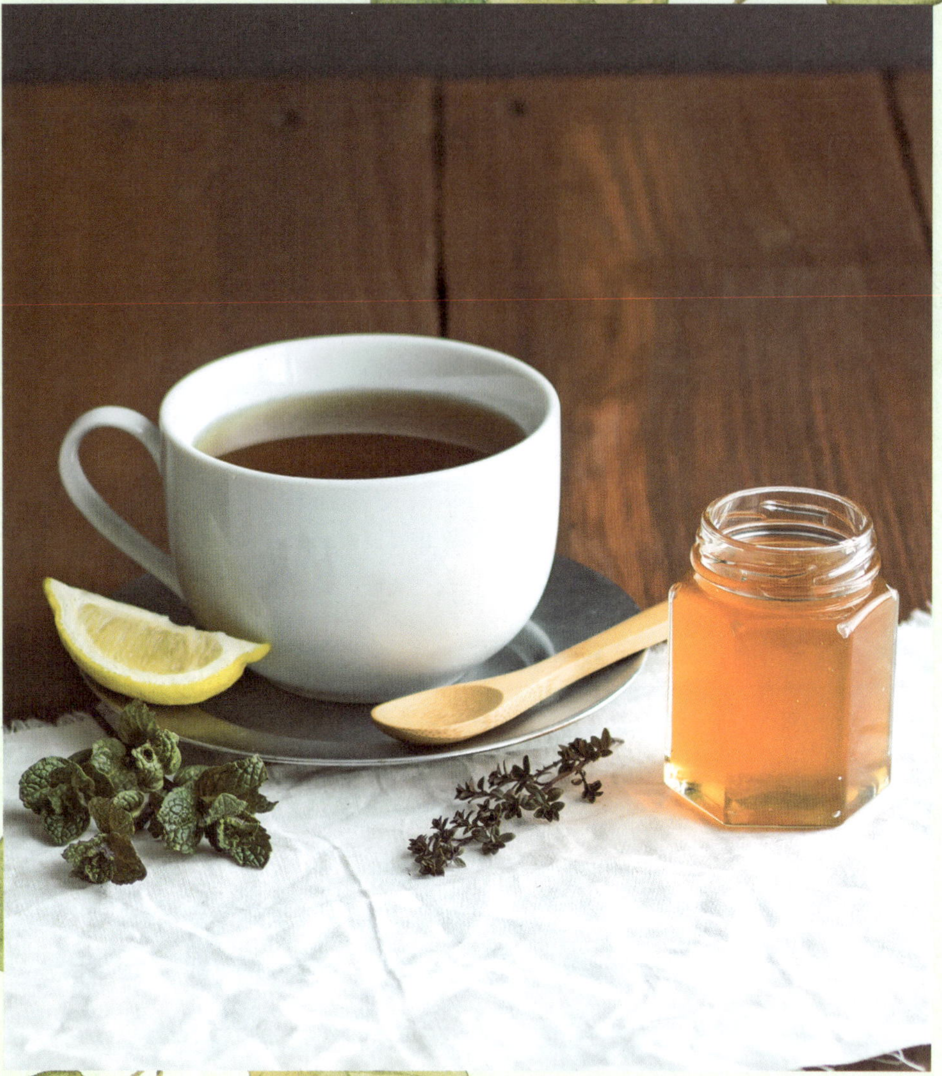

CHÁ DE TOMILHO, HORTELÃ-PIMENTA E MEL PARA TOSSE

Às vezes, um punhado de ervas de seu jardim medicinal é tudo de que você precisa para promover o bem-estar. O tomilho e a hortelã-pimenta são especialmente bons para o tratamento de tosses persistentes: o tomilho é um potente expectorante natural e a hortelã-pimenta age como descongestionante. Algumas colheres de mel ajudam a revestir e acalmar a garganta, e o suco de limão é antibacteriano e adiciona sabor e vitamina C. A hortelã-pimenta deve ser evitada por lactantes, pois pode reduzir a produção de leite. A hortelã-verde é uma boa alternativa, com propriedades medicinais semelhantes.

Rende: cerca de 2 xícaras (480 ml)

Ingredientes
2 xícaras (480 ml) de água
1 colher de sopa (1 g) de tomilho fresco
1 colher de sopa (2 g) de hortelã-pimenta fresca ou seca
2 a 4 colheres de sopa (30 a 60 ml) de mel cru
1 fatia de limão

Instruções

Ferva a água e despeje-a sobre as ervas. Deixe a infusão descansar por 10 a 15 minutos; coe para retirar as ervas e adicione o mel, mexendo para misturar. Adicione um pouco de limão espremido antes de tomar.

Tome de 1 a 2 xícaras (240 a 480 ml), com a frequência que for necessária, para ajudar a aliviar e acalmar tosses persistentes.

Este chá é seguro para crianças com 2 anos ou mais. Por favor, siga as recomendações de dosagem apresentadas na página 23.

Dica: Embora o tomilho e a hortelã-pimenta sejam altamente eficazes no tratamento da tosse, a sálvia, o orégano e o alecrim também são benéficos e podem substituí-los, caso estejam disponíveis em seu jardim de ervas medicinais.

XAROPE DE AGULHA DE PINHEIRO PARA TOSSE

Que melhor maneira de fazer um medicamento natural do que com as árvores que estão à nossa volta! As agulhas de pinheiros,[14] assim como as agulhas da maioria das demais coníferas, são ricas em vitamina C e podem ser utilizadas como expectorante em casos de tosse e para aliviar a congestão do peito. Quando combinadas com mel em um xarope, além de aliviar a sensação de garganta seca e raspando, ajudam a controlar a tosse. Pode-se também substituir as agulhas de pinheiro pelas de abeto. Gestantes devem evitar o uso do pinheiro ponderosa.

Rende: cerca de 1 ½ xícara (360 ml)

Ingredientes
1 ¼ de xícara (300 ml) de água
1 xícara (16 g) de agulhas de pinheiro frescas e inteiras
½ xícara (120 ml) de mel cru

Instruções

Ferva a água e despeje-a sobre as agulhas de pinheiro em um pote de conserva de ½ litro (500 ml). Deixe em infusão, até a água esfriar em temperatura ambiente; a seguir, coe para retirar as agulhas de pinheiro e adicione o mel, mexendo para misturar. Guarde o xarope em um pote tampado, na geladeira, e ele durará por 2 a 4 semanas. Caso deseje aumentar sua durabilidade, congele o xarope em sacos plásticos ou em formas de gelo, descongelando-o à medida que precisar.

Tome 1 colher de sopa (15 ml) a cada 2 horas, conforme necessário, para reduzir a tosse, aliviar a congestão do peito ou acalmar a garganta seca e coçando.

Este xarope é seguro para crianças com 2 anos ou mais. Por favor, siga as recomendações de dosagem apresentadas na página 23.

Dica: Além de ser medicinal, este xarope é muito saboroso e é uma boa ideia tê-lo à mão durante as festas de fim de ano, para uso em coquetéis com ou sem álcool.

---

[14] A espécie brasileira não possui propriedades medicinais conhecidas ou utilizadas. É recomendado apenas adquirir produtos derivados da espécie aqui citada, em lojas de produtos fitoterápicos. (N.R.)

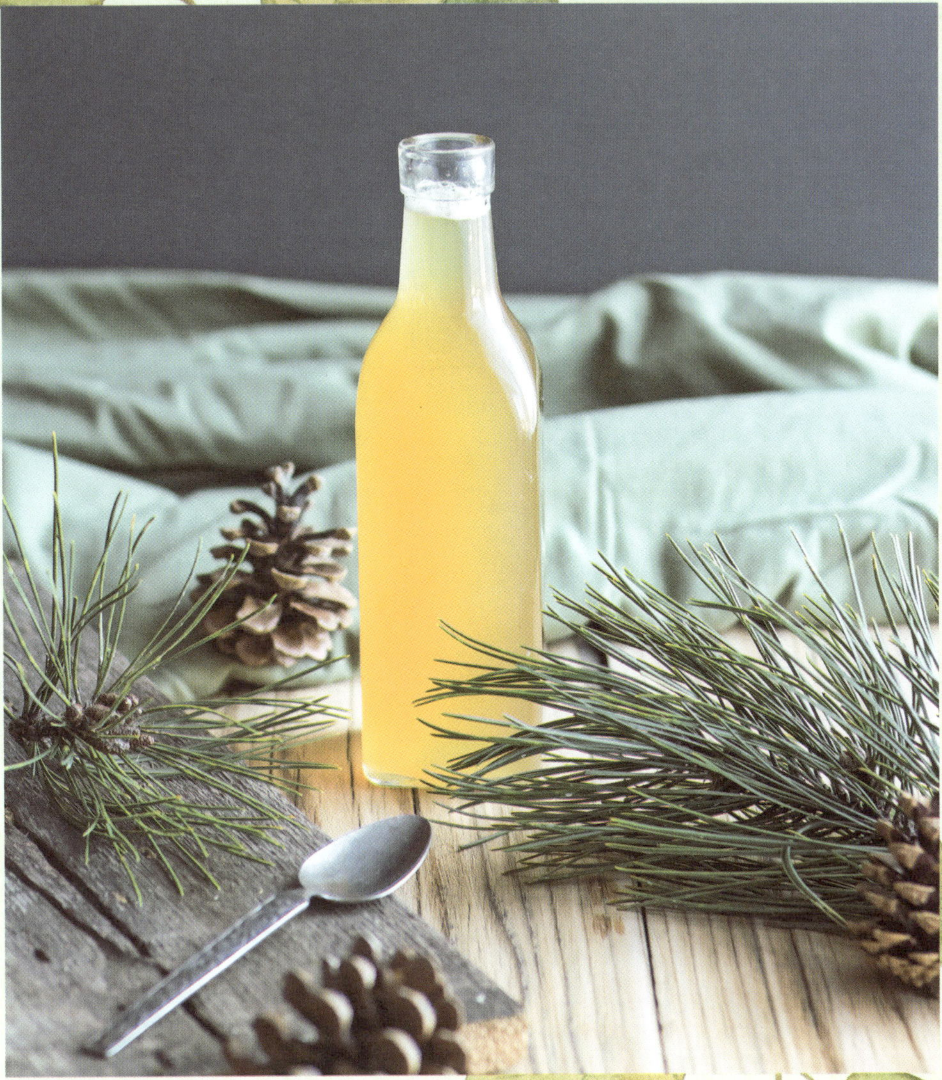

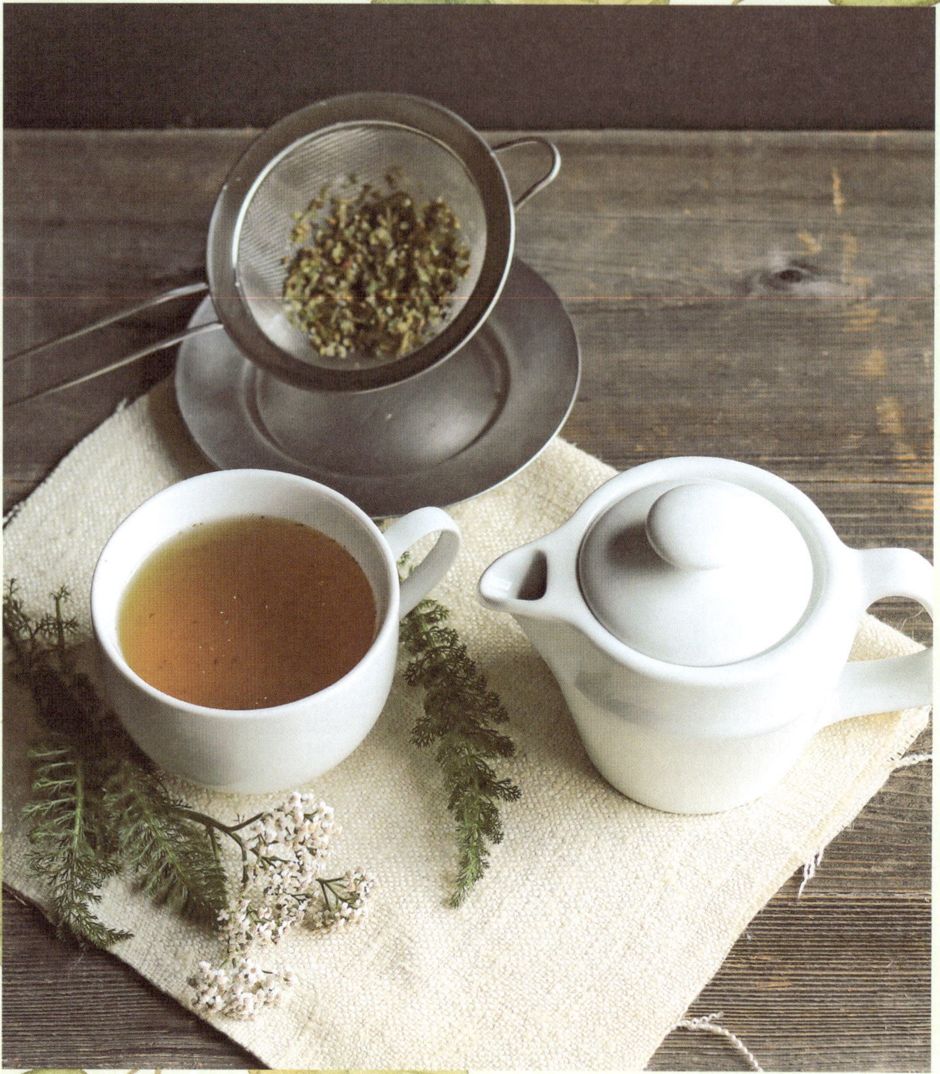

CHÁ PARA BAIXAR A FEBRE

A mil-folhas é, possivelmente, uma das melhores ervas para baixar a febre. Ela abre os poros e estimula a transpiração do corpo, eliminando a febre e agindo como um desintoxicante natural. A erva-de-gato, ou catnip, é relaxante e também estimula a sudorese. As flores de sabugueiro também ajudam a baixar a febre de maneira segura, e podem ser colhidas na natureza em muitas áreas, durante o verão.[15] Faço questão de todo ano coletar e secar algumas flores de sabugueiro, para tê-las disponíveis sempre que precisar. A canela aquece e atenua o sabor amargo da mil-folhas. Esse preparado deve sempre ser ingerido como um chá quente, para promover a transpiração. Febres baixas na verdade são benéficas para o corpo no combate a infecções, mas uma febre mais alta pode tornar-se perigosa. Se você ou alguém de quem você esteja cuidando apresentar febre alta, por favor, consulte seu médico. Gestantes devem evitar o consumo da mil-folhas.

Rende: cerca de 2 xícaras (480 ml)

Ingredientes
2 xícaras (480 ml) de água
1 colher de sopa (3 g) de flores de mil-folhas secas
1 colher de sopa (1 g) de erva-de-gato seca
1 colher de sopa (1 g) de flores de sabugueiro secas
1 colher de chá (2 g) de lascas de canela

Instruções
Ferva a água e despeje-a sobre as ervas secas. Deixe a infusão descansar por 10 a 15 minutos; coe para retirar as ervas antes de consumi-la.

Tome de 1 a 2 xícaras (240 a 480 ml) do chá bem quente, para ajudar a suar e reduzir a febre. Se a febre for alta demais, persistir por muitos dias ou piorar, por favor, consulte seu médico.

Este chá é seguro para crianças com 2 anos ou mais. Por favor, siga as recomendações de dosagem apresentadas na página 23. Para um chá de sabor mais suave, a mil-folhas pode ser excluída.

Dica: Essas ervas podem também ser usadas externamente em caso de febre, fazendo-se sua infusão em um banho de imersão quente, para provocar a transpiração. Isso é particularmente bom para bebês e crianças pequenas.

---

[15] Não se aplica ao Brasil, em razão da diferença de estações entre hemisférios, flora natural etc. Podem ser encontradas em lojas de produtos fitoterápicos. (N.R.)

Infusões para Aliviar Males Variados

ÓLEO DE FLOR DE VERBASCO PARA DOR DE OUVIDO

Infecções de ouvido são um mal comum em crianças pequenas e, com frequência, a primeira coisa que tomam são antibióticos. O fato é que nem todas as otites necessitam de antibióticos para melhorar, e há uma alternativa maravilhosa com o uso de ervas, que pode ajudar a tratar e atenuar a dor de ouvido. As flores de verbasco são antimicrobianas e anti-inflamatórias, e têm propriedades naturais analgésicas. O verbasco é uma planta silvestre fácil de reconhecer, com seu pendão floral amarelo longo e ereto. Ela cresce bem em algumas áreas de determinados países, e às vezes é até considerada uma erva daninha. Muitas das ervas consideradas daninhas podem nos trazer imensos benefícios, e o verbasco não é exceção. Colete e seque as flores amarelas durante o verão,[16] para tê-las disponíveis sempre que precisar, especialmente caso necessite desse remédio para dor de ouvido!

Rende: cerca de ¾ de xícara (180 ml)

Ingredientes
½ xícara (8 g) de flores de verbasco secas   ¾ de xícara (180 ml) de azeite de oliva

Instruções

Junte as flores de verbasco e o azeite de oliva em um pote de conserva de ¼ de litro (250 ml). Tampe o pote e agite-o para misturar bem. Guarde-o em um local fresco e escuro para infundir por 4 a 6 semanas. Antes de usar, coe com uma peneira fina para retirar as ervas.

No momento de usar, aqueça o óleo suavemente, colocando o recipiente com o óleo em um pouco de água morna. Faça com que a pessoa incline a cabeça ou deite-se de lado e, a seguir, use um conta-gotas para pingar 2 ou 3 gotas do óleo aquecido no ouvido afetado. Massageie suavemente a parte externa do ouvido por 2 a 3 minutos, para que o óleo penetre no canal auditivo.

Esse processo pode ser repetido 3 ou 4 vezes por dia para atenuar dores de ouvido e eliminar infecções. Se a dor persistir por mais do que 24 horas, por favor, consulte seu médico.

Este óleo para dor de ouvido é seguro para uso por crianças com 2 anos ou mais. Para crianças com menos de 8 anos, são necessárias apenas 1 ou 2 gotas.

Dica: Muitas receitas de óleo de flor de verbasco levam alho fresco, o que faz sentido dadas as potentes propriedades antibacterianas e antimicrobianas do alho. Isso me preocupa um pouco, porém, em razão da possibilidade de botulismo, sobretudo em um preparado que provavelmente será usado em crianças. Se desejar adicionar alho à receita, uma alternativa muito mais segura é utilizar 1 colher de sopa (10 g) de alho seco em grânulos ou em pedaços (não em pó).

---

[16] É possível encontrar produtos fitoterápicos da espécie em lojas especializadas. Chamo a atenção aqui para o fato de que, no original, são citadas algumas vezes a "flor do verbasco", já que é comum encontrá-la em seu habitat natural nos EUA. No Brasil, a espécie com valor medicinal somente é encontrada em forma de produtos fitoterápicos. (N.R.)

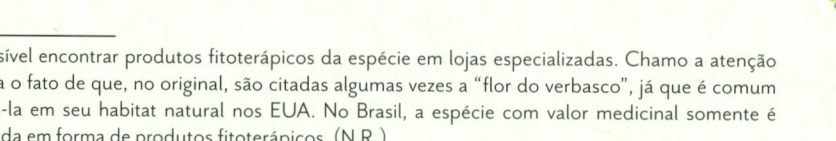

Verbascum thapsus

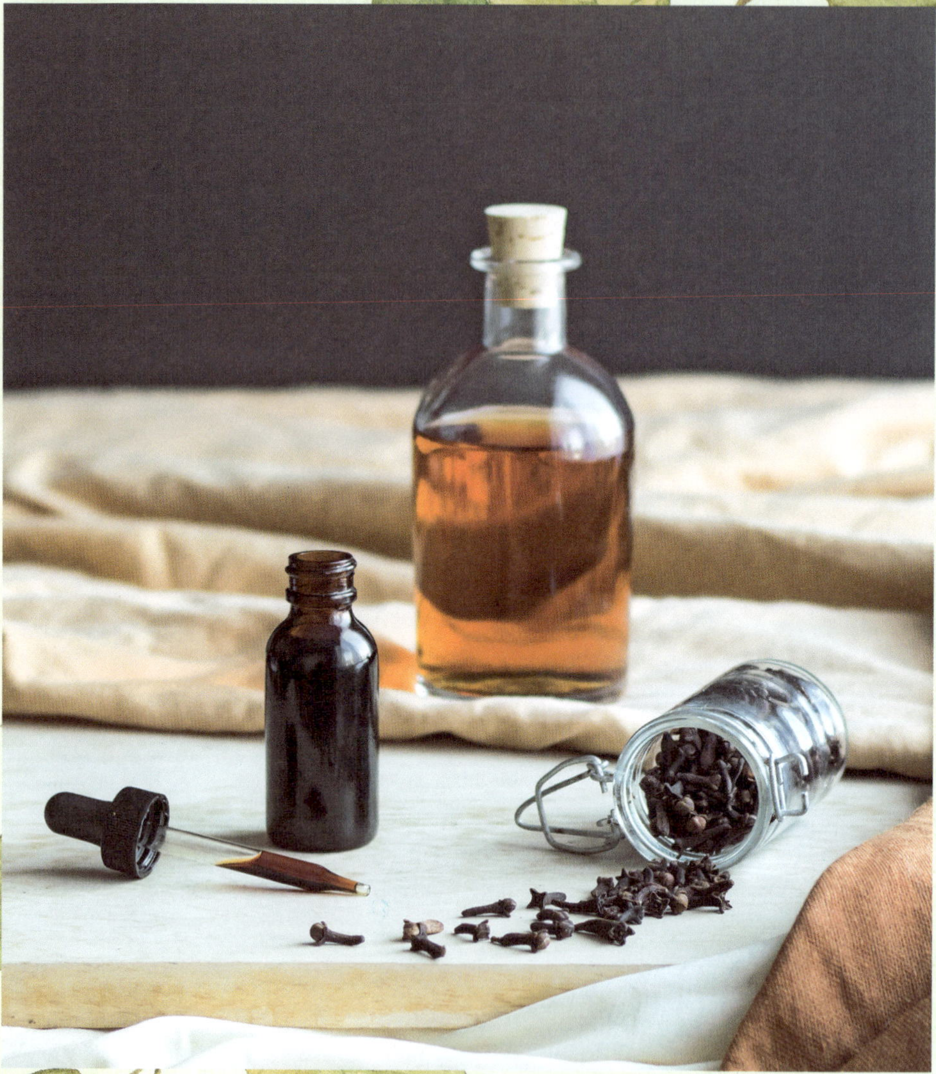

TINTURA DE UÍSQUE COM CRAVO-DA-ÍNDIA PARA DOR DE DENTE

A dor de dente pode ser muito chata, especialmente quando você não pode ir imediatamente ao dentista. Esta tintura vai ajudar a aliviar a dor enquanto você aguarda sua consulta. O cravo-da-índia é bem conhecido por anestesiar a dor de dente; na verdade é incrível como ele funciona bem! O uísque, usado topicamente no dente, também pode ajudar a reduzir a severidade da dor. Se você tem propensão a sofrer de dor de dente, prepare essa tintura de cravo-da-índia para tê-la disponível sempre que precisar. Por favor, note que não mais do que algumas gotas devem ser ingeridas por vez, pois grandes quantidades de cravo-da-índia podem ser tóxicas. Esta tintura não deve ser utilizada na gengiva exposta após a extração de um dente, nem como remédio para a dentição de bebês – ela é forte demais para essas finalidades.

Rende: cerca de ¾ de xícara (180 ml)

Ingredientes
¼ de xícara (20 g) de cravos-da-índia inteiros
¾ de xícara (180 ml) de uísque

Instruções
Junte o cravo-da-índia e o uísque em um pote de conserva de ¼ de litro (250 ml) e então tampe. Coloque em um local fresco e escuro para infundir por 4 a 6 semanas. Quando a tintura estiver pronta para o consumo, coe para retirar os cravos-da-índia.

Friccione a tintura no dente afetado, usando o dedo ou um cotonete para reduzir a dor, por até 3 vezes ao dia. Se a dor persistir por mais de um dia ou dois, por favor, consulte seu dentista.

Não recomendo que pessoas com menos de 18 anos usem esta tintura. Crianças com mais de 12 anos e pessoas que desejam evitar o álcool podem usar 1 gota ou 2 de óleo essencial de cravo-da-índia de alta qualidade para aliviar a dor de dente.

Dica: Se preferir não usar uísque nesta tintura, fique à vontade para substituí-lo por vodca, conhaque ou rum.

Infusões para Aliviar Males Variados

CHÁ DE PILRITEIRO E HIBISCO PARA O CORAÇÃO

Tanto as bagas de pilriteiro quanto as flores de hibisco são conhecidas por serem benéficas para o coração, o que é bem apropriado, dada a sua cor vermelha. As bagas de pilriteiro são um tônico para o coração, sendo usadas para prevenir problemas cardíacos e para ajudar no tratamento de doenças do coração, ao dilatar as artérias e veias e liberar bloqueios de vasos sanguíneos. Quando usadas com as flores de hibisco, são muito eficazes para baixar a pressão sanguínea, de modo que algumas pessoas conseguem reduzir ou mesmo interromper o uso de medicamentos farmacêuticos para a pressão. Se você tem problemas cardíacos ou toma medicação para a pressão sanguínea, por favor, consulte seu médico antes de tomar este chá. Gestantes devem evitar o uso de hibisco.

Rende: cerca de 2 xícaras (480 ml)

Ingredientes
2 xícaras (480 ml) de água
1 colher de sopa (10 g) de bagas de pilriteiro secas
2 colheres de sopa (6 g) de flores de hibisco secas

Instruções

Ferva a água e despeje-a sobre as bagas e flores secas. Deixe em infusão por 10 a 15 minutos; coe para retirar as ervas antes de tomar. Se desejar um chá mais forte, siga as instruções da página 15 para infusões de um dia para o outro. Este chá pode ser consumido frio ou quente.

Tome diariamente, com a frequência que for necessária, para ajudar a baixar a pressão sanguínea e prevenir doenças cardíacas.

Embora as crianças em geral não necessitem dos efeitos deste chá sobre o coração, de qualquer modo ele é seguro para idades de 2 anos ou mais. Por favor, siga as recomendações de dosagem apresentadas na página 23.

Dica: As bagas de pilriteiro frescas rendem uma geleia deliciosa, e você pode também usar as bagas secas com essa finalidade. Adicione à sua torrada matinal alguns benefícios saudáveis para o coração!

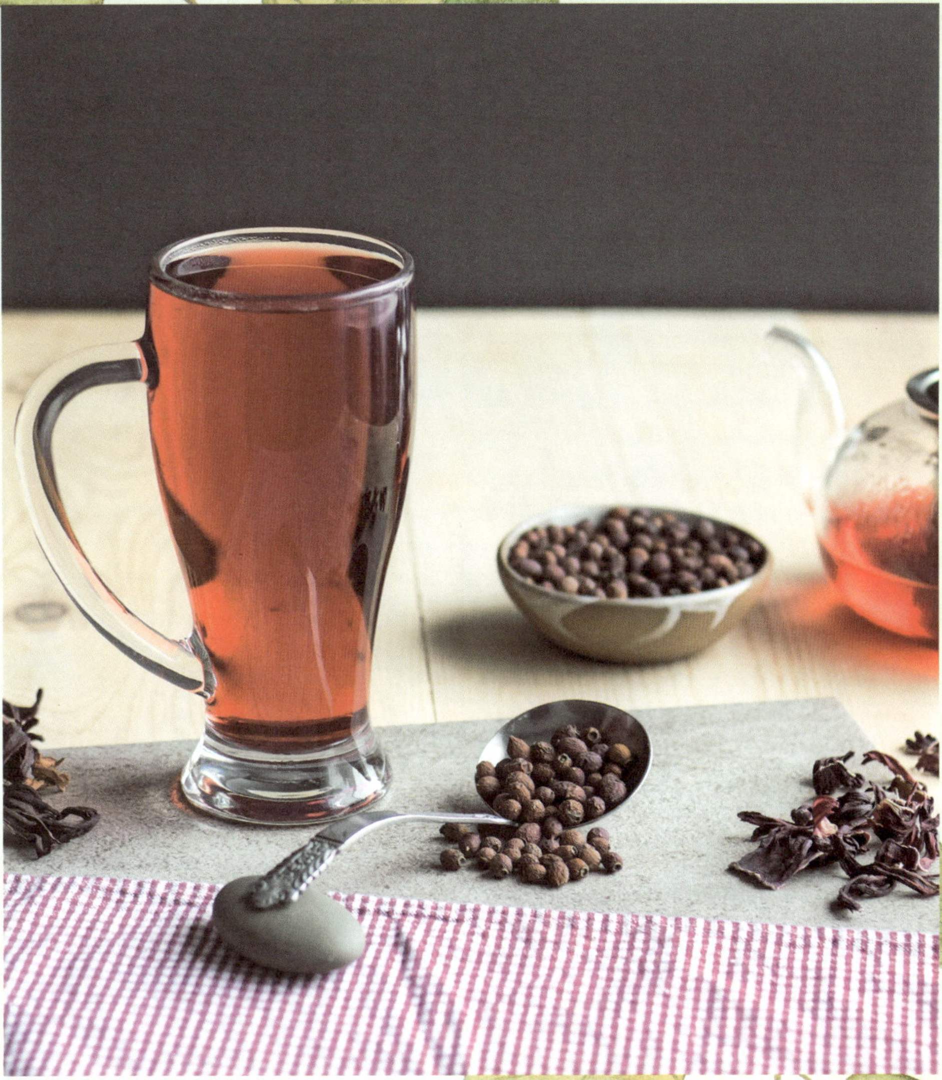

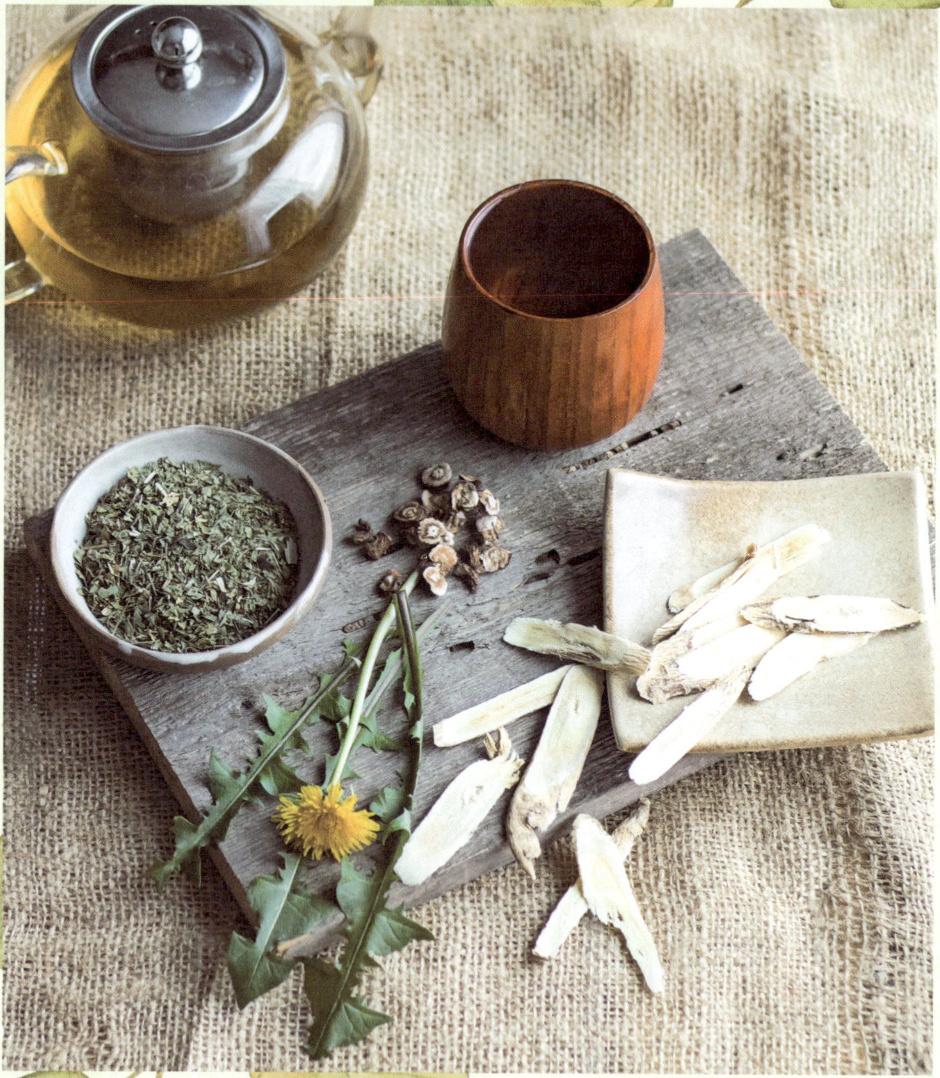

TÔNICO PARA O FÍGADO

Este é um chá suave, mas potente, que ajuda a promover a saúde do fígado. A raiz de dente-de-leão é bem conhecida por sua ação de limpeza e desintoxicação do fígado e, em razão de sua qualidade amarga, estimula uma digestão adequada. A raiz de astrágalo estimula o fígado, e a urtiga é nutritiva tanto para o fígado quanto para os rins. Admito que não é a mais saborosa das infusões, mas pode ficar um pouco mais palatável se você torrar previamente a raiz de dente-de-leão, adicionar algumas flores secas de hibisco ou utilizar algum adoçante.

Rende: cerca de 2 xícaras (480 ml)

Ingredientes
2 xícaras (480 ml) de água
1 colher de sopa (7 g) de raiz de dente-de-leão
4 a 5 fatias (4 g) de raiz de astrágalo seca, partidas em pedaços
1 colher de sopa (2 g) de urtiga seca

Instruções

Ferva a água e despeje-a sobre as ervas secas. Deixe em infusão por 10 a 15 minutos; coe para retirar as ervas antes de tomar. Se desejar um chá mais forte, siga as instruções da página 15 para infusões de um dia para o outro.

Tome de 1 a 2 xícaras (240 a 480 ml) por dia, sempre que necessitar de uma força extra para o fígado.

Embora as crianças em geral não necessitem dos efeitos desintoxicantes proporcionados por este chá, de qualquer modo ele é seguro para idades de 2 anos ou mais. Por favor, siga as recomendações de dosagem apresentadas na página 23.

Dica: Algumas outras ervas benéficas para o fígado que você pode utilizar são a semente de cardo-mariano, raiz de chicória, raiz de bardana e raiz de labaça-crespa.

CHÁ PARA ALÍVIO DE INFECÇÕES URINÁRIAS

Se você já teve uma infecção urinária, sabe que elas não são brincadeira. Eu costumava tê-las com frequência, mas este chá me salvou! Ele ajuda a curar as infecções urinárias de forma natural, e permite que seu corpo produza os anticorpos necessários para combater de maneira eficaz quaisquer infecções recorrentes. Desde que comecei a usar este chá como remédio, não tive nenhuma infecção urinária em mais de dez anos! A uva-ursi, a mil-folhas, a raiz de dente-de-leão e as bagas de zimbro têm efeito diurético, que ajuda a eliminar a infecção, e a raiz de alteia é calmante para o trato urinário. A uva-ursi, também conhecida como uva-de-urso, é adstringente e um poderoso antisséptico urinário, e é a erva mais importante deste medicamento (tome-a mesmo que não tenha mais nenhuma infecção). Duas observações sobre a uva-ursi: ela não deve ser ingerida por mais de 1 semana de cada vez, e considera-se que não seja uma erva adequada para crianças com 12 anos ou menos.

Rende: cerca de 2 xícaras (480 ml)

Ingredientes

2 xícaras (480 ml) de água
1 colher de sopa (6 g) de uva-ursi seca
1 colher de sopa (3 g) de mil-folhas seca
2 colheres de chá (4 g) de raiz de dente-de-leão seca
2 colheres de chá (1 g) de bagas de zimbro (junípero) secas
1 colher de chá (1 g) de raiz de alteia seca

Instruções

Ferva a água e despeje-a sobre as ervas secas. Deixe em infusão por 10 a 15 minutos; coe para retirar as ervas antes de tomar.

Tome 1 xícara (240 ml) 2 ou 3 vezes por dia ao menor sinal de infecção do trato urinário, para ajudar a eliminá-la com a urina e promover a recuperação. Não tome por mais do que 1 semana. Se os sintomas não melhorarem, ou se agravarem após 24 horas, por favor, consulte seu médico.

Este chá é seguro para crianças com 13 anos ou mais. Por favor, siga as recomendações de dosagem apresentadas na página 23. Para uso em crianças com menos de 13 anos, exclua a uva-ursi; desse modo, o chá é seguro para idades de 2 anos ou mais.

Dica: A vitamina C pode, na verdade, piorar uma infecção urinária, por isso interrompa o uso de qualquer suplemento dessa vitamina que possa estar tomando, e dê um tempo ao suco de laranja. O suco de cranberry ainda é considerado eficaz contra infecções urinárias, mas deve obrigatoriamente ser a versão não adoçada.

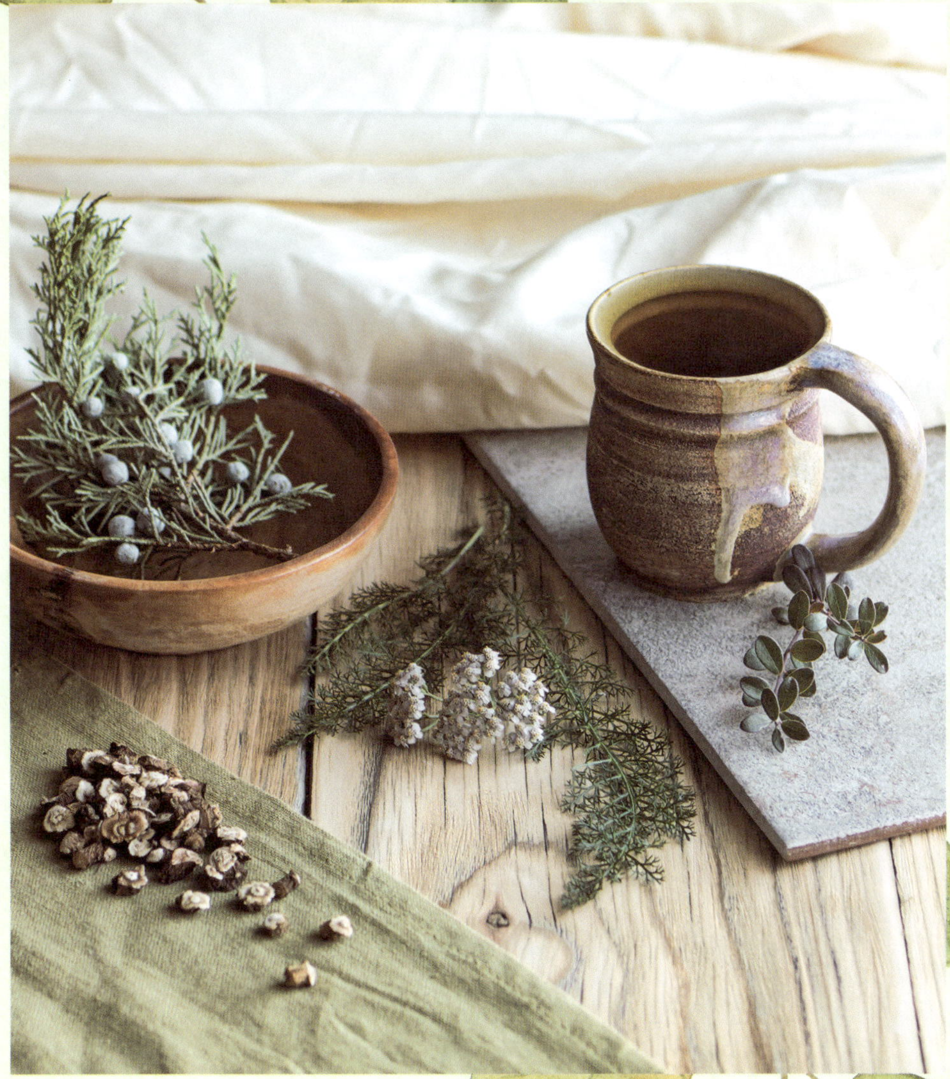

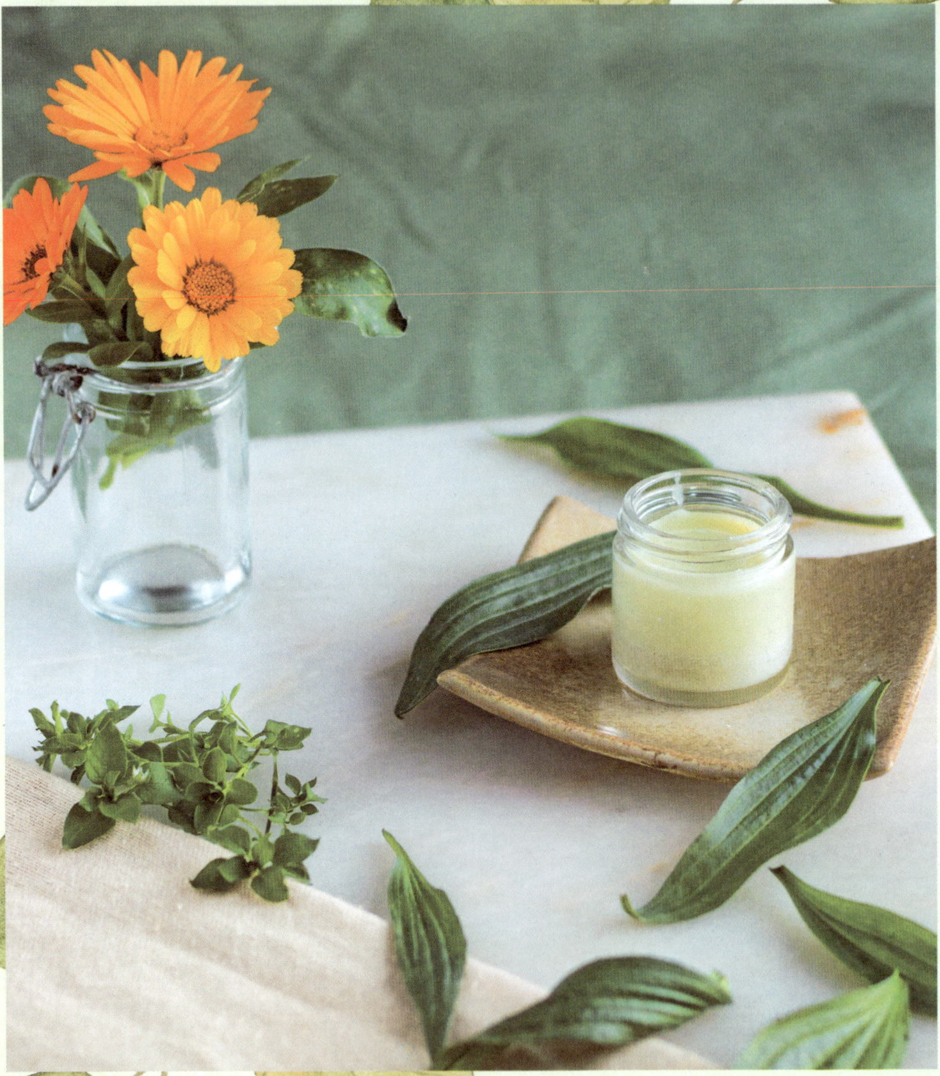

POMADA PARA O ALÍVIO DE ECZEMA

A coceira e o desconforto causados pelo eczema podem ser difíceis de suportar, mas essa pomada torna isso mais fácil! Ela é feita com três ervas que, juntas, ajudam a aliviar o eczema: as flores de calêndula aceleram a cicatrização, a tanchagem elimina a coceira e a esparguta confere grande hidratação. O óleo de coco é anti-inflamatório, e os óleos de amêndoas doce e de semente de damasco são super-hidratantes. Utilizo nesta receita o dobro da quantidade de manteiga de karité que normalmente uso em outras pomadas, em razão de seu efeito curativo. Por fim, essa pomada proporciona o alívio natural que você busca – e ela funciona de verdade. Note que, embora essa pomada seja especialmente boa para o eczema, pode também ser usada para aliviar qualquer outro problema de coceira ou ressecamento de pele que você possa ter.

Rende: cerca de 180 ml de pomada

Ingredientes
Para o óleo de infusão
¼ de xícara (5 g) de flores secas de calêndula
2 colheres de sopa (5 g) de folha de tanchagem seca
2 colheres de sopa (5 g) de esparguta seca
¼ de xícara (60 ml) de óleo de coco, derretido
¼ de xícara (60 ml) de óleo de amêndoas doce
¼ de xícara (60 ml) de óleo de semente de damasco

Para a pomada
½ xícara (120 ml) do óleo com infusão de ervas
14 g de cera de abelha
28 g de manteiga de karité

Instruções

Junte a calêndula, a tanchagem e a esparguta com os óleos de coco, amêndoas doce e semente de damasco em um pote de conserva de ¼ de litro (250 ml). Tampe o pote e agite-o para misturar bem. Guarde-o em um local fresco e escuro para infundir por 4 a 6 semanas.

No momento de preparar a pomada, coe o óleo com uma peneira fina para retirar as ervas. Se o óleo de coco presente na infusão estiver sólido, aqueça-a suavemente, colocando o pote em uma panela com água quente para derreter a mistura antes de coar. Meça ½ xícara (120 ml) do óleo de infusão; guarde o que restar do óleo para usar mais tarde, caso deseje. Coloque o óleo em banho-maria sobre fogo médio (veja na página 20 como preparar seu próprio banho-maria). Adicione a cera de abelha ao óleo e continue a aquecer até que ela derreta totalmente. A seguir, adicione a manteiga de karité e, quando esta tiver derretido, retire a mistura do fogo. Despeje a mistura com cuidado em frascos ou latinhas. Deixe a pomada esfriar e adquirir consistência por 3 a 4 horas antes de usar.

Aplique com a frequência que for necessária para ajudar a curar, aliviar a coceira e atenuar a dor causada pelo eczema.

Esta pomada para eczema é segura para uso em crianças com 6 meses ou mais, depois de ser feito um teste de contato (ver p. 23).

BÁLSAMO LABIAL DE ERVA-CIDREIRA PARA HERPES

Sou completamente apaixonada pelo canteiro de erva-cidreira que tenho no quintal! A erva-cidreira, ou melissa, é muito fácil de cultivar ou de coletar na natureza, e às vezes pode até se tornar invasora. Não considero isso um problema, pois essa planta tem inúmeras propriedades medicinais. Ela se parece com as hortelãs – pertence à mesma família – e possui um cheiro alimonado característico. Uma das melhores coisas que a erva-cidreira pode fazer é ajudar a melhorar os sintomas do herpes labial e abreviar a duração do período de cura. É também eficaz para aliviar dores de cabeça (ver p. 73), reduzir o estresse (ver p. 185) e repelir mosquitos.

Rende: cerca de 180 ml de bálsamo labial

Ingredientes

Para o óleo de infusão
½ xícara (14 g) de erva-cidreira seca
½ xícara (120 ml) de óleo de coco derretido
¼ de xícara (60 ml) de azeite de oliva
1 colher de sopa (15 ml) de óleo de rícino

Para o bálsamo
½ xícara (120 ml) do óleo com infusão de ervas
28 g de cera de abelha
14 g de manteiga de karité
10 gotas de óleo essencial de lavanda

Instruções

Junte a erva-cidreira com o azeite de oliva e os óleos de coco e de rícino em um pote de conserva de ¼ de litro (250 ml). Tampe o pote e agite-o para misturar bem. Guarde-o em um local fresco e escuro para infundir por 4 a 6 semanas.

No momento de preparar o bálsamo labial, coe o óleo com uma peneira fina para retirar as ervas. Se o óleo de coco presente na infusão estiver sólido, aqueça-a suavemente, colocando o pote em uma panela com água quente para derreter a mistura antes de coar. Meça ½ xícara (120 ml) do óleo de infusão; guarde o que restar do óleo para usar mais tarde, caso deseje. Coloque o óleo em banho-maria sobre fogo médio (veja na página 20 como preparar seu próprio banho-maria). Adicione a cera de abelha ao óleo e continue a aquecer até que ela derreta totalmente. A seguir, adicione a manteiga de karité e, quando esta tiver derretido, retire a mistura do fogo. Acrescente o óleo essencial de lavanda, mexendo para misturar e, então, despeje a mistura com cuidado em frascos, latinhas ou tubos para protetor labial. Deixe o bálsamo labial esfriar e adquirir consistência por 3 a 4 horas antes de usar.

Aplique com a frequência que for necessária para ajudar a melhorar os sintomas do herpes e reduzir seu período de duração.

Este bálsamo labial é seguro para uso em crianças com 2 anos ou mais, depois de ser feito um teste de contato (ver p. 23). Exclua o óleo essencial de lavanda se for administrar o bálsamo para crianças com menos de 13 anos.

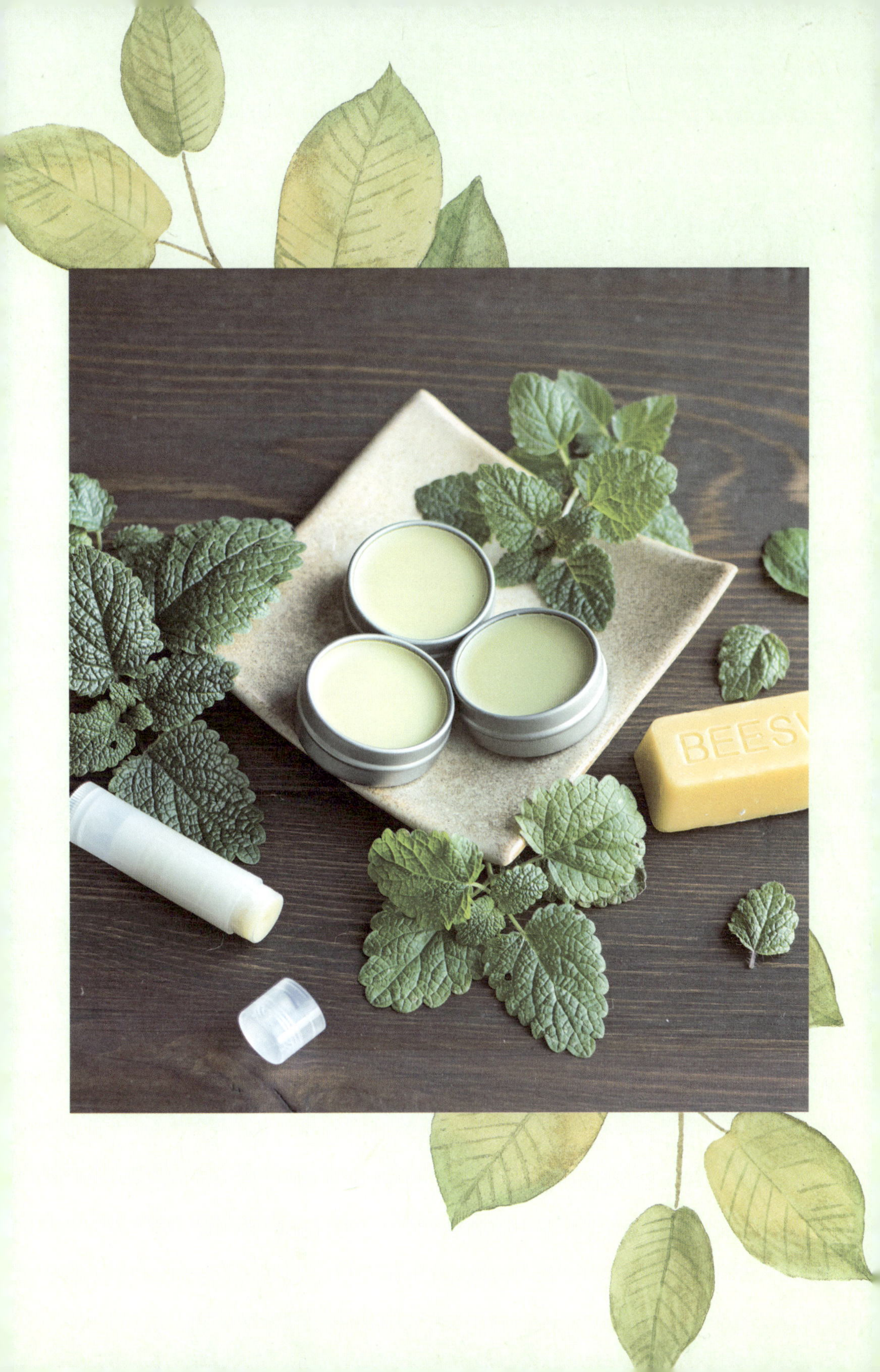

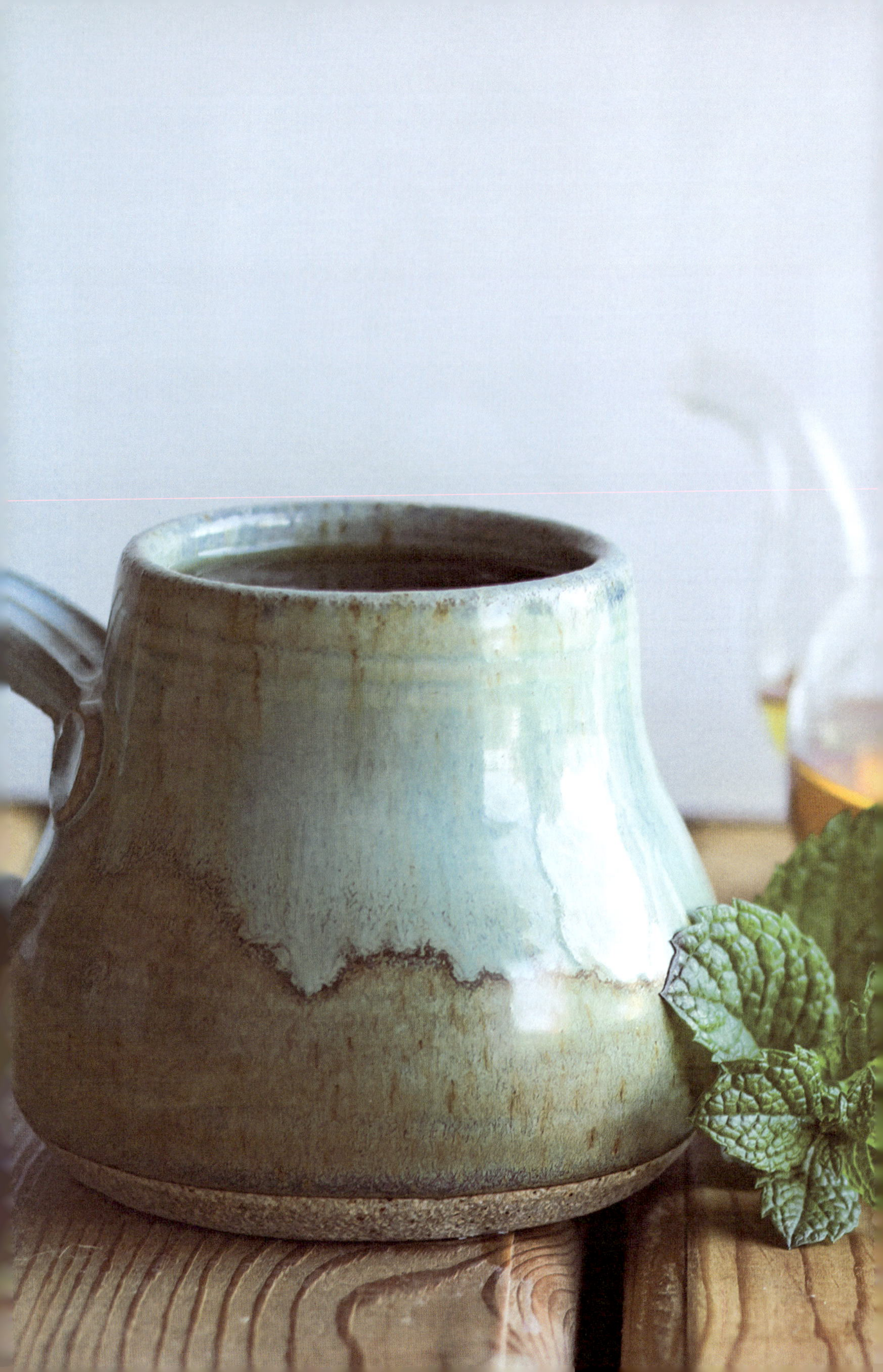

INFUSÕES PARA FACILITAR A DIGESTÃO

Há quem diga que a chave para a boa saúde começa na barriga. Distúrbios digestivos são uma queixa muito comum, desde a azia até os problemas estomacais. Infusões de chás de ervas são particularmente benéficos no sentido de facilitar a digestão, incluindo, por exemplo, o gengibre, o funcho, o cardamomo e a hortelã. Ervas amargas como as raízes de dente-de-leão, bardana e chicória constituem outro meio de promover a boa saúde digestiva, ao estimular a produção de bile. O refluxo ácido pode ser controlado com uma infusão de vinagre, e ervas prebióticas podem aumentar o número de probióticos nos intestinos, mantendo tudo sob controle. Faça uso dessas infusões simples antes ou depois das refeições para manter sua barriga feliz e saudável!

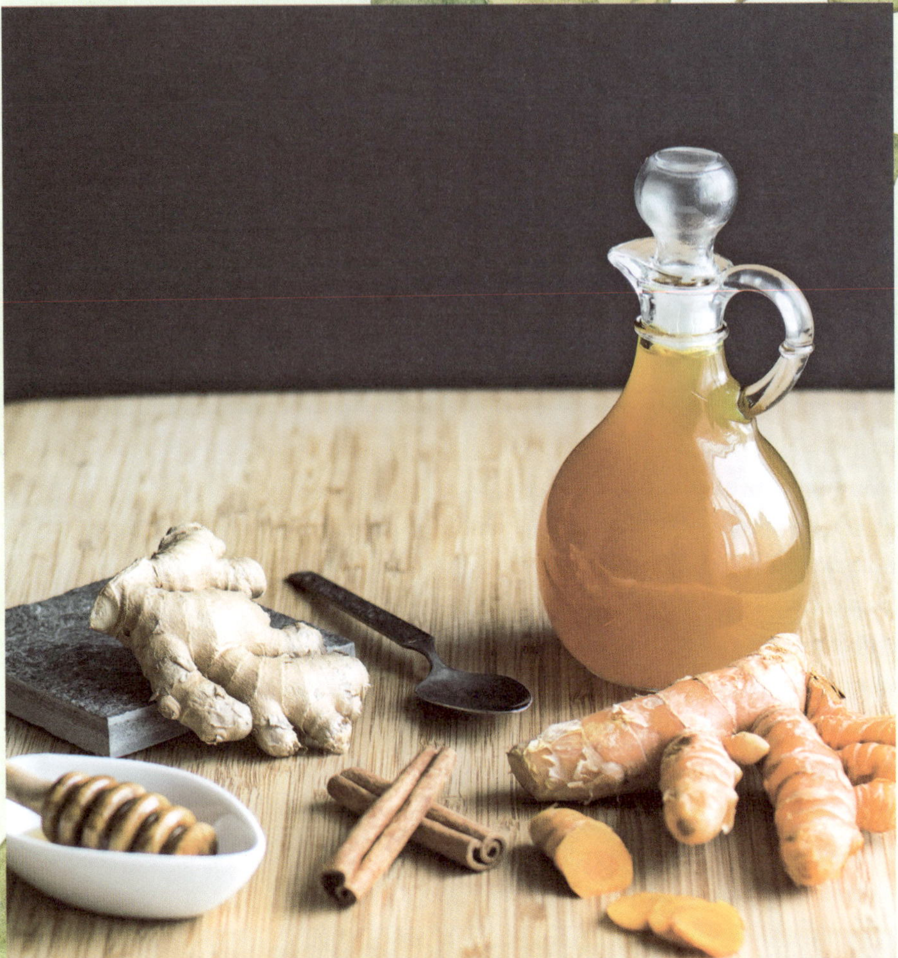

XAROPE DE DECOCÇÃO DE GENGIBRE E CÚRCUMA COM MEL

Esta é uma de minhas receitas prediletas neste livro, por dois motivos: ela tem múltiplas ações medicinais e é muito saborosa! Quando eu estava grávida, muitas vezes sofria de problemas estomacais e tinha uma azia horrível. Certo dia, eu estava em uma feira de comidas naturais, com a pior azia que já sentira e, por isso, provei uma amostra diminuta de um xarope de gengibre superpotente. A azia desapareceu na hora, e não voltou pelo resto do dia! Resolvi preparar minha própria receita, e foi este o xarope que formulei. Uso o gengibre e a raiz de cúrcuma juntos porque ambos são ótimos como digestivos, mas não há problema em utilizar apenas gengibre se for o único ingrediente de que você dispõe. O gengibre é particularmente bom para o alívio da náusea; adicione uma colher deste xarope em água com gás, mexa e você terá um Ginger Ale[17] instantâneo!

Rende: cerca de 2 xícaras (480 ml)

Ingredientes

½ xícara (50 g) de gengibre fresco fatiado
½ xícara (50 g) de cúrcuma fresca fatiada
1 pau de canela

2 xícaras (480 ml) de água
½ a 1 xícara (120 a 240 ml) de mel cru

Instruções

Junte o gengibre, a cúrcuma, a canela e a água em uma panela pequena. Aqueça até levantar fervura. Abaixe um pouco o fogo e deixe ferver com a panela destampada por cerca de 20 minutos, ou até que o líquido tenha reduzido pela metade. Tire a panela do fogo e deixe esfriar até a temperatura ambiente. Coe para retirar as ervas e então adicione o mel, mexendo para misturar. Comece com ½ xícara (120 ml) de mel, e então acrescente mais a gosto, conforme necessário. Guarde o xarope em um pote tampado, na geladeira, e ele durará por 2 a 4 semanas. Caso deseje aumentar sua durabilidade, congele o xarope em sacos plásticos ou em formas de gelo, descongelando-o à medida que precisar. Fique atento para o fato de que a cúrcuma fresca pode deixar manchas difíceis de remover.

Tome 1 colher de sopa (15 ml), conforme necessário, para ajudar a aliviar o refluxo ácido/azia ou um mal-estar estomacal. Se preferir, pode também misturar a um copo de água natural, água com gás ou chá.

Este xarope é seguro para crianças com 2 anos ou mais. Por favor, siga as recomendações de dosagem apresentadas na página 23. Para crianças mais novas, é recomendado diluir em água ou chá.

Dica: Este xarope também é potente para fortalecer o sistema imunológico. Tome 1 colher por dia para evitar adoecer durante a temporada de resfriados e gripes.

---

[17] Refrigerante à base de gengibre, muito comum nos EUA, Inglaterra, Japão e Canadá. (N.T.)

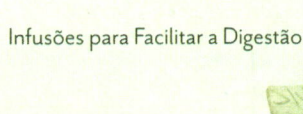

ELETUÁRIO PREBIÓTICO DE MEL

Um eletuário é um tipo de medicamento fitoterápico à moda antiga, que consiste apenas em ervas – geralmente em pó, mas nem sempre – combinadas com mel e usadas como medicamento. Essa é maneira perfeita de acrescentarmos mais ervas prebióticas em nossa dieta, pois o mel dá um sabor doce, que as ajuda a descerem mais facilmente.

A maior parte das pessoas sabe como os probióticos são bons para nossa digestão, mas os prebióticos são tão importantes quanto eles, se não mais. Os prebióticos são o alimento dos probióticos, de modo que ingeri-los é um ótimo meio de aumentar de forma natural os probióticos que já existem no intestino. A raiz de chicória é especialmente rica em inulina, um poderoso prebiótico, e as raízes de dente-de-leão e de bardana não ficam muito atrás em termos de conteúdo de inulina. A raiz de alteia também possui alguma ação prebiótica, além de ser calmante para o revestimento do estômago. Experimente utilizar as raízes de dente-de-leão e de chicória torradas em pó para obter um sabor mais agradável, quase de café.

Rende: cerca de ¾ de xícara (180 ml)

Ingredientes

½ xícara (120 ml) de mel cru
1 colher de sopa (6 g) de raiz de chicória em pó
1 colher de sopa (6 g) de raiz de dente-de-leão em pó
1 colher de sopa (6 g) de raiz de bardana em pó
1 colher de sopa (4 g) de raiz de alteia em pó

Instruções

Junte o mel e as raízes em pó em uma tigela e mexa para misturar bem. Transfira a mistura para um pote de conserva de ¼ de litro (250 ml) com tampa e guarde em um lugar fresco e escuro. Este eletuário pode ser tomado imediatamente ou deixado para infundir pelo tempo que você desejar antes de usar.

Tome 1 colher de sopa (15 ml) por dia, conforme necessário, para melhorar a digestão e promover o desenvolvimento das bactérias benéficas ao trato digestório.

Este eletuário é seguro para crianças com 8 anos ou mais. Por favor, siga as recomendações de dosagem apresentadas na página 23.

Dica: Eletuários de ervas não são usados com a mesma frequência do passado, mas são um jeito altamente eficaz de ingerir ervas em pó de forma saborosa. As quantidades indicadas nesta receita são apenas uma referência; fique à vontade para aumentar a quantidade de ervas, caso queira. A pasta vai ficar mais espessa, e se você adicionar ervas suficientes, poderá enrolar com os dedos pequenas "pílulas" de eletuário, que podem ser engolidas inteiras.

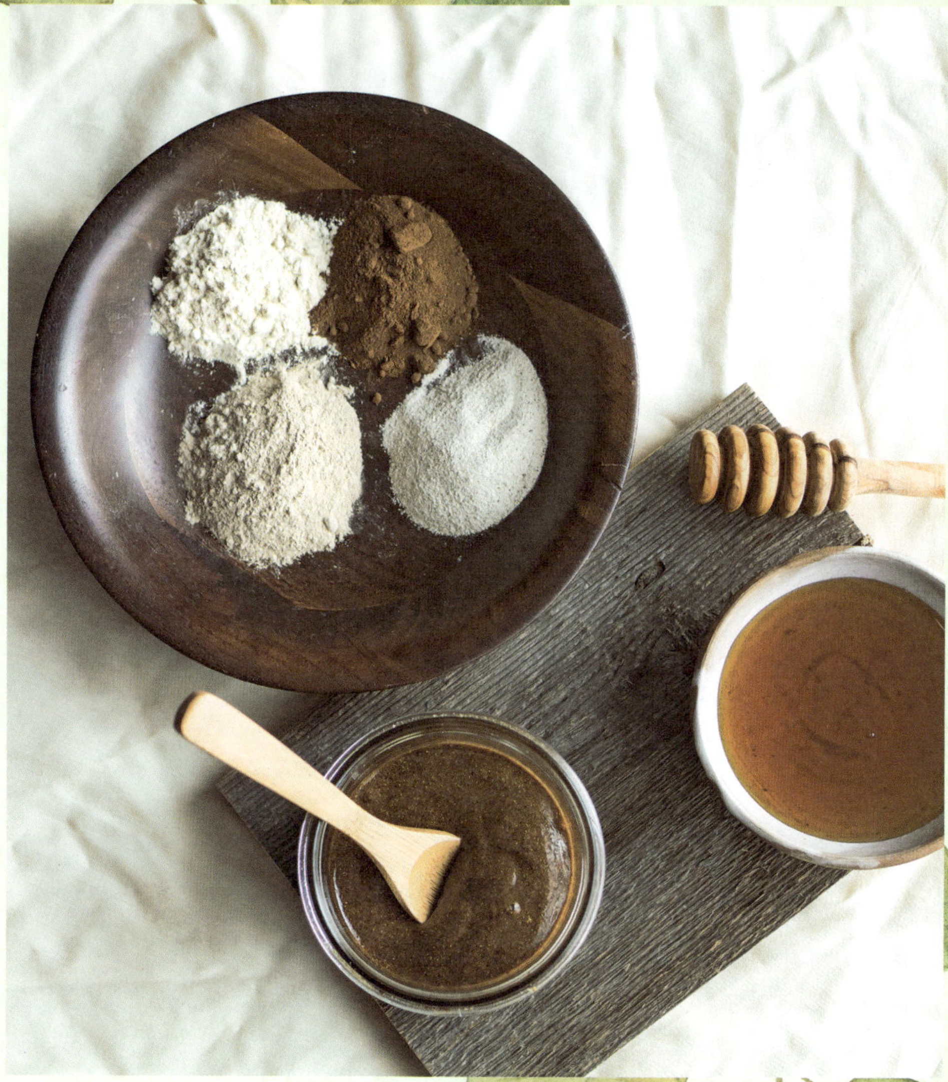

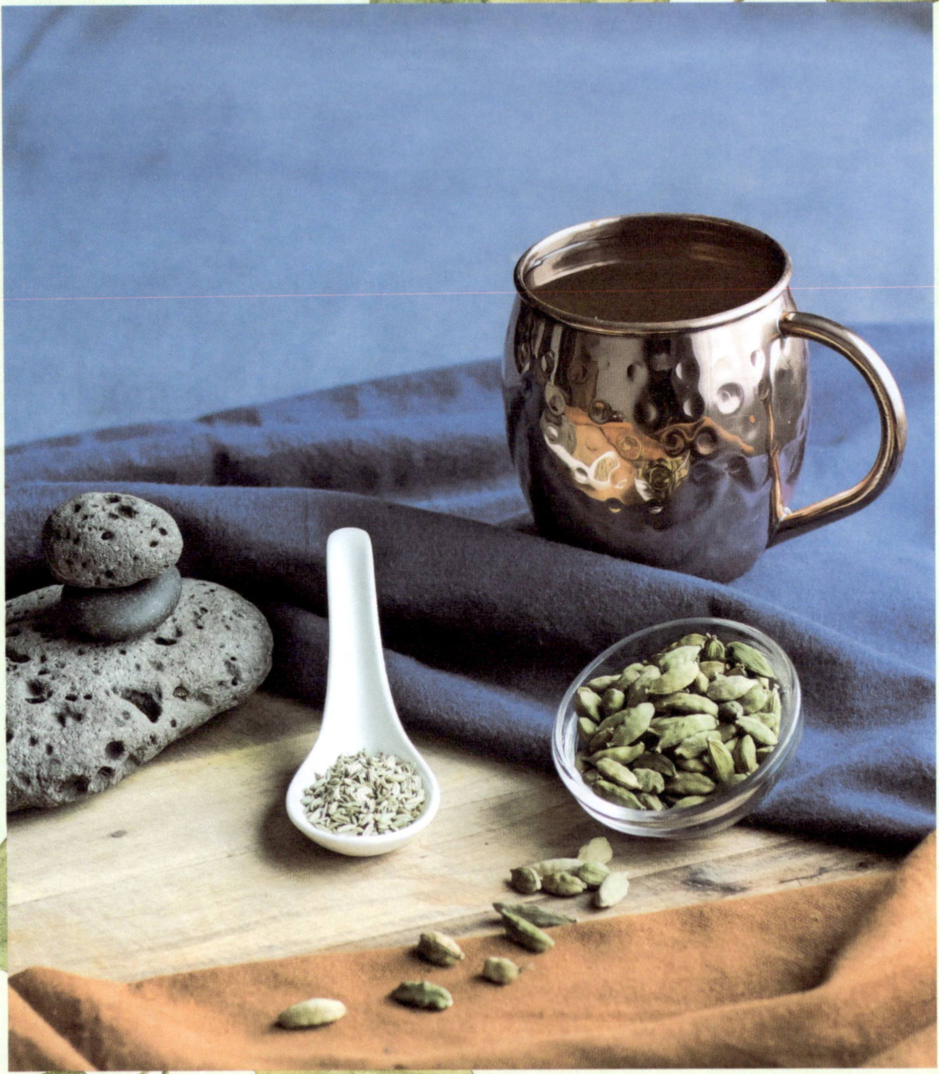

CHÁ PÓS-REFEIÇÃO DE FUNCHO E CARDAMOMO PARA A BARRIGA

Se você já comeu em um restaurante indiano, talvez tenha notado uma tigelinha de sementes de funcho, às vezes revestidas com açúcar, que são consumidas após uma refeição. A razão disso é que as sementes de funcho são altamente eficazes como digestivo e antiácido, sendo perfeitas para ingestão após uma refeição farta. O cardamomo pertence à mesma família do gengibre, outra erva digestiva excelente. Ele ajuda a acalmar o estômago e os intestinos, e torna a comida mais fácil de digerir. Este chá faz lembrar o *chai* tradicional, e é maravilhoso para tomar depois das refeições.

Rende: cerca de 2 xícaras (480 ml)

Ingredientes
1 colher de sopa (8 g) de sementes de funcho
2 colheres de sopa (20 g) de vagens de cardamomo
2 ½ xícaras (600 ml) de água

Instruções

Junte o funcho, o cardamomo e a água em uma panela pequena. Aqueça até ferver. Abaixe o fogo para médio-alto e deixe ferver por 5 a 10 minutos; coe para retirar as ervas antes de tomar.

Tome de 1 a 2 xícaras (240 a 480 ml) depois das refeições para ajudar na digestão ou para acalmar problemas estomacais.

Este chá é seguro para crianças com 2 anos ou mais. Por favor, siga as recomendações de dosagem apresentadas na página 23.

Dica: Se você necessita de uma ajuda rápida para a digestão, masque ½ colher de chá de sementes inteiras de funcho após a refeição e tenha um alívio imediato.

CHÁ DIGESTIVO DE ALTEIA E CANELA

Este chá para acalmar a digestão tem como base a raiz de alteia; embora a alteia seja chamada, em inglês, de marshmallow, não deve ser confundida com os doces comercializados com esse nome. O doce de marshmallow tradicionalmente era feito com a raiz de alteia em pó, mas a versão tão popular nos dias de hoje afastou-se muito de sua origem. É uma pena, porque comer um pedaço do verdadeiro doce de marshmallow seria benéfico para o sistema digestório, em razão de seus efeitos mucilaginosos, que revestem o estômago. Este chá funciona igualmente bem, e acrescentar um pouco de canela torna-o saboroso, conferindo-lhe, ao mesmo tempo, mais propriedades digestivas.

Rende: cerca de 2 xícaras (480 ml)

Ingredientes
2 xícaras (480 ml) de água
2 colheres de sopa (8 g) de raiz de alteia
2 colheres de chá (5 g) de lascas de canela ou ½ pau de canela partido em pedaços

Instruções
Ferva a água e despeje-a sobre as ervas secas. Deixe em infusão por 10 a 15 minutos e coe para retirar as ervas antes de tomar. Também pode ser preparado como infusão em água fria; veja as instruções na página 15.

Tome de 1 a 2 xícaras (240 a 480 ml), com a frequência que for necessária, para acalmar e reparar o sistema digestório.

Este chá é seguro para crianças com 2 anos ou mais. Por favor, siga as recomendações de dosagem apresentadas na página 23.

Dica: A alteia é uma planta de fácil cultivo, ótima para ter em seu jardim de plantas medicinais.[18] É uma planta ereta, pertencente à mesma família da malva-rosa e tem belas flores brancas com o centro rosado. Sua única exigência importante é a preferência por solos sempre úmidos e "brejosos" (em inglês, *marshy*, daí o nome do gênero nesse idioma, marshmallow).

---

[18] Encontrada no Brasil apenas em lojas de produtos fitoterápicos e orgânicos. Pode ser substituída por ervas do tipo "malva" que são nativas, pois pertencem ao mesmo gênero. (N.R.)

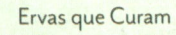

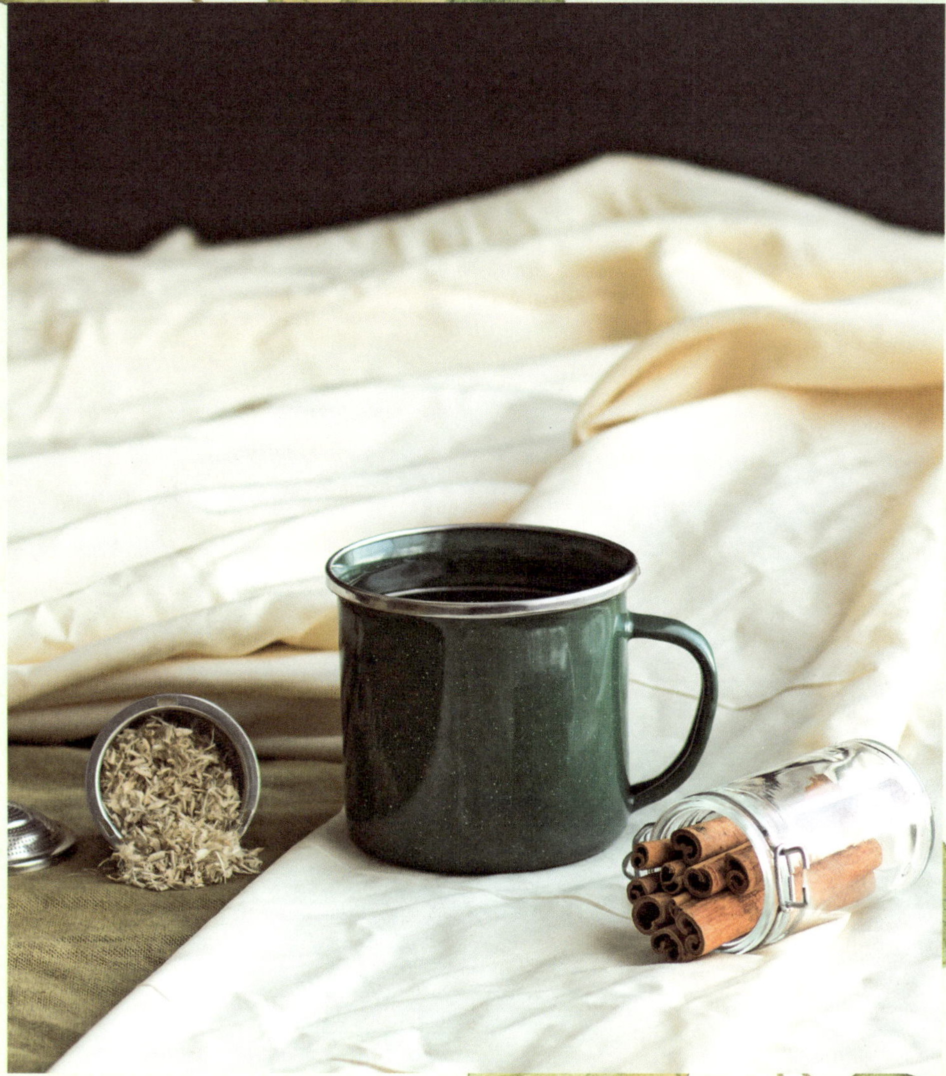

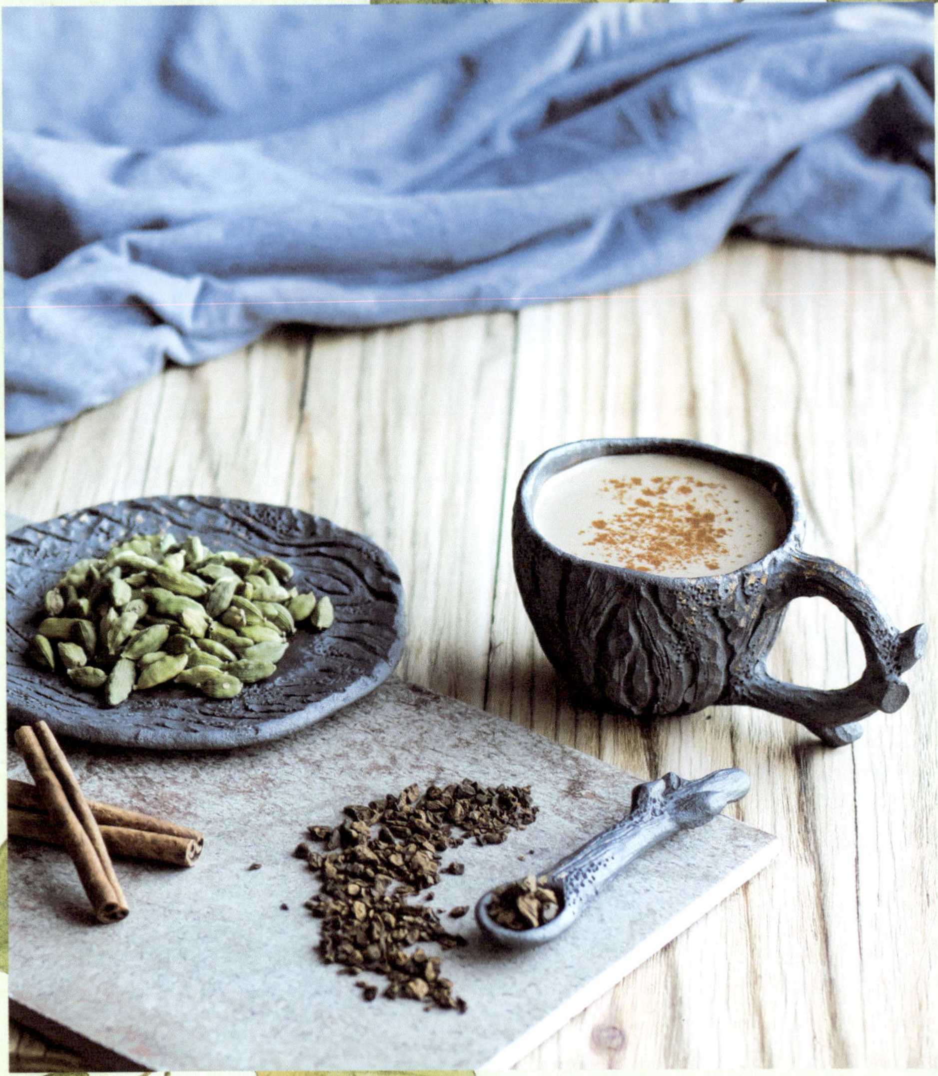

CHAI DE RAIZ DE CHICÓRIA TORRADA

Em geral não se pensa no *chai* como sendo um digestivo, mas as principais ervas e especiarias utilizadas – cardamomo, gengibre e canela – proporcionam enormes benefícios para o sistema digestório. Adicione raiz de chicória torrada e você terá uma bebida saborosa e supersaudável para a digestão. A raiz de chicória é um prebiótico, o que significa que ela alimenta as bactérias benéficas do microbioma intestinal, proporcionando um sistema digestório feliz. A raiz torrada é muito saborosa e combina muito bem com as especiarias tradicionais do *chai*.

A bela xícara que aparece na foto desta receita foi feita à mão por The Wondersmith.

Rende: cerca de 2 xícaras (480 ml)

Ingredientes
2 colheres de sopa (20 g) de vagens de cardamomo
1 colher de sopa (10 g) de raiz de chicória torrada
1 colher de chá (3 g) de gengibre fresco picado
1 colher de chá (2 g) de casca de laranja seca
¼ de colher de chá de pimenta em grão
¼ de colher de chá de cravos-da-índia inteiros
1 pau de canela
2 ½ xícaras (600 ml) de água
Creme ou leite
Adoçante a gosto

Instruções

Junte o cardamomo, a raiz de chicória, o gengibre, a casca de laranja, a pimenta em grão, o cravo, a canela e a água em uma panela pequena. Aqueça até levantar fervura. Abaixe o fogo para médio-alto e deixe ferver por 5 a 10 minutos; coe para retirar as ervas antes de tomar. Adicione creme ou leite para obter um *chai* tradicional e adoce se desejar.

Tome de 1 a 2 xícaras (240 a 480 ml) com a frequência que desejar para promover uma digestão saudável.

Este *chai* é seguro para crianças com 8 anos ou mais. Por favor, siga as recomendações de dosagem apresentadas na página 23.

Dica: A raiz de chicória torrada também é um ótimo substituto para o café, quando combinada com a raiz de dente-de-leão torrada. Apenas ferva 1 colher de sopa (10 g) de cada uma das raízes secas por 5 a 10 minutos, coe e sirva a seguir.

Infusões para Facilitar a Digestão

CHÁ QUATRO MENTAS QUENTE OU GELADO

A família das mentas e das hortelãs é grande e muitas das espécies que a compõem vêm sendo utilizadas ao longo da história como digestivos. São ervas que acalmam o estômago e, quando consumidas depois da refeição, ajudam a evitar a indigestão. Também agem quando tomadas antes das refeições, pois estimulam o fluxo de bile e de enzimas digestivas. Além disso, proporcionam um bom hálito! As folhas de hortelã estão repletas de óleos voláteis que liberam um aroma delicioso, por isso recomendo que sejam usadas frescas sempre que possível, embora em caso de necessidade as folhas secas funcionem bem.

Rende: cerca de 4 xícaras (1 litro)

Ingredientes

4 xícaras (1 litro) de água
½ xícara (6 g) de folhas de hortelã-pimenta frescas ou 1 colher de sopa (3 g) de folhas secas
½ xícara (6 g) de folhas de hortelã-verde frescas ou 1 colher de sopa (3 g) de folhas secas
½ xícara (6 g) de folhas de erva-cidreira (melissa) frescas ou 1 colher de sopa (2 g) de folhas secas
½ xícara (6 g) de folhas de erva-de-gato frescas ou 1 colher de sopa (1 g) de folhas secas

Instruções

Ferva a água e despeje-a sobre as ervas em um pote de conserva de 1 litro. Para preparar chá quente, deixe em infusão por 10 a 15 minutos, em seguida coe e tome. Se preferir ingerir o chá gelado, deixe a infusão esfriar até a temperatura ambiente, então coe e adicione gelo antes de beber.

Tome de 1 a 2 xícaras (240 a 480 ml) com a frequência que desejar, para acalmar o estômago e promover uma digestão saudável.

Este chá é seguro para crianças com 2 anos ou mais. Por favor, siga as recomendações de dosagem apresentadas na página 23.

Dica: Outras ervas da família das mentas que funcionam bem neste chá são a monarda, o hissopo, a bergamota e o lâmio-roxo.

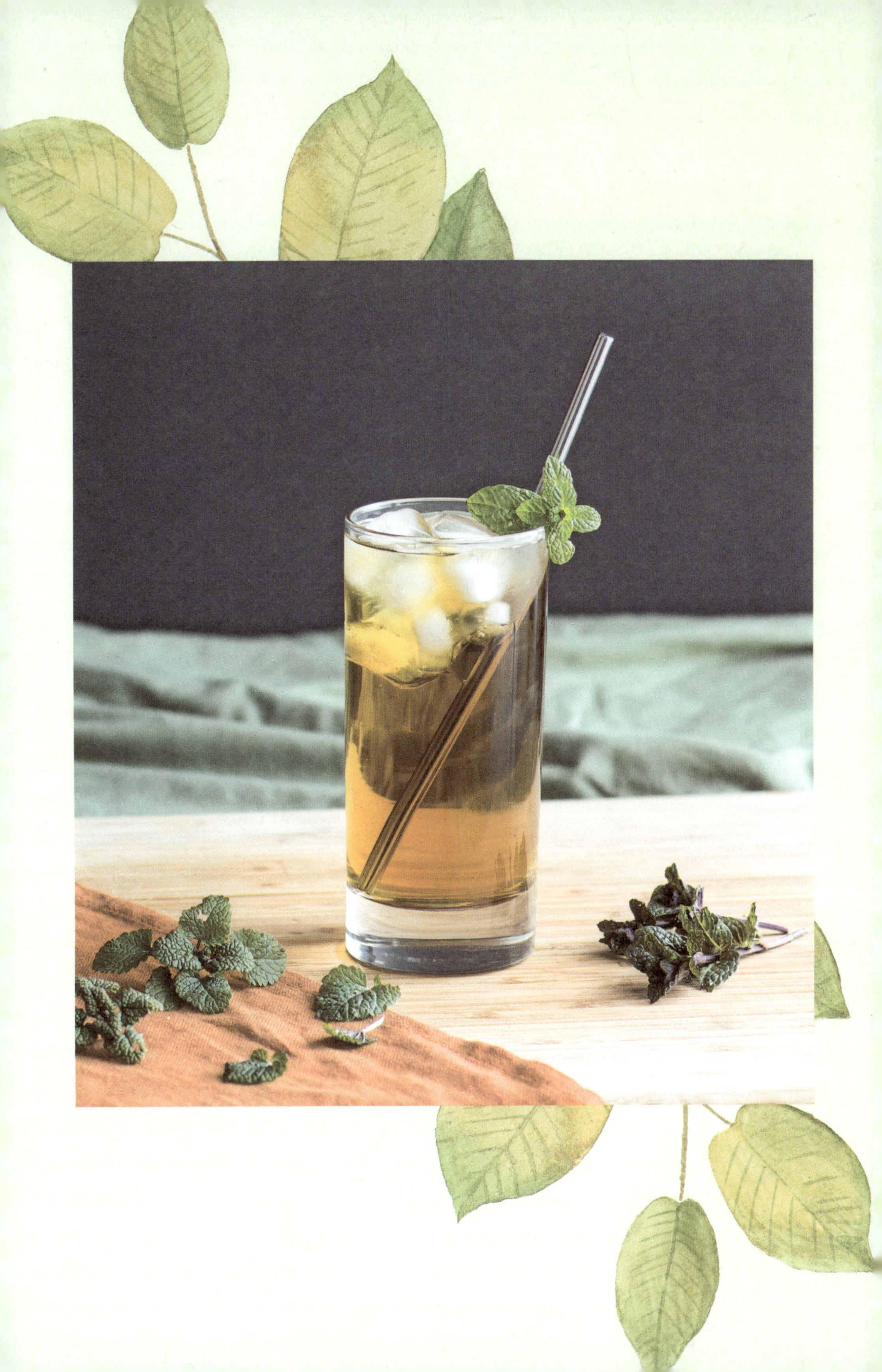

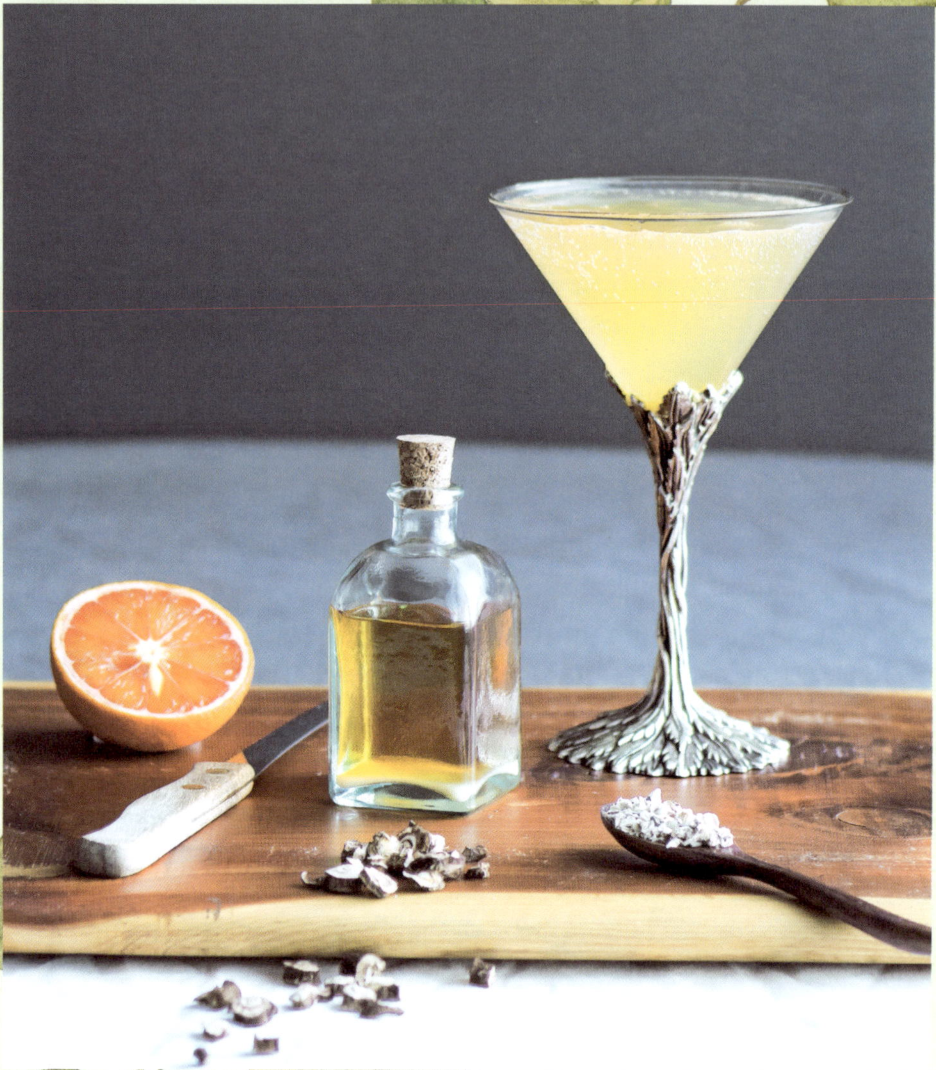

BITTER DE RAÍZES DE DENTE-DE-LEÃO E DE BARDANA

Os *bitters* são preparados da mesma forma que as tinturas, mas com ervas amargas como material vegetal. Os *bitters* digestivos podem ser ingeridos puros, misturados com água com gás ou Ginger Ale, ou usados em coquetéis para serem tomados antes ou depois das refeições. O dente-de-leão e a raiz de bardana são duas ervas amargas usadas com frequência juntas, e ambas são excelentes para a digestão. Ajudam a aumentar e estimular as enzimas digestivas e a produção de bile, isso promove a digestão e melhora a absorção de nutrientes.

Rende: cerca de 1 ½ xícara (360 ml)

Ingredientes
2 colheres de sopa (20 g) de raiz de dente-de-leão seca
2 colheres de sopa (24 g) de raiz de bardana seca
1 colher de sopa (8 g) de casca de laranja doce seca
1 ½ xícara (360 ml) de vodca ou outra bebida alcoólica neutra

Instruções
Junte as ervas e a bebida alcoólica em um pote de conserva de ½ litro (500 ml). Tampe o pote e agite-o para misturar bem. Guarde-o em um local fresco e escuro para infundir por 4 a 6 semanas. Coe com uma peneira fina para retirar as ervas.

Tome até 30 ml (um copo bem pequeno de aperitivo) antes ou depois de uma refeição, para ajudar na digestão ou atenuar problemas estomacais.

Os *bitters* não devem ser ingeridos por pessoas abaixo da idade permitida para o consumo de bebidas alcoólicas.

Dica: Este preparado é agradavelmente amargo, e a adição da casca de laranja faz com que seja perfeito para ser usado em um coquetel, como aperitivo. Misture com água com gás e um pouquinho de suco de laranja ou de grapefruit, e prepare uma agradável bebida para antes da refeição.

Infusões para Facilitar a Digestão

BITTER DE SALSAPARRILHA E FUNCHO

Este *bitter* tem um sabor que lembra o da *root beer* ("cerveja de raiz"), por causa da raiz de salsaparrilha, com um leve toque de anis, dado pelas sementes de funcho. A raiz de salsaparrilha é um dos aromatizantes tradicionais da verdadeira *root beer* à moda antiga, e possui uma qualidade amarga. As sementes de funcho são muito eficazes como digestivo, sobretudo depois das refeições. Puro ou como ingrediente de um coquetel, constitui a bebida prefeita para depois da refeição!

Rende: cerca de 1 ½ xícara (360 ml)

Ingredientes
2 colheres de sopa (12 g) de raiz de salsaparrilha seca
2 colheres de sopa (18 g) de sementes de funcho secas
1 colher de sopa (8 g) de lascas de canela
1 ½ xícara (360 ml) de vodca ou outra bebida alcoólica neutra

Instruções
Junte as ervas e a bebida alcoólica em um pote de conserva de ½ litro (500 ml). Tampe o pote e agite-o para misturar bem. Guarde-o em um local fresco e escuro para infundir por 4 a 6 semanas. Coe com uma peneira fina para retirar as ervas.

Tome até 30 ml (um copo bem pequeno de aperitivo) antes ou depois de uma refeição, para ajudar na digestão ou atenuar problemas estomacais.

Os *bitters* não devem ser ingeridos por pessoas abaixo da idade permitida para o consumo de bebidas alcoólicas.

Dica: A presença do funcho e da canela torna este *bitter* excelente para ser usado em um coquetel digestivo. Misture com um Ginger Ale natural (ver p. 103) e um pouco de limão espremido para ajudar na digestão após as refeições.

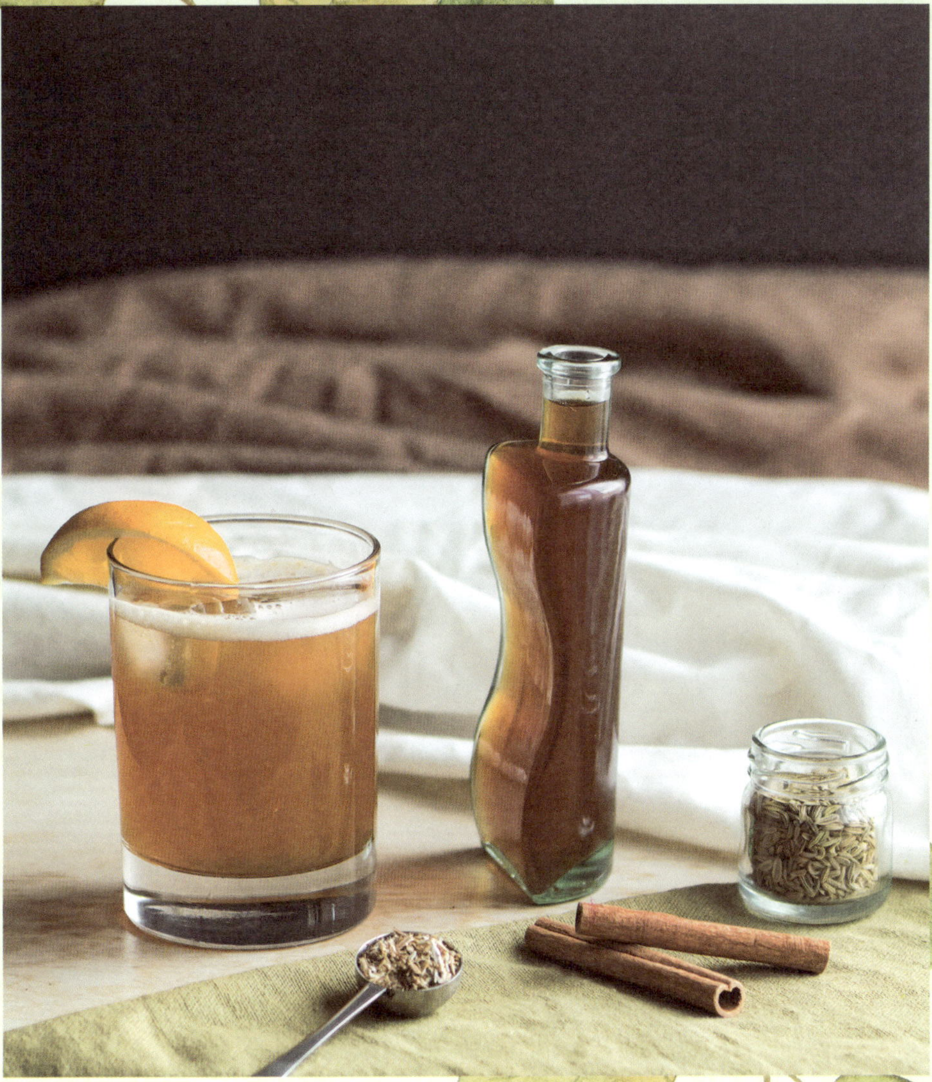

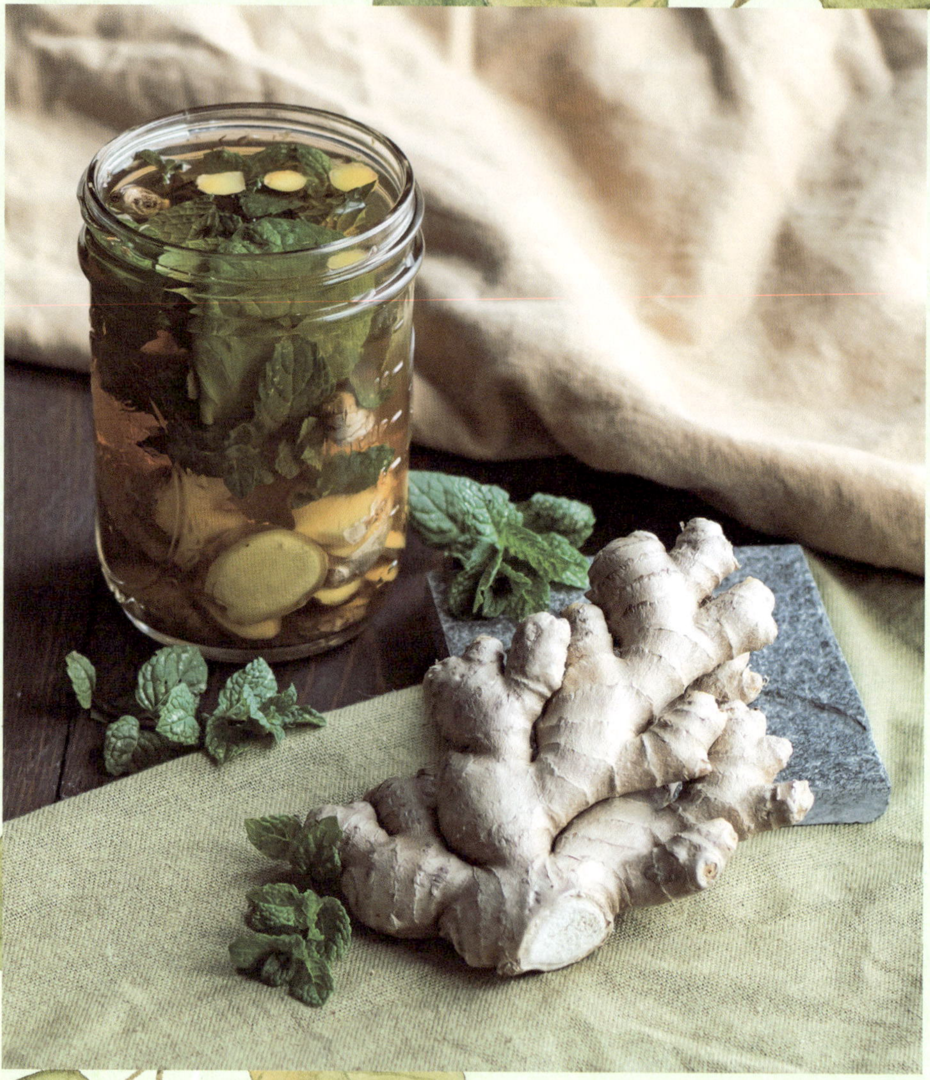

INFUSÃO DE VINAGRE COM ERVAS PARA AZIA

Pode parecer um contrassenso, mas o vinagre, em particular o vinagre cru de maçã, com frequência proporciona um alívio quase instantâneo para o refluxo ácido, mais conhecido como azia. Uma teoria para explicar o funcionamento tão eficaz desse remédio tradicional é que a azia pode ser provocada pelo excesso de acidez estomacal, e o vinagre de maçã ajuda a neutralizar o pH do estômago. A adição de gengibre e de hortelã-pimenta, que também ajudam a atenuar a azia, torna a infusão ainda mais potente. O mel é um bom acréscimo para melhorar o sabor, caso se deseje, e também pode ajudar a reduzir a azia.

Rende: cerca de 1 ½ xícara (360 ml)

Ingredientes
1 ½ xícara (360 ml) de vinagre cru de maçã
½ xícara (50 g) de gengibre fresco fatiado
½ xícara, sem apertar (8 g), de folhas de hortelã-pimenta frescas
1 a 3 colheres de sopa (15 a 45 ml) de mel cru (opcional)

Instruções

Junte o vinagre de maçã, o gengibre e a hortelã-pimenta em um pote de conserva de ½ litro (500 ml). Tampe o pote e guarde-o em um local fresco e escuro para infundir por 4 a 6 semanas. Quando a infusão estiver pronta para uso, coe com uma peneira fina para retirar as ervas e adicione o mel (caso opte por usá-lo), mexendo para misturar.

Misture 1 colher de sopa (15 ml) da infusão de vinagre em um copo de água e tome conforme necessário para ajudar no alívio do refluxo ácido, não mais do que 3 vezes ao dia. Se o refluxo ácido persistir por mais do que 1 ou 2 dias, por favor, consulte seu médico.

Esta infusão em vinagre é segura para crianças com 2 anos ou mais. Por favor, siga as recomendações de dosagem apresentadas na página 23 e dilua com água antes de usar.

Dica: Para obter alívio rápido em caso de azia, se você não dispuser desta infusão já pronta, pode simplesmente usar 1 colher de sopa (15 ml) de vinagre cru de maçã diluída em água!

Infusões para Facilitar a Digestão

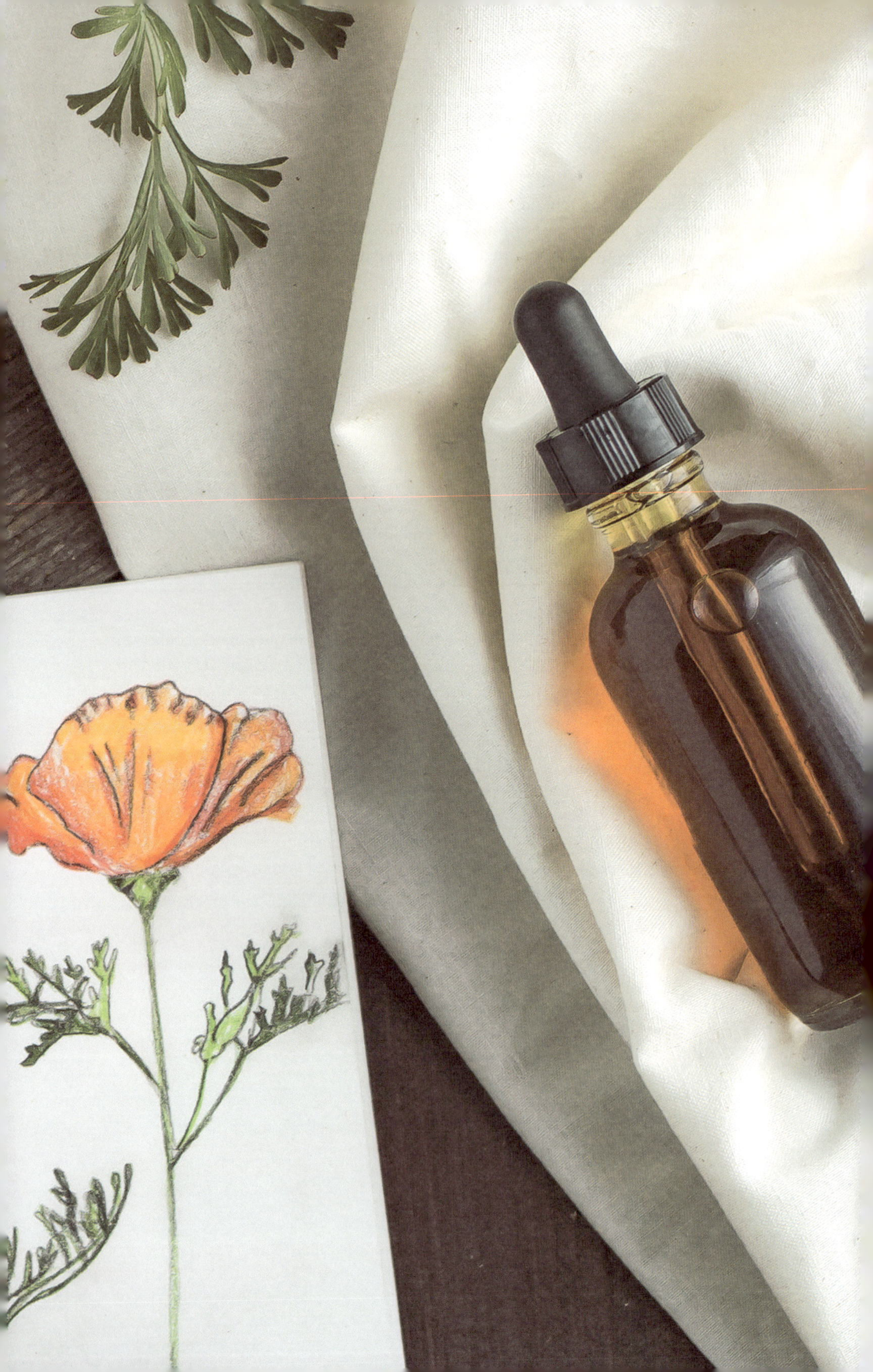

INFUSÕES PARA O BEM-ESTAR INTERIOR

A conexão mente-corpo é muito importante. Existem muitas ervas com propriedades relaxantes e que melhoram o estado de ânimo, as quais podem nos ajudar na jornada da vida. A erva-de-são-joão e a papoula-da-califórnia podem dar uma levantada nas emoções e no humor. Valeriana, camomila, erva-de-gato, lavanda, erva-cidreira e flor de maracujá têm efeito calmante e são excelentes para ajudar no relaxamento ao final de um dia longo e estressante. O manjericão santo (também conhecido como tulsi) é especial, no sentido de que pode auxiliar na manutenção do equilíbrio de seus centros de energia, também conhecidos como "chakras". A urtiga e a palha de aveia ajudam a repor nutrientes vitais que nos fazem sentir fortes. Infusões sob a forma de chás, tinturas e óleos de massagem podem nos auxiliar a revitalizar, a nos soltar e nos acalmar, e trazem o sono de uma maneira natural – ao mesmo tempo que nos proporcionam toda a energia positiva das ervas!

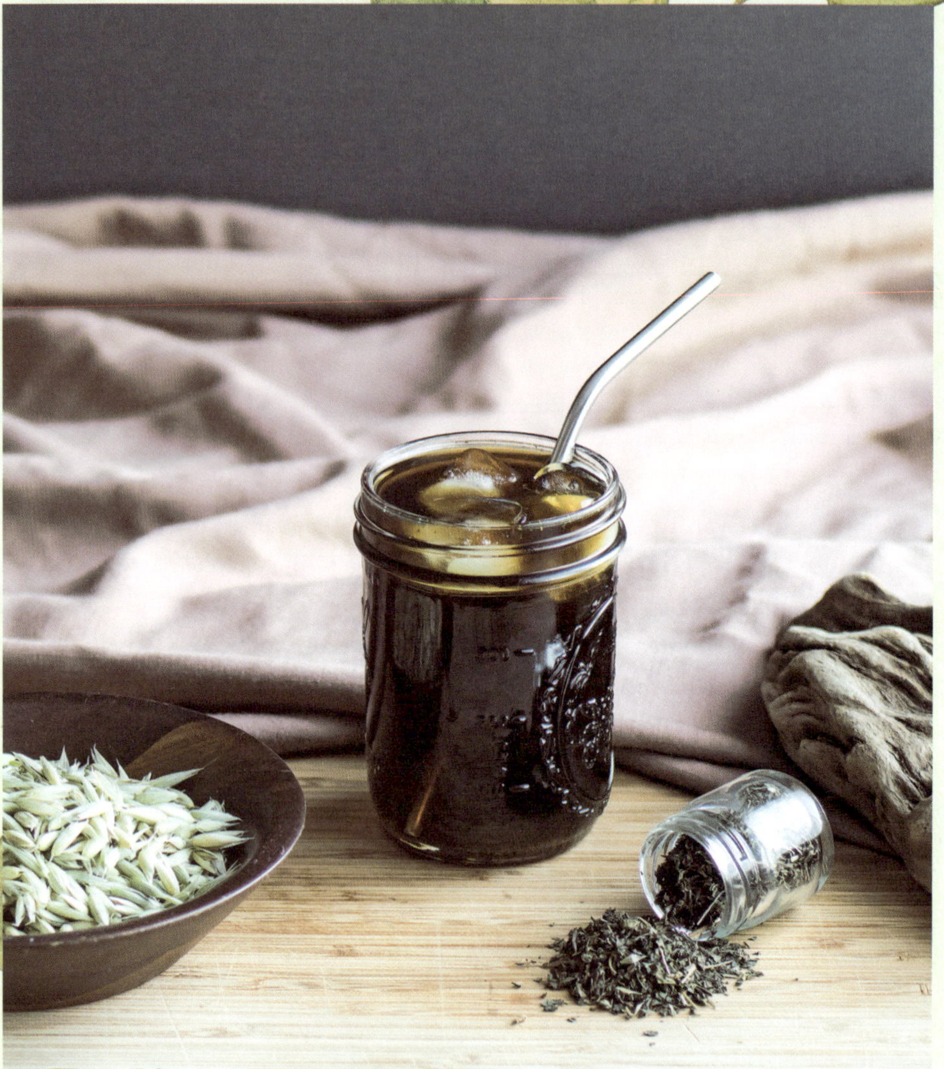

CHÁ DE LONGA INFUSÃO DE URTIGA E PALHA DE AVEIA PARA VITALIDADE

Quando você está sem energia e precisa repor vitaminas e minerais essenciais, esta é a bebida à qual deve recorrer. A urtiga[19] é uma erva rica em vitamina e minerais e, quando transformada em infusão, funciona como um energético natural. A palha de aveia é rica em minerais como cálcio e magnésio, bem como em vitaminas e muitos outros elementos-traço. A palha de aveia é também eficaz no tratamento de ansiedade e estresse. Você pode usar aveia com casca no lugar da palha de aveia,[20] se preferir; ela tem um efeito um pouco mais forte. Eu particularmente gosto de tomar essa infusão com 1 colher de sopa (15 ml) de melado dissolvido. O melado melhora o sabor e proporciona ainda mais minerais!

Rende: cerca de 4 xícaras (1 litro)

Ingredientes
4 xícaras (1 litro) de água
½ xícara (16 g) de urtiga seca
½ xícara (20 g) de palha de aveia ou aveia com casca, secas
1 colher de sopa (15 ml) de mel, xarope de bordo ou melado (opcional)

Instruções

Ferva a água e despeje-a sobre as ervas em um pote de conserva de 1 litro. Tampe e deixe em infusão por 4 a 12 horas. Coe com uma peneira fina e, se quiser, adicione o adoçante antes de tomar. Recomendo consumir esta infusão gelada.

Tome de 1 a 4 xícaras (240 ml a 1 litro) por dia para repor nutrientes e revitalizar o corpo e a mente.

Este chá é seguro para crianças com 2 anos ou mais. Por favor, siga as recomendações de dosagem apresentadas na página 23.

Dica: Você pode utilizar urtiga fresca no lugar da seca se tiver como obtê-la. Use o suficiente para encher o pote de 1 litro mais ou menos pela metade com urtiga fresca, e assegure-se de utilizar uma peneira fina, revestida com várias camadas de morim para remover todos os pelos finos antes de ingerir. Tome cuidado para não se queimar ao colher a urtiga – é recomendado usar luvas. Você não precisa se preocupar com isso depois que a infusão estiver pronta, pois a água fervente neutraliza totalmente a urtiga.

---

[19] Existe como espécie cultivada e subespontânea no Brasil. É preciso cautela, pois há muitas espécies nativas conhecidas como urtiga (em especial *Urera bacífera*, de uso tradicional, mas ainda pouco estudada). No Brasil, a mesma espécie é conhecida pelo chá de urtigão/urtiga maior (*Urtiga dioica*). (N.R.)
[20] Ver "Perfis de Ervas e Flores", p. 198. (N.T.)

CHÁ DURMA BEM

Às vezes perdemos o sono, mas existem ervas que podem nos ajudar a penetrar com muita paz no mundo dos sonhos. A camomila, uma erva suave que promove o repouso e reduz o estresse, é uma das que você já deve ter ouvido falar e que talvez tenha em seu armário de chás. A erva-de-gato não serve apenas para seus amigos felinos, ela também acalma o sistema nervoso e ajuda a aliviar a dor. A valeriana é uma erva poderosa, utilizada comumente em casos de falta de sono, pois acalma os nervos e é benéfica para o tratamento da insônia. Uma caneca desta infusão e você deverá mergulhar no sono num piscar de olhos!

Rende: cerca de 2 xícaras (480 ml)

Ingredientes
2 xícaras (480 ml) de água
1 colher de sopa (1 g) de flores de camomila secas
1 colher de sopa (2 g) de erva-de-gato seca
1 colher de chá (2 g) de raiz de valeriana seca

Instruções

Ferva a água e despeje-a sobre as ervas secas. Deixe a infusão descansar por 10 a 15 minutos; coe para retirar as ervas antes de consumi-la. Se desejar um chá mais forte, siga as instruções da página 15 para infusões longas ou de um dia para o outro.

Tome de 1 a 2 xícaras (240 a 480 ml) antes de se deitar, para ajudar a relaxar e promover um sono repousante.

Este chá é seguro para crianças com 2 anos ou mais. Por favor, siga as recomendações de dosagem apresentadas na página 23. Se desejar um chá mais suave, para o sono e o relaxamento, experimente o Chá Calmante para Crianças (ver p. 185).

Dica: A raiz de valeriana é útil no tratamento da insônia crônica, mas pode demorar algumas semanas para que seus efeitos sejam notados. Tome este chá todas as noites por 2 semanas, e talvez você perceba que está dormindo mais facilmente do que antes. É aconselhável ficar 1 semana sem ingerir a raiz de valeriana a cada 2 ou 3 semanas de consumo.

Valeriana officinalis

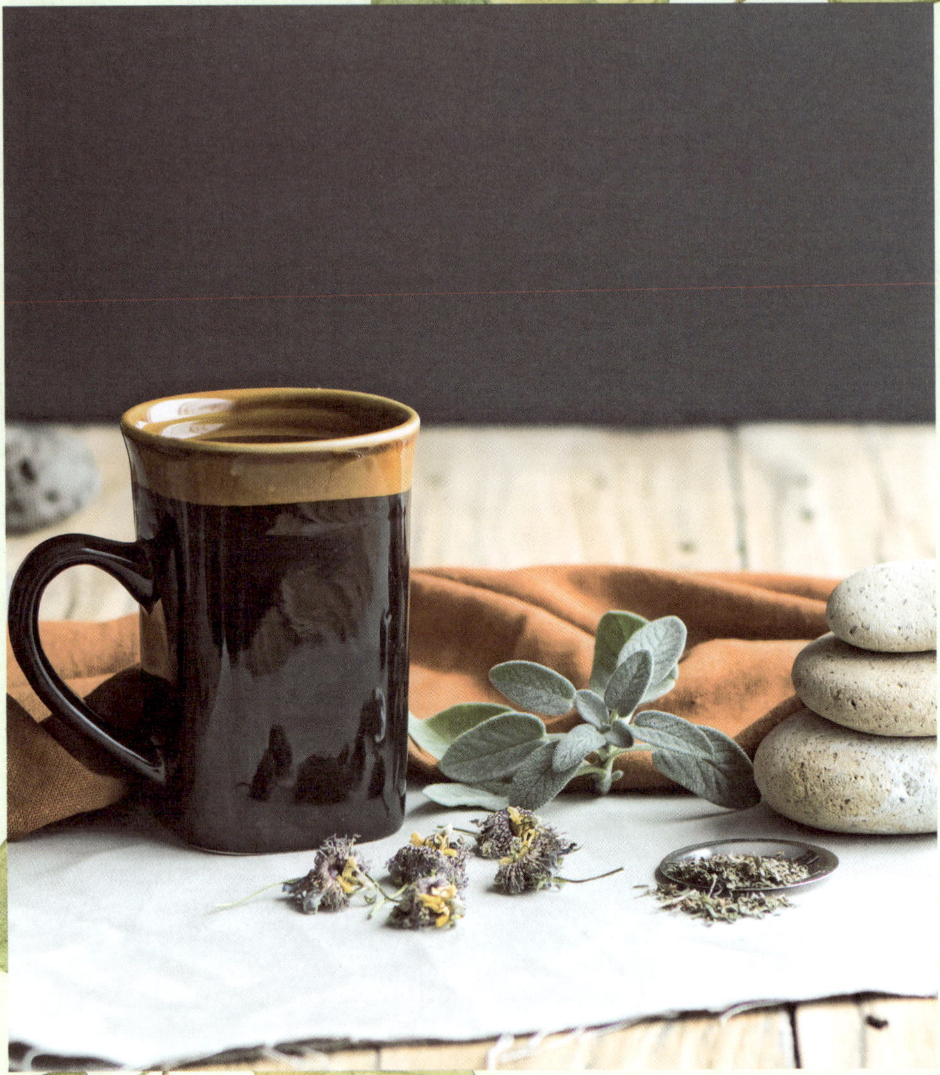

CHÁ PARA ALÍVIO DO ESTRESSE

O estresse emocional é, infelizmente, algo com que todos lidamos de tempos em tempos, mas existem ervas que podem nos ajudar. O manjericão santo é particularmente bom para isso, pois, sendo uma erva adaptogênica, alivia o estresse e a ansiedade, reduz o cortisol e promove o relaxamento. A flor de maracujá baixa a pressão sanguínea, reduz a depressão e melhora o sono. A sálvia ajuda a acalmar os nervos. Este é um chá saboroso que tem até um efeito aromaterápico calmante quando inalado. Gestantes devem evitar o uso de grandes quantidades de manjericão santo e de flores de maracujá.

Rende: cerca de 2 xícaras (480 ml)

Ingredientes
2 xícaras (480 ml) de água
2 colheres de sopa (3 g) de manjericão santo (tulsi) seco ou ¼ de xícara (6 g) da erva fresca
1 colher de sopa (3 g) de flor de maracujá seca ou ¼ de xícara (6 g) da flor fresca
5 a 6 (2 g) folhas frescas de sálvia

Instruções
Ferva a água e despeje-a sobre as ervas. Deixe em infusão por 10 a 15 minutos; coe para retirar as ervas antes de tomar. Se desejar um chá mais forte, siga as instruções da página 15 para infusões longas ou de um dia para o outro. Este chá pode ser consumido quente ou gelado.

Tome de 1 a 2 xícaras (240 a 480 ml) diariamente, conforme necessário, para ajudar a reduzir o estresse e a ansiedade.

Este chá é seguro para crianças com 2 anos ou mais. Por favor, siga as recomendações de dosagem apresentadas na página 23.

Dica: O manjericão santo, também conhecido como tulsi, é uma erva realmente incrível. Ela ajuda a restaurar a vitalidade, renova a energia e equilibra os chakras. Um chá feito com manjericão santo também é bom para ajudar na meditação e na introspecção pessoal profunda. Sendo uma variedade de manjericão, é fácil de cultivar e constitui uma adição perfeita a qualquer jardim de ervas.

ÓLEO DE MASSAGEM CALMANTE

Quando os músculos estão enrijecidos, em razão da tensão e do estresse, use este óleo de massagem calmante. Às vezes, uma boa massagem no pescoço, ombros e costas é o que precisamos para liberar a tensão desnecessária. Peça a um amigo ou a seu parceiro para usar este óleo de aroma doce e tornar a experiência ainda mais relaxante. Camomila, lavanda e erva-cidreira são todas ervas calmantes, que também ajudam a atenuar dores musculares.

Rende: cerca de ¾ de xícara (180 ml)

Ingredientes
¼ de xícara (6 g) de flores de camomila secas
2 colheres de sopa (5 g) de flores de lavanda secas
2 colheres de sopa (4 g) de erva-cidreira seca
½ xícara (120 ml) de óleo de amêndoas doce
¼ de xícara (60 ml) de óleo de coco derretido
5 a 10 gotas de óleo essencial de lavanda (opcional)

Instruções

Junte a camomila, a lavanda e a erva-cidreira com os óleos de amêndoas doce e de coco em um pote de conserva de ¼ de litro (250 ml). Tampe o pote e agite-o para misturar bem. Guarde-o em um local fresco e escuro para infundir por 4 a 6 semanas. Coe o óleo com uma peneira fina para retirar o material vegetal. Se o óleo de coco presente na infusão estiver sólido, aqueça-a suavemente, colocando o pote em uma panela com água quente para derreter a mistura antes de coar. Adicione então o óleo essencial de lavanda (caso opte por usá-lo) e misture bem.

Utilize este óleo com a frequência que for necessária para massagens e como um auxiliar no alívio da tensão muscular. Se preferir, coloque o pote em uma panela de água morna para aquecer o óleo antes de usá-lo.

Este óleo de massagem é seguro para o uso em crianças com 1 ano ou mais, depois de ser feito um teste de contato (ver p. 23). Exclua o óleo essencial de lavanda para o uso em crianças com menos de 13 anos.

Dica: Outras ervas calmantes e relaxantes musculares que podem ser usadas neste óleo de massagem são a hortelã-pimenta, erva-de-são-joão, gengibre, pétalas de rosa, flores de gerânio, flores de calêndula, sálvia e favas de baunilha inteiras.

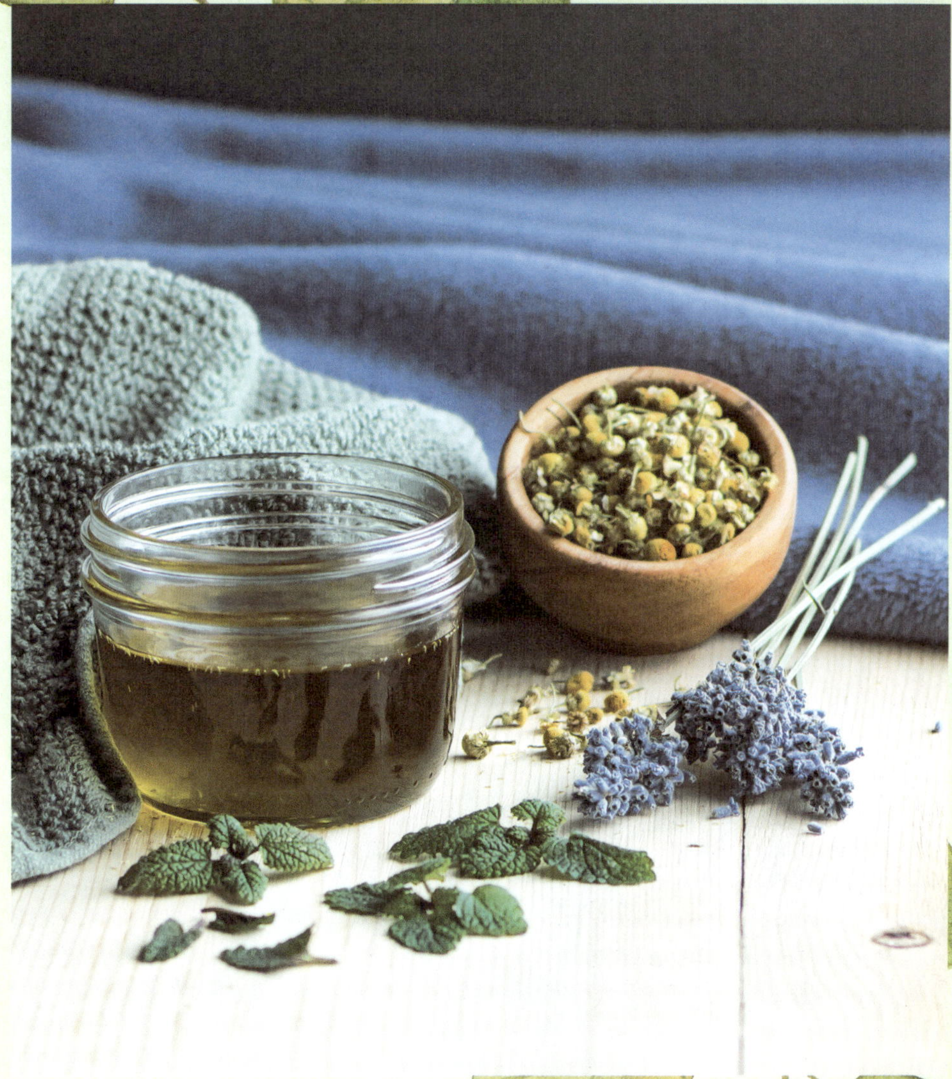

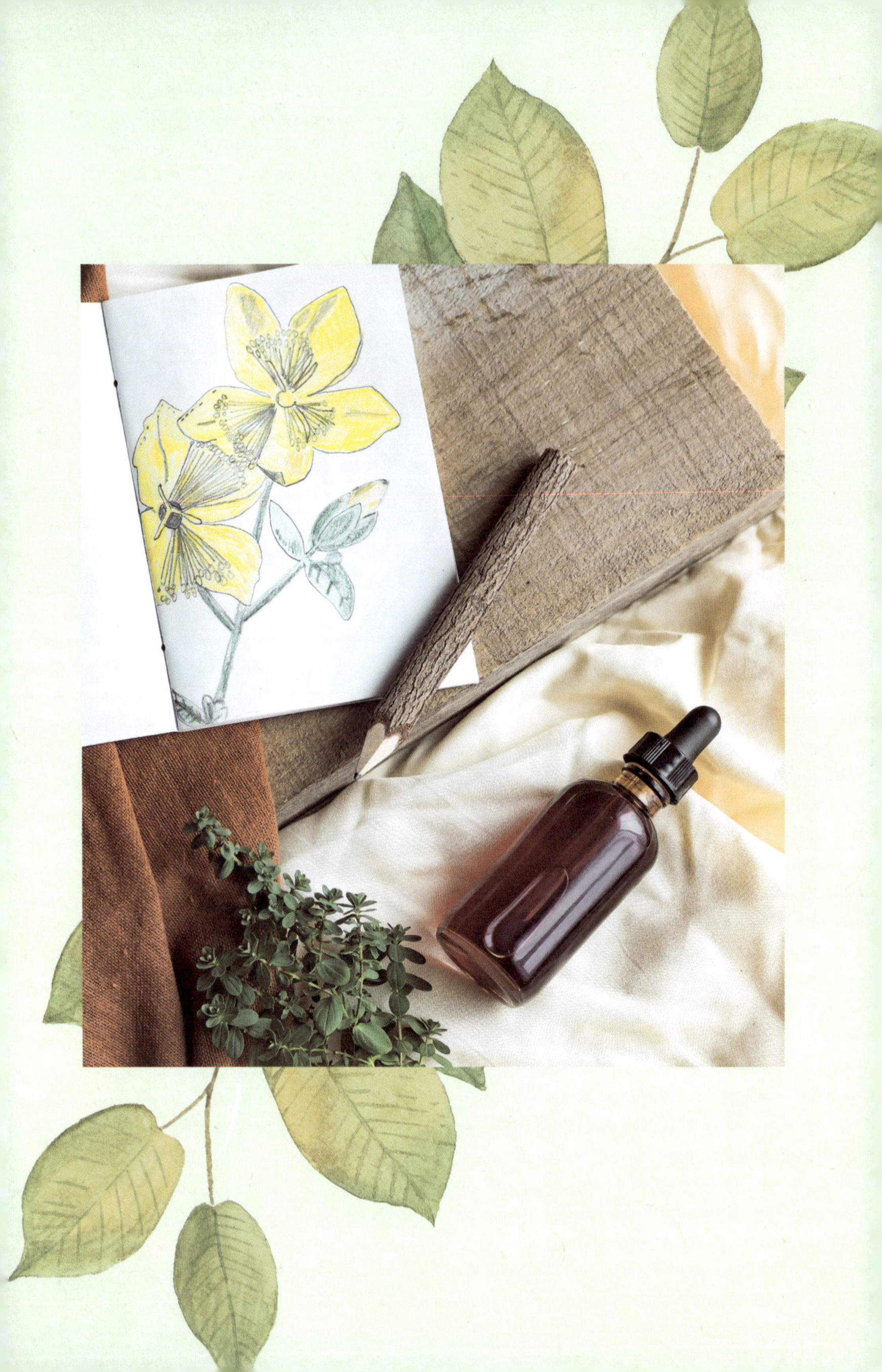

TINTURA DE ERVA-DE-SÃO-JOÃO PARA LEVANTAR O ASTRAL

Quando seu astral anda baixo e a melancolia ronda, esta tintura de erva-de-são-joão (ou hipérico) pode ajudar. Já foi demonstrado que a erva-de-são-joão é muito eficaz no tratamento de depressões leves, de transtorno afetivo sazonal e períodos em que você se sente para baixo. Se você tem acesso a flores frescas de erva-de-são-joão, que são abundantes em muitos locais durante o verão,[21] use-as para preparar esta tintura, pois elas perdem um pouco da potência quando secas. Para aproveitar ao máximo suas propriedades, esta tintura deve ser ingerida em um ciclo de 2 a 3 semanas, com um intervalo de 1 semana. Após começar a tomar esta tintura, pode levar várias semanas até que uma melhora no estado de espírito seja notada. Em caso de depressão severa, por favor, consulte seu médico.

Rende: cerca de ¾ de xícara (180 ml)

Ingredientes
¼ de xícara (15 g) de flores e folhas de erva-de-são-joão secas ou ½ xícara (30 g) da erva fresca
¾ de xícara (180 ml) de vodca ou outra bebida alcoólica neutra

Instruções

Junte a erva-de-são-joão e a bebida alcoólica em um pote de conserva de ¼ de litro (250 ml) e tampe. Guarde-o em um local fresco e escuro para infundir por 4 a 6 semanas. Quando a tintura estiver pronta para uso, coe com uma peneira fina a fim de retirar as ervas. Acondicione a tintura em frasquinhos com conta-gotas para facilitar o uso.

Tome 1 colher de chá (5 ml) 2 vezes por dia, durante 2 a 3 semanas, para melhorar o humor e mitigar os efeitos da depressão, então interrompa o uso por 1 semana antes de repetir o ciclo.

Para uso por crianças e pessoas que desejam evitar o álcool, esta tintura pode ser preparada com glicerina vegetal em vez da bebida alcoólica. Feita dessa forma, é segura para crianças com 8 anos ou mais. Por favor, siga as recomendações de dosagem apresentadas na página 23.

Dica: A erva-de-são-joão muitas vezes é considerada uma "erva daninha", por crescer por todo lado durante o verão. Como ocorre com muitas destas ervas daninhas, ela tem enorme utilidade para nós, para diversas finalidades, de modo que é muito útil aprender a identificá-la para quando você fizer coletas na natureza.[22] Quando encontrar as pequeninas flores amarelas, colete-as para uso nesta tintura e na receita de Óleo de Erva-de-São-João e Pimenta-Caiena para Aquecer, da p. 53.

---

[21] Essa espécie é aclimatada no Brasil. Aqui só se usa a *H. Perforatum* quando se procura por erva-de-são-joão. (N.R.)
[22] Ver nota 35 na seção "Perfis de Ervas e Flores", p. 194. (N.T.)

Infusões para o Bem-Estar Interior

TINTURA DE PAPOULA-DA-CALIFÓRNIA PARA RELAXAMENTO

As papoulas são flores adoráveis, com grandes propriedades de relaxamento. Você se lembra de Dorothy, de *O Mágico de Oz*, adormecendo em um campo de papoulas? Havia um fundo de verdade naquela cena. O ópio, um poderoso narcótico analgésico, é derivado de outra espécie de papoula. A papoula-da-califórnia, bela flor de colorido laranja intenso que cresce no sudoeste dos Estados Unidos e parte do México, nem de perto se compara, em termos de potência, com a espécie usada na produção de ópio, mas ainda assim a planta possui efeitos relaxantes incríveis e muito mais suaves. Ela também reduz o estresse e ajuda a trazer o sono.

Rende: cerca de ¾ de xícara (180 ml)

Ingredientes

½ xícara, sem apertar (8 g), de flores, folhas e hastes de papoula-da-califórnia secas
¾ de xícara (180 ml) de vodca ou outra bebida alcoólica neutra

Instruções

Junte a papoula-da-califórnia e a bebida alcoólica em um pote de conserva de ¼ de litro (250 ml) e tampe. Guarde-o em um local fresco e escuro para infundir por 4 a 6 semanas. Quando a tintura estiver pronta para uso, coe com uma peneira fina a fim de retirar as ervas. Acondicione a tintura em frasquinhos com conta-gotas para facilitar o uso.

Tome de ½ a 1 colher de chá (2 a 5 ml) por dia para relaxar e atenuar o estresse, ou como um indutor natural do sono.

Para uso por crianças e pessoas que desejam evitar o álcool, esta tintura pode ser preparada com glicerina vegetal em vez da bebida alcoólica. Feita dessa forma, é segura para o uso por crianças com 8 anos ou mais. Por favor, siga as recomendações de dosagem apresentadas na página 23.

Dica: Existe um grande equívoco na ideia de que é ilegal a coleta de papoula-da-califórnia no estado de mesmo nome, do qual ela é a flor oficial. Na verdade, sua coleta só é ilegal em propriedades federais, e isso se aplica a qualquer tipo de flor, e não apenas à papoula. Isso significa que, se você estiver na Califórnia, mas não em uma propriedade federal ou estadual, não há nenhum problema em coletar papoulas-da-califórnia, que na primavera colorem de laranja-vivo as encostas das colinas.

Eschscholzia californica

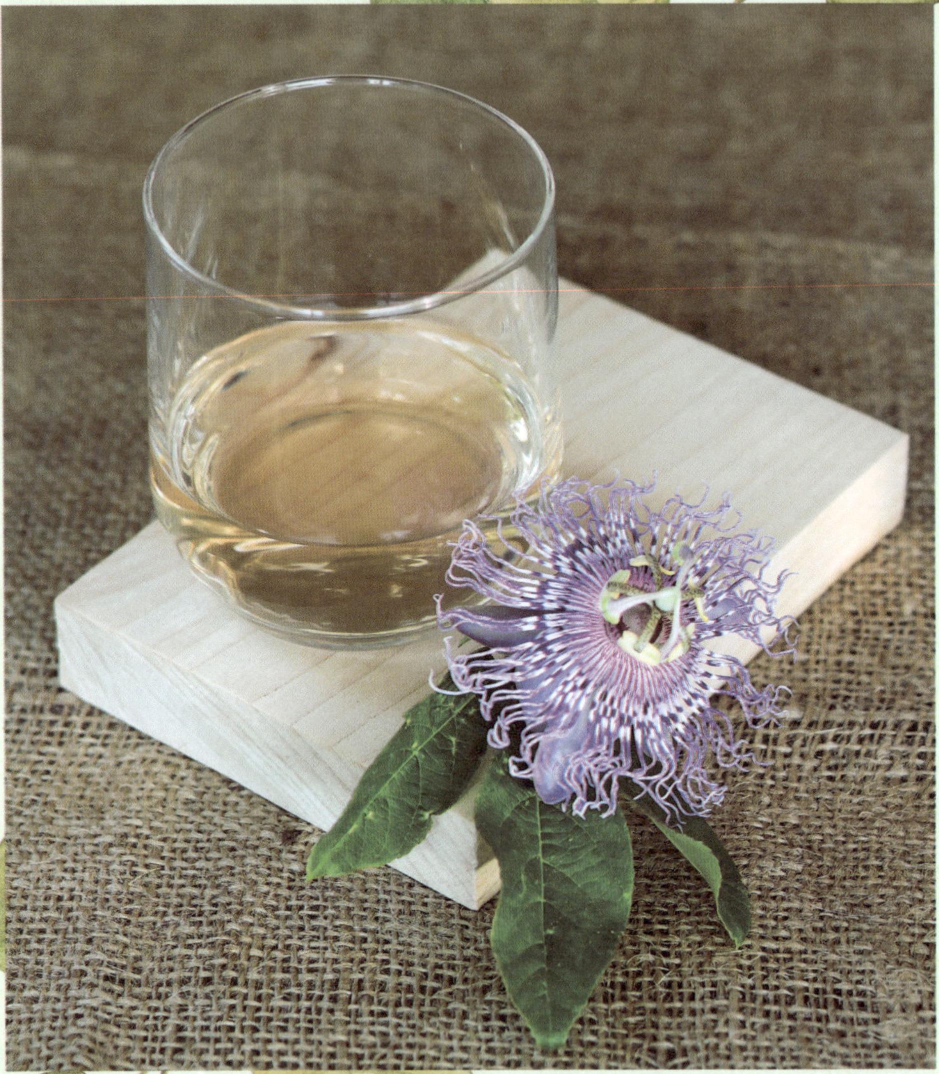

VINHO COM INFUSÃO DE FLOR DE MARACUJÁ

Os maracujás, também conhecidos como passifloras, são trepadeiras tropicais com flores verdadeiramente maravilhosas e únicas. São lindas e têm uma aparência delicada mesmo não sendo nada frágeis. O maracujá pode ser cultivado facilmente em seu jardim. Ele também pode ser coletado no sudeste dos Estados Unidos e em partes do México e da América do Sul, onde crescem de forma silvestre.[23] É calmante e relaxante para o sistema nervoso, ajudando a reduzir a ansiedade e a hiperestimulação. A infusão das flores frescas de maracujá em vinho é uma maneira agradável de desfrutar de seus benefícios. Este vinho deve ser considerado um medicamento, e seu consumo deve restringir-se a 1 copo pequeno por dia.

Rende: cerca de 1 ¾ de xícara (420 ml)

Ingredientes
14 g de flores de maracujá frescas
1 ¾ de xícara (420 ml) de vinho branco

Instruções
   Junte as flores de maracujá e o vinho em um pote de conserva de ½ litro (500 ml) e então tampe. Guarde o pote em um local fresco e escuro para infundir por 4 a 6 semanas. Quando estiver pronto para uso, coe com uma peneira fina a fim de retirar as flores.
   Tome 1 copo de 120 ml para ajudar a relaxar e trazer o sono.
   O vinho com infusão não deve ser ingerido por pessoas com menos de 18 anos.

Dica: Dê uma incrementada no seu vinho utilizando infusões com flores! Eis algumas flores que ficam maravilhosas quando infundidas no vinho: lavanda, camomila, flor de sabugueiro, hibisco, pétalas de rosa, violetas, madressilva e trevo-vermelho.

---

[23] Ver nota 40 na seção "Perfis de Ervas e Flores", p. 196. (N.T.)

BANHO DE IMERSÃO REJUVENESCEDOR COM FLORES

Um banho mineral quente pode fazer maravilhas pela alma, além de relaxar a musculatura e ajudar a diminuir a tensão. O sal de Epsom é rico em magnésio, um mineral vital ao nosso corpo e do qual muitos de nós têm carência, e que é bem absorvido pela pele, O magnésio é bom de inúmeras maneiras, ele reduz dores musculares e promove um sono mais reparador. Uma mistura de lavanda, camomila e pétalas de rosa proporciona, com seu aroma agradável, uma experiência de banho calmante e rejuvenescedora.

Rende: 1 ¾ de xícara (276 g)

Ingredientes
1 xícara (260 g) de sal de Epsom
¼ de xícara (9 g) de flores de lavanda secas
¼ de xícara (5 g) de flores de camomila secas
¼ de xícara (2 g) de pétalas de rosa secas

Instruções

Junte o sal de Epsom e as flores secas em uma tigela pequena e mexa para misturar; em seguida, transfira para um pote com tampa.

Quando for usar a mistura de sal de Epsom com flores, encha um saco grande e reutilizável de musselina, ou um pedaço de morim atado com um barbante, com ¼ a ½ xícara (40 a 80 g) do preparado. Adicione a mistura a um banho quente. O sal vai se dissolver e as flores vão ficar dentro do saco de musselina e infundir na água do banho.

Este banho de imersão é seguro para uso por crianças com 2 anos ou mais, depois de ser feito um teste de contato (ver p. 23).

Dica: Outras flores que funcionam nesta receita são a flor do sabugueiro, o gerânio e as violetas. Para um banho de imersão mais revigorante, substitua as flores por hortelã-pimenta, alecrim e casca de laranja.

Ervas que Curam

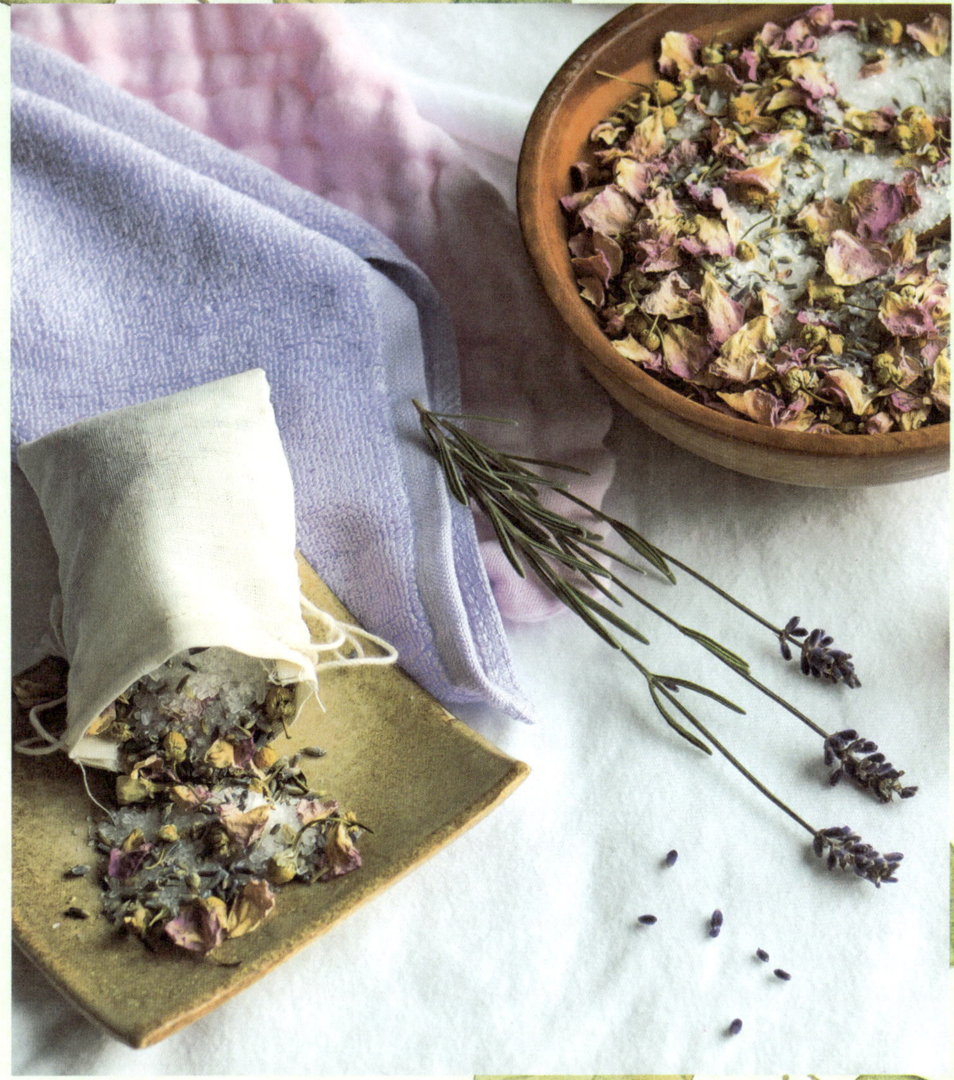

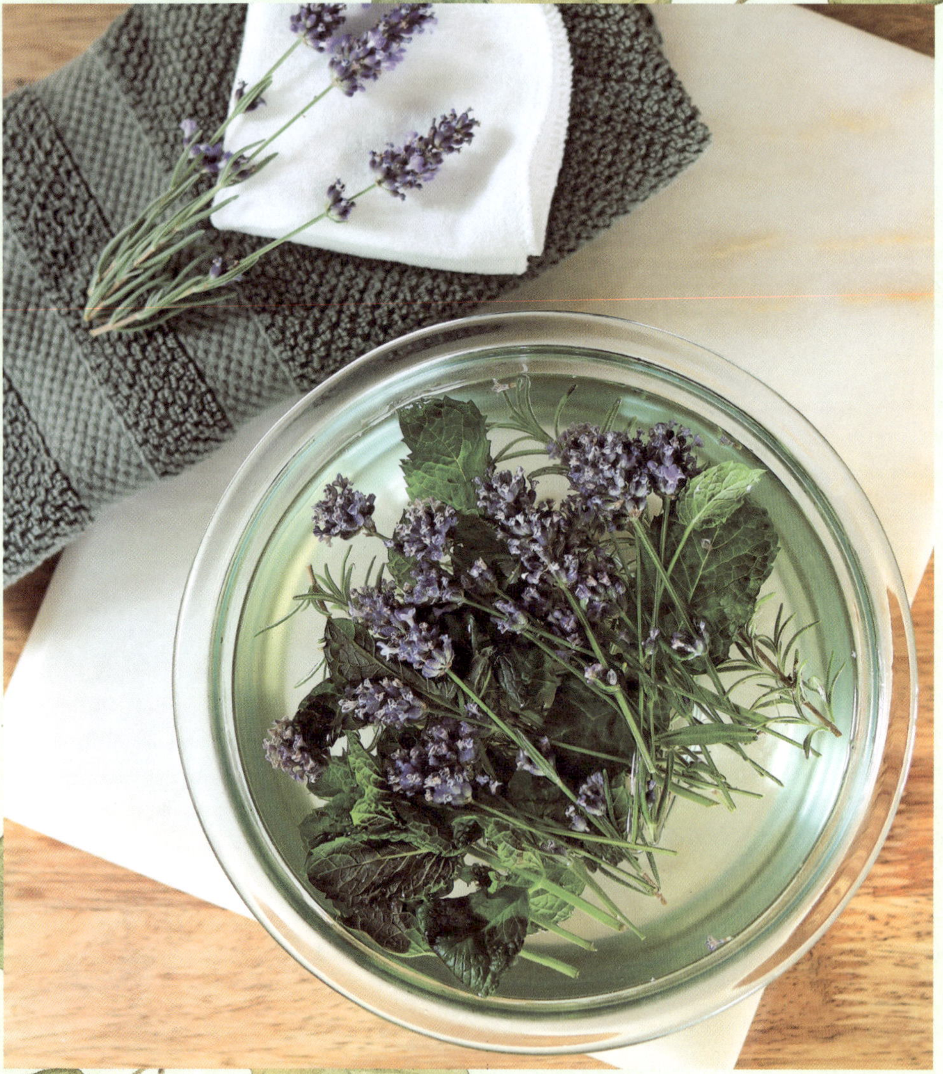

VAPORIZAÇÃO FACIAL RELAXANTE DE ERVAS

Para um modo rápido e fácil de relaxar, experimente esta vaporização facial com ervas. A aromaterapia com as ervas vai acalmar seus nervos e aliviar sua mente. O vapor, combinado com os óleos voláteis das ervas, também vai ajudar a limpar e abrir os poros de sua face. Essa combinação de alecrim, hortelã-pimenta e lavanda possui um aroma absolutamente incrível e um poderoso efeito relaxante. Prefiro usar ervas frescas quando faço vaporizações faciais, pois elas contêm óleos mais voláteis, mas ervas secas também vão funcionar. A adição de óleo essencial de eucalipto é útil, especialmente para ajudar a eliminar a congestão nasal.

Rende: uma vaporização facial

Ingredientes
6 xícaras (1 ½ litro) de água
½ xícara, sem apertar (8 g), de alecrim fresco
½ xícara, sem apertar (8 g), de hortelã-pimenta fresca
½ xícara, sem apertar (8 g), de flores de lavanda frescas
3 a 5 gotas de óleo essencial de eucalipto (opcional)

Instruções
Ferva a água e despeje-a sobre as ervas em uma tigela média refratária. Adicione então o óleo essencial de eucalipto (caso opte por utilizá-lo).

Coloque uma toalha por trás da cabeça e então curve-se sobre a vasilha para que o vapor suba até seu rosto; inale devagar. Se a qualquer momento você achar que está quente demais, afaste o rosto da vasilha.

Repita diariamente, uma vez por dia, por tanto tempo quanto desejar, para ajudar a relaxar e rejuvenescer.

Esta vaporização facial é segura para uso por crianças de 8 anos ou mais. Apenas se certifique de que não esteja quente demais.

Dica: Outras ervas e flores ótimas para usar nesta receita são tomilho, sálvia, manjericão, erva-cidreira, calêndula, pétalas de rosas, camomila e flor de sabugueiro. Se você tem acesso a folhas de eucalipto frescas, use-as no lugar do óleo essencial.

Infusões para o Bem-Estar Interior

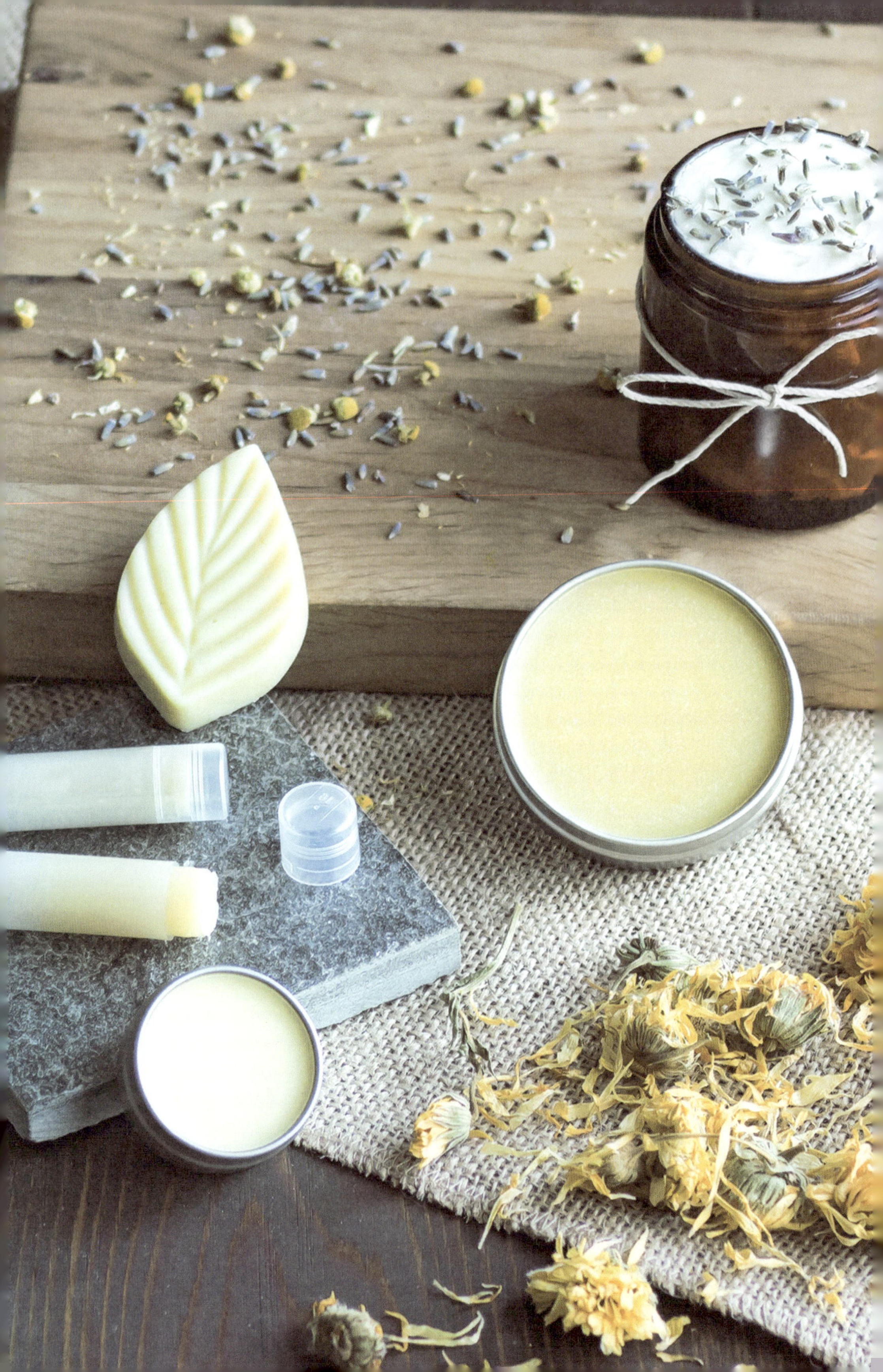

INFUSÕES PARA NUTRIR PELE, LÁBIOS E CABELOS

Se alguma vez você já teve vontade de começar a fazer seus próprios produtos de beleza e de cuidado com a saúde da pele usando ingredientes totalmente naturais para substituir os produtos convencionais, repletos de química, este capítulo é para você! Muitas ervas e flores têm propriedades nutritivas incríveis para a pele e o cabelo. As flores de calêndula são excelentes para a pele, e eu sempre (sempre!) faço questão de ter óleo com infusão de calêndula, feito por mim, para usar nas receitas. Fruto de rosa, lavanda, flor de sabugueiro, raiz de alteia, folha de violeta e esparguta são todos ótimos para tratar e reparar a pele danificada, constituindo elementos fundamentais para óleos de infusão, pomadas, bálsamos, manteigas corporais e barras de loção. Alecrim, sálvia, urtiga e hortelã são benéficos e restauradores para o cabelo, o couro cabeludo e a barba. Ajude a nutrir e reparar sua pele, seus lábios e cabelos utilizando ingredientes totalmente naturais com estas receitas simples.

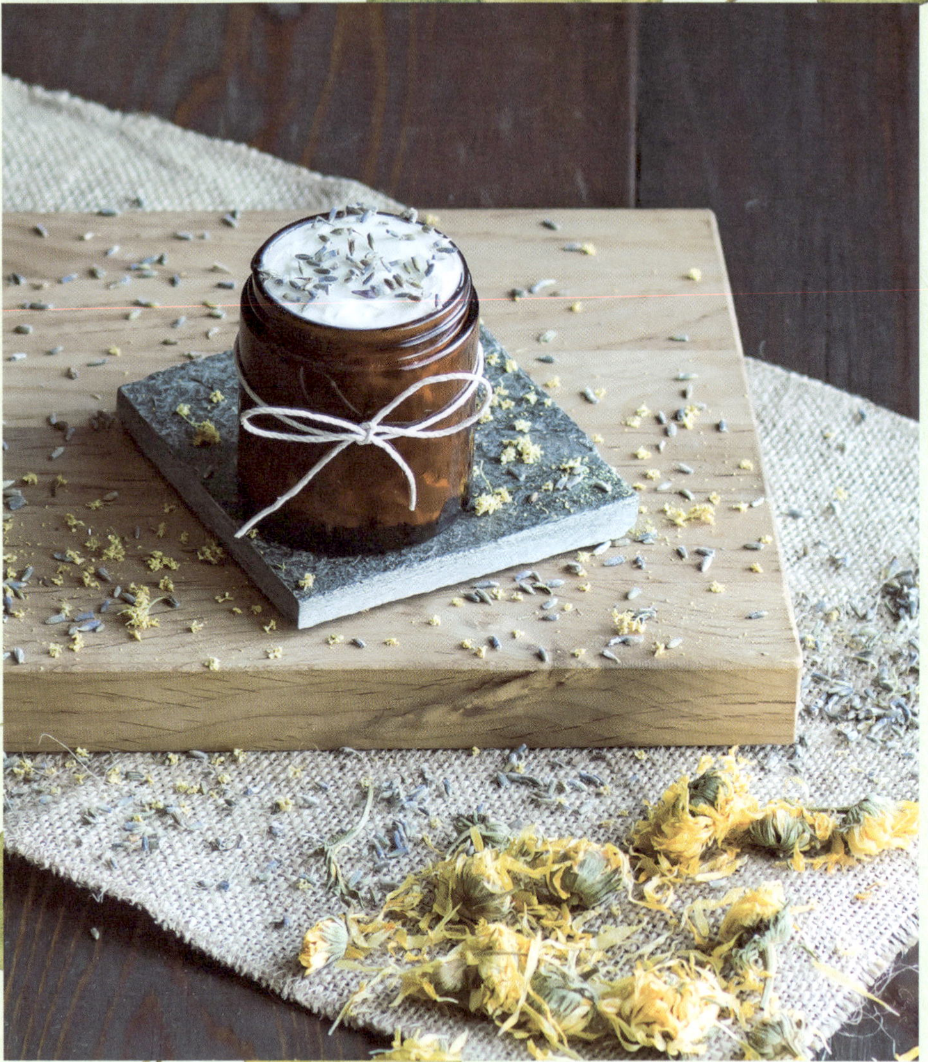

MANTEIGA CORPORAL TERAPÊUTICA BATIDA COM FLORES CURATIVAS

Quando você precisa de fato de um bom hidratante, um creme pode não ser o bastante. É aí que entra esta manteiga corporal. Além de uma boa dose de manteiga de karité e de óleo de coco, ela contém os óleos de amêndoas doce, semente de damasco e de rícino, que são super-hidratantes. As flores de calêndula com certeza constituem a melhor erva para o cuidado da pele e para acelerar a cura de contusões, queimaduras, pequenos ferimentos e cicatrizes. A lavanda é anti-inflamatória e tem um aroma agradável, e as flores de sabugueiro promovem uma pele mais macia. Esta manteiga corporal com certeza vai se tornar a sua favorita!

Rende: cerca de 360 ml de manteiga corporal

Ingredientes

Para o óleo de infusão
¼ de xícara (5 g) de flores de calêndula secas
2 colheres de sopa (5 g) de flores de lavanda secas
2 colheres de sopa (3 g) de flores de sabugueiro secas
¼ de xícara (60 ml) de óleo de coco derretido
¼ de xícara (60 ml) de óleo de amêndoas doce
¼ de xícara (60 ml) de óleo de semente de damasco
1 colher de sopa (15 ml) de óleo de rícino

Para a manteiga corporal
112 g de manteiga de karité
½ xícara (120 ml) do óleo com infusão de flores
5 a 10 gotas de óleo essencial de lavanda (opcional)

Instruções

Junte as flores de calêndula, lavanda e sabugueiro com os óleos de coco, amêndoas doce, semente de damasco e de rícino em um pote de conserva de ¼ de litro (250 ml). Tampe o pote e agite-o para misturar bem. Guarde-o em um local fresco e escuro para infundir por 4 a 6 semanas.

No momento de fazer a manteiga corporal, coe o óleo com uma peneira fina para retirar as flores. Se o óleo de coco presente na infusão estiver sólido, aqueça-a suavemente, colocando o pote em uma panela com água quente para derreter a mistura antes de coar. Meça ½ xícara (120 ml) do óleo de infusão e reserve.

Coloque a manteiga de karité em banho-maria sobre fogo médio (veja na página 20 como preparar seu próprio banho-maria) e quando derreter por completo, retire-a imediatamente do calor. Adicione o óleo com infusão de flores e o óleo essencial de lavanda (caso opte por utilizá-lo) à manteiga de karité derretida e mexa para misturar. Despeje a mistura em uma tigela média para mistura e deixe na geladeira por cerca de 1 hora, até que comece a solidificar.

Tire da geladeira e use um *mixer* para bater a mistura por vários minutos, até que vire uma manteiga leve e uniforme. Remova a manteiga, raspando a tigela, e acondicione em potes ou latinhas, para guardar.

Aplique a manteiga corporal com a frequência que for necessária, para ajudar na hidratação da pele e no tratamento de pequenos problemas de pele.

Esta manteiga corporal é segura para uso em crianças com 1 ano ou mais, depois de ser feito um teste de contato (ver p. 23). Exclua o óleo essencial de lavanda para o uso por crianças com menos de 13 anos.

SÉRUM FACIAL DE PÉTALAS DE ROSA E ROSA-MOSQUETA

Com a idade, aparecem as rugas indesejáveis, as manchas de sol e as cicatrizes. Muitos produtos comerciais para o cuidado facial contêm ingredientes que não são os ideais, mas por sorte é fácil preparar os seus próprios. O óleo de rosa-mosqueta é rico em antioxidantes e ácidos graxos essenciais, e é conhecido por seus efeitos anti-idade, ajudando a suavizar rugas e atenuar manchas de sol e cicatrizes. Mesmo a pele jovem e saudável pode beneficiar-se do óleo de rosa-mosqueta, pois ele é um hidratante facial altamente eficaz, que não deixa qualquer resíduo gorduroso. Quando combinado e infundido com pétalas e frutos de rosa, constitui um sérum triplo de rosas que é perfeito para o uso no rosto.

Rende: cerca de ½ xícara (120 ml)

Ingredientes
½ xícara (120 ml) de óleo de rosa-mosqueta
¼ de xícara (2 g) de pétalas de rosa secas
2 colheres de sopa (15 g) de frutos de rosa secos

Instruções
Junte o óleo de rosa-mosqueta, as pétalas e os frutos de rosa em um pote de conserva de ¼ de litro (250 ml). Tampe o pote e agite-o para misturar bem. Guarde-o em um local fresco e escuro para infundir por 4 a 6 semanas. Quando estiver pronto para uso, coe com uma peneira fina a fim de retirar as ervas.

Aplique uma pequena quantidade do óleo na face e no pescoço diariamente, para hidratar, melhorar o tônus da pele e suavizar as rugas.

Este sérum facial é seguro para uso por crianças de 2 anos ou mais, depois de ser feito um teste de contato (ver p. 23).

Dica: O óleo de rosa-mosqueta é sensível à luz e ao calor, por isso é bom guardá-lo em um frasco âmbar e em um local fresco. No verão ou em locais de clima mais quente, recomenda-se manter esta infusão na geladeira.

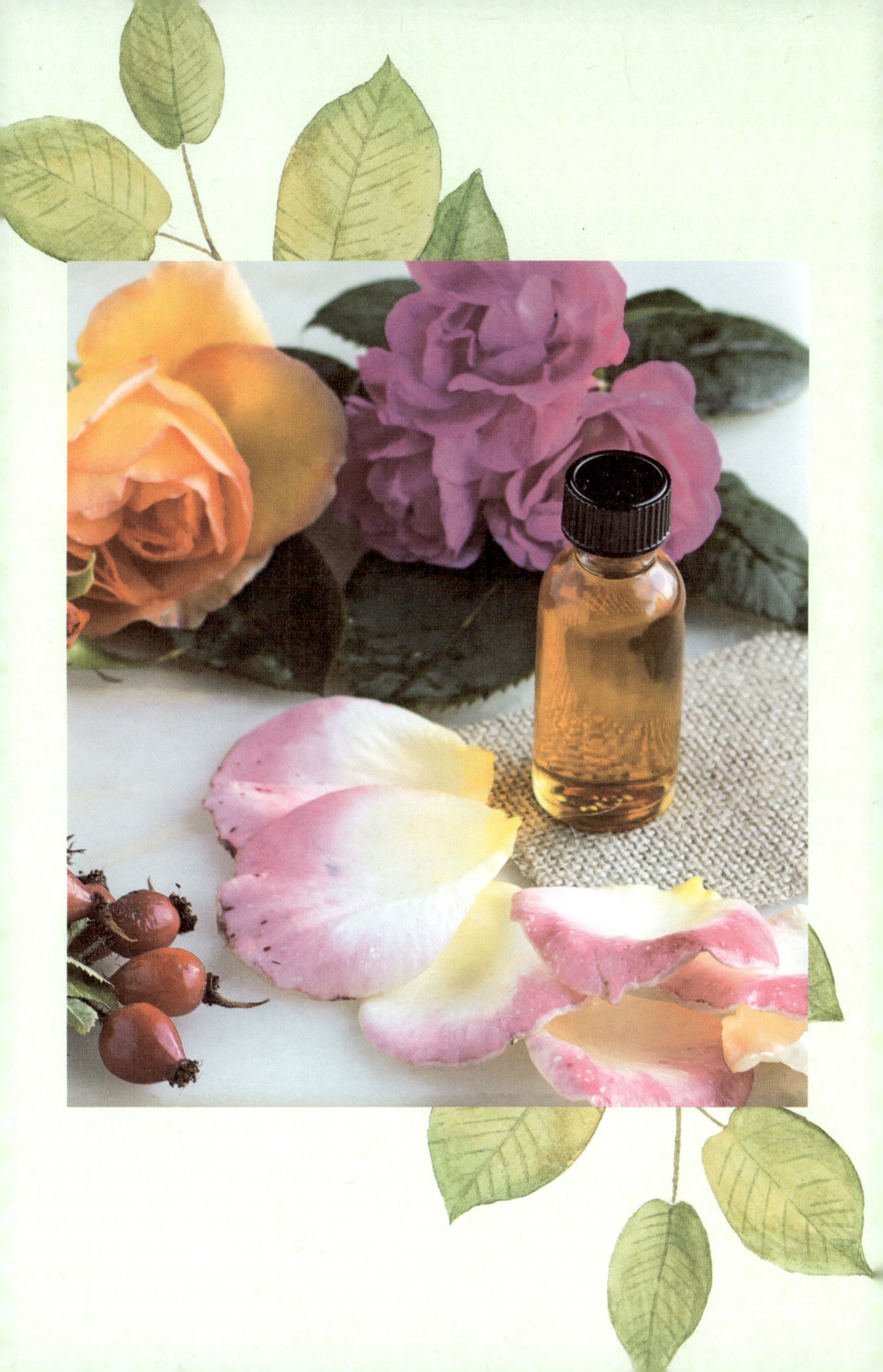

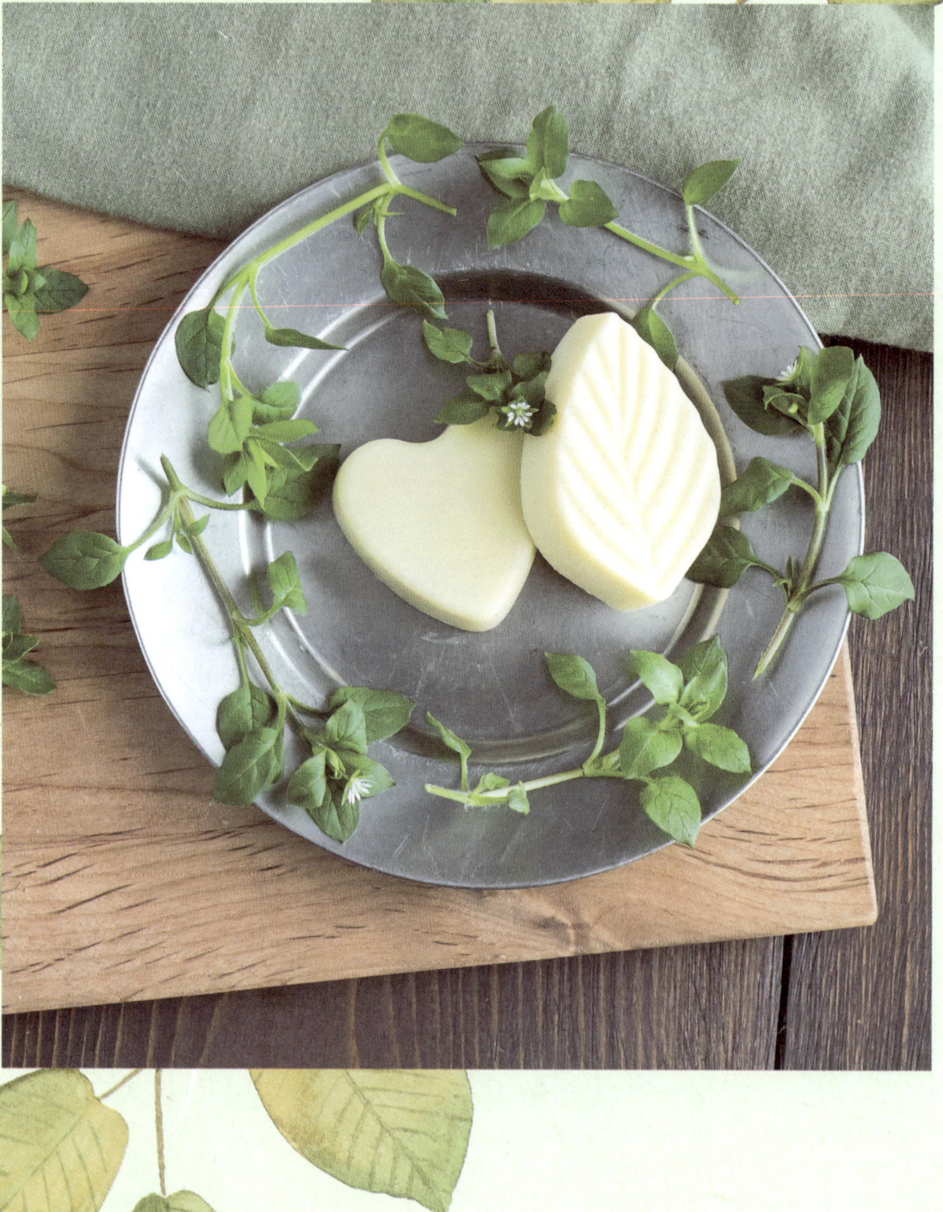

LOÇÃO CALMANTE DE ESPARGUTA EM BARRA

Para pele muito seca, calosa e rachada, não existe nada melhor do que as barras de loção. Elas revestem bem a área afetada e seu efeito hidratante prolonga-se por horas; além disso, são fáceis de carregar, o que aumenta a praticidade de tê-las sempre à mão. A esparguta tem ação particularmente calmante sobre a pele extrasseca, em razão de suas propriedades mucilaginosas. É uma "erva daninha" comum, que em muitos locais brota no início da primavera e é fácil de coletar.[24] Estas barras de loção são populares entre os homens, pois reparam e amaciam rapidamente calos e rachaduras nos dedos, e não têm aroma floral.

Rende: cerca de 5 a 6 barras, caso use moldes de 60 ml

Ingredientes

Para o óleo de infusão
½ xícara (15 g) de esparguta seca
¼ de xícara (60 ml) de óleo de coco derretido
¼ de xícara (60 ml) de azeite de oliva
¼ de xícara (60 ml) de óleo de amêndoas doce

Para as barras de loção
½ xícara do óleo com infusão de esparguta
85 g de cera de abelha
113 g de manteiga de karité

Instruções

Junte a esparguta com o azeite de oliva e os óleos de coco e de amêndoas doce em um pote de conserva de ¼ de litro (250 ml). Tampe o pote e agite-o para misturar bem. Guarde-o em um local fresco e escuro para infundir por 4 a 6 semanas.

No momento de fazer as barras de loção, coe o óleo com uma peneira fina para retirar as ervas. Se o óleo de coco presente na infusão estiver sólido, aqueça-a suavemente, colocando o pote em uma panela com água quente para derreter a mistura antes de coar. Meça ½ xícara (120 ml) do óleo de infusão; guarde o que restar do óleo para usar mais tarde, caso deseje. Coloque o óleo em banho-maria sobre fogo médio (veja na página 20 como preparar seu próprio banho-maria). Adicione a cera de abelha ao óleo e continue a aquecer até que ela derreta totalmente. A seguir, adicione a manteiga de karité e, quando esta tiver derretido, retire a mistura do fogo. Verta cuidadosamente a mistura em um molde para barras de loção ou de sabonete. Deixe as barras de loção esfriarem e adquirirem consistência por 3 a 4 horas antes de removê-las do molde.

Modo de usar: esfregue a barra de loção nas áreas de pele ressecada, com a frequência necessária.

Estas barras de loção são seguras para uso em crianças com 1 ano ou mais, depois de ser feito um teste de contato (ver p. 23).

Dica: Podem ser preparadas loções com diversas ervas e flores com propriedades terapêuticas para a pele. Algumas de minhas preferidas são calêndula, folha de violeta, pétalas de rosa, lavanda e dente-de-leão.

---

[24] Não se aplica ao Brasil, em razão da diferença de estações entre hemisférios, flora natural etc. Podem ser encontradas em lojas de produtos fitoterápicos. (N.R.)

BÁLSAMO PARA MÃOS SECAS

Este bálsamo calmante é feito especialmente para reparar e hidratar mãos muito secas. A folha de violeta e a esparguta são excelentes ervas hidratantes, e a lavanda é cicatrizante e tem um aroma agradável. Os óleos de amêndoas doce e de semente de damasco são emolientes sem serem gordurosos, e tanto o óleo de rícino quanto a manteiga de manga são nutritivos e suavizam a pele. Recorra a este bálsamo quando o tempo estiver seco e suas mãos e dedos estiverem precisando de um pouco mais de carinho.

Rende: cerca de 180 ml de bálsamo

Ingredientes

Para o óleo de infusão
2 colheres de sopa (4 g) de esparguta seca
2 colheres de sopa (8 g) de folhas de violeta secas
¼ de xícara (8 g) de flores de lavanda secas
¼ de xícara (60 ml) de azeite de oliva
¼ de xícara (60 ml) de óleo de amêndoas doce
¼ de xícara (60 ml) de óleo de semente de damasco
1 colher de sopa (15 ml) de óleo de rícino

Para o bálsamo
½ xícara (120 ml) do óleo de infusão
14 g de cera de abelha
28 g de manteiga de manga
8 gotas de óleo essencial de lavanda

Instruções

Junte a esparguta, a folha de violeta e a lavanda com o azeite de oliva e os óleos de amêndoas doce, de semente de damasco e rícino em um pote de conserva de ¼ de litro (250 ml). Tampe o pote e agite-o para misturar bem. Guarde-o em um local fresco e escuro para infundir por 4 a 6 semanas.

No momento de fazer o bálsamo, coe o óleo com uma peneira fina para retirar as ervas. Meça ½ xícara (120 ml) do óleo de infusão; guarde o que restar do óleo para usar mais tarde, caso deseje. Coloque o óleo em banho-maria sobre fogo médio (veja na página 20 como preparar seu próprio banho-maria). Adicione a cera de abelha ao óleo e continue a aquecer até que ela derreta totalmente. A seguir, adicione a manteiga de manga e, quando esta tiver derretido, retire a mistura do fogo. Despeje a mistura com cuidado em frascos ou latinhas. Deixe o bálsamo esfriar e adquirir consistência por 3 a 4 horas antes de usar.

Aplique com a frequência que for necessária para amaciar e hidratar as mãos secas.

Este bálsamo para mãos é seguro para uso em crianças com 1 ano ou mais, depois de ser feito um teste de contato (ver p. 23). Exclua da receita o óleo essencial de lavanda para uso em crianças com menos de 13 anos.

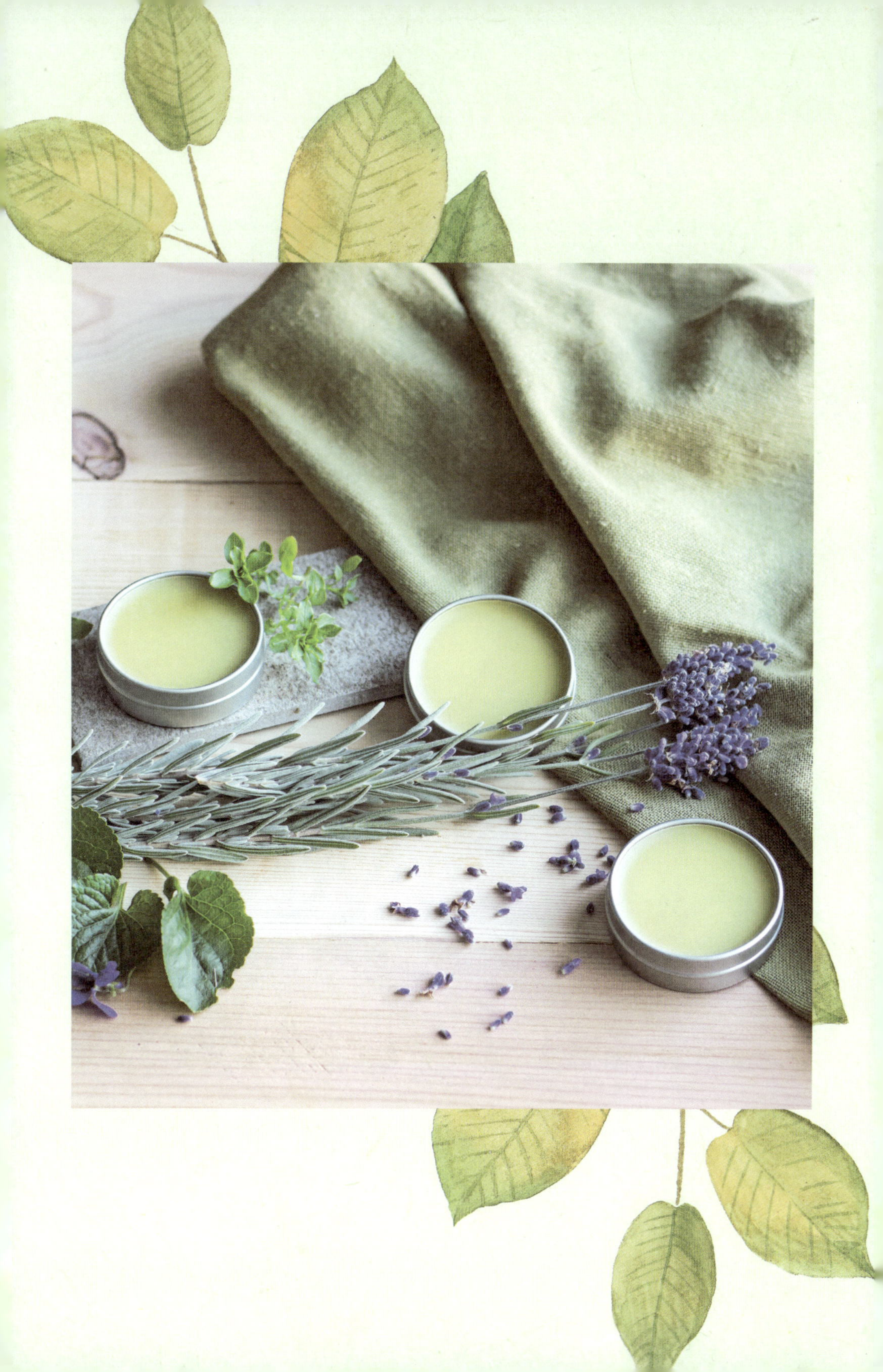

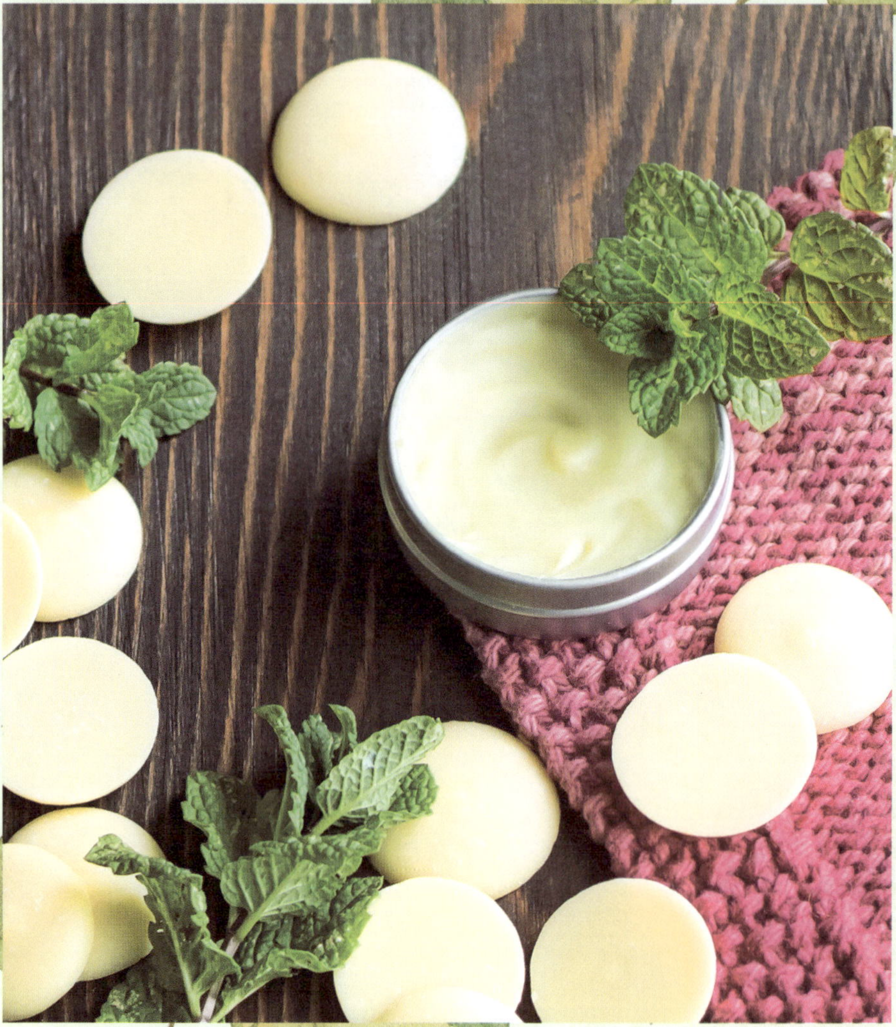

BÁLSAMO DE CACAU E HORTELÃ PARA CALCANHAR RACHADO

Quando o tempo está frio e seco, os calcanhares rachados podem ser um problema doloroso e difícil de solucionar. A manteiga de cacau vem para nos socorrer, pois é super-hidratante e pode ajudar a reparar pés muito secos e rachados. A raiz de alteia é mucilaginosa, e isso faz com que acalme e restaure a pele rachada. O uso de manteiga de cacau não refinada nesta receita confere-lhe o aroma característico do chocolate, que combina muito bem com a hortelã-pimenta. Se desejar os benefícios da manteiga de cacau sem o aroma, use uma versão refinada de forma natural.

Rende: cerca de 180 ml de bálsamo

Ingredientes

Para o óleo de infusão
- ¼ de xícara (5 g) de flores de calêndula secas
- 2 colheres de sopa (5 g) de raiz de alteia seca
- 2 colheres de sopa (5 g) de hortelã-pimenta seca
- ¼ de xícara (60 ml) de óleo de coco derretido
- ¼ de xícara (60 ml) de azeite de oliva
- ¼ de xícara (60 ml) de óleo de amêndoas doce
- 1 colher de sopa (15 ml) de óleo de rícino

Para o bálsamo
- ½ xícara (120 ml) do óleo de infusão
- 14 g de cera de abelha
- 28 g de manteiga de cacau não refinada
- 8 gotas de óleo essencial de hortelã-pimenta

Instruções

Junte a calêndula, a raiz de alteia e a hortelã-pimenta com o azeite de oliva e os óleos de coco, de amêndoas doce e de rícino em um pote de conserva de ¼ de litro (250 ml). Tampe o pote e agite-o para misturar bem. Guarde-o em um local fresco e escuro para infundir por 4 a 6 semanas.

No momento de fazer o bálsamo, coe o óleo com uma peneira fina para retirar as ervas. Se o óleo de coco presente na infusão estiver sólido, aqueça-a suavemente, colocando o pote em uma panela com água quente para derreter a mistura antes de coar. Meça ½ xícara (120 ml) do óleo de infusão; guarde o que restar do óleo para usar mais tarde, caso deseje. Coloque o óleo em banho-maria sobre fogo médio (veja na página 20 como preparar seu próprio banho-maria). Adicione a cera de abelha ao óleo e continue a aquecer até que ela derreta totalmente. A seguir, adicione a manteiga de cacau e, quando esta tiver derretido, retire a mistura do fogo. Acrescente o óleo essencial de hortelã-pimenta, mexendo para misturar. Com cuidado, despeje a mistura em potes ou latinhas. Deixe o bálsamo esfriar e adquirir consistência por 3 a 4 horas antes de usar.

Aplique com a frequência que for necessária para suavizar pés secos e reparar calcanhares rachados.

Este bálsamo para os pés é seguro para uso em crianças com 1 ano ou mais, depois de ser feito um teste de contato (ver p. 23). Exclua o óleo essencial de hortelã-pimenta para o uso em crianças com menos de 13 anos.

BÁLSAMO DE CAMOMILA, ALTEIA E BAUNILHA PARA LÁBIOS RESSECADOS

Os lábios ressecados são um problema comum durante o inverno, especialmente se você fica ao ar livre. Este é, sem sombra de dúvida, meu protetor labial preferido para o tratamento de lábios ressecados, descascando ou rachados. As flores de camomila são calmantes para a pele, com propriedades anti-inflamatórias, e a raiz de alteia é um hidratante natural poderoso, que alivia muito os lábios ressecados. A adição de uma fava de baunilha inteira proporciona um aroma maravilhoso, que combina muito bem com a camomila.

Rende: cerca de 180 ml de bálsamo labial

Ingredientes

Para o óleo de infusão
- ¼ de xícara (6 g) de flores de camomila secas
- ¼ de xícara (10 g) de raiz de alteia seca
- 1 fava de baunilha inteira, partida ao meio no sentido do comprimento
- ½ xícara (120 ml) de óleo de coco derretido
- ¼ de xícara (60 ml) de óleo de amêndoas doce
- 1 colher de sopa (15 ml) de óleo de rícino

Para o bálsamo labial
- ½ xícara (120 ml) do óleo de infusão
- 28 g de cera de abelha
- 14 g de manteiga de karité

Instruções

Junte a camomila, a raiz de alteia e a fava de baunilha com os óleos de coco, de amêndoas doce e de rícino em um pote de conserva de ¼ de litro (250 ml). Tampe o pote e agite-o para misturar bem. Guarde-o em um local fresco e escuro para infundir por 4 a 6 semanas.

No momento de fazer o bálsamo labial, coe o óleo com uma peneira fina para retirar as ervas. Se o óleo de coco presente na infusão estiver sólido, aqueça-a suavemente, colocando o pote em uma panela com água quente para derreter a mistura antes de coar. Meça ½ xícara (120 ml) do óleo de infusão; guarde o que restar do óleo para usar mais tarde, caso deseje. Coloque o óleo em banho-maria sobre fogo médio (veja na página 20 como preparar seu próprio banho-maria). Adicione a cera de abelha ao óleo e continue a aquecer até que ela derreta totalmente. A seguir, adicione a manteiga de karité e, quando esta tiver derretido, retire a mistura do fogo. Com cuidado, despeje a mistura em latinhas ou tubos para protetor labial. Deixe o bálsamo labial esfriar e adquirir consistência por 3 a 4 horas antes de usar.

Aplique com a frequência que for necessária para amaciar e reparar lábios ressecados.

Este bálsamo labial é seguro para uso em crianças com 2 anos ou mais, depois de ser feito um teste de contato (ver p. 23).

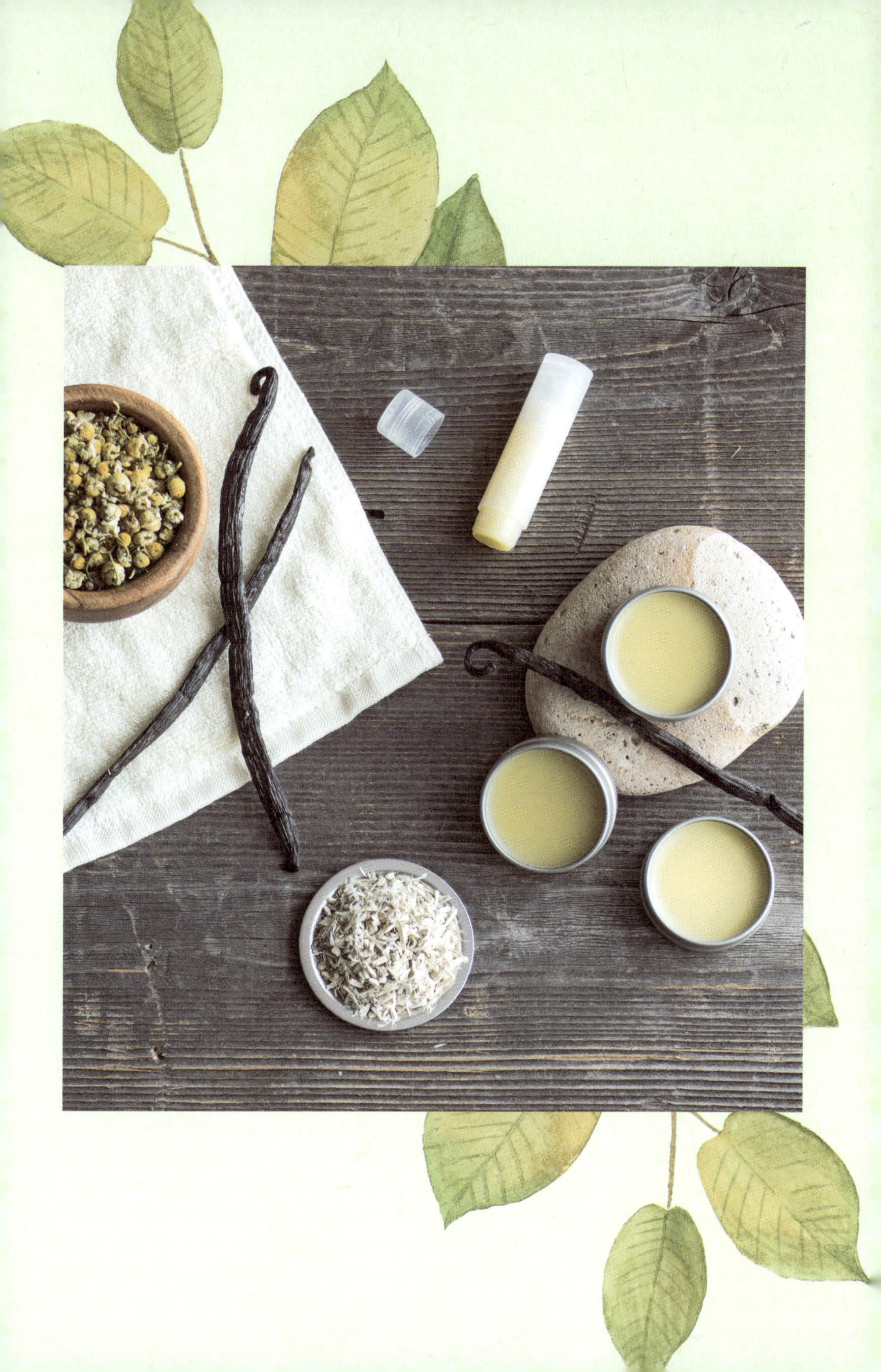

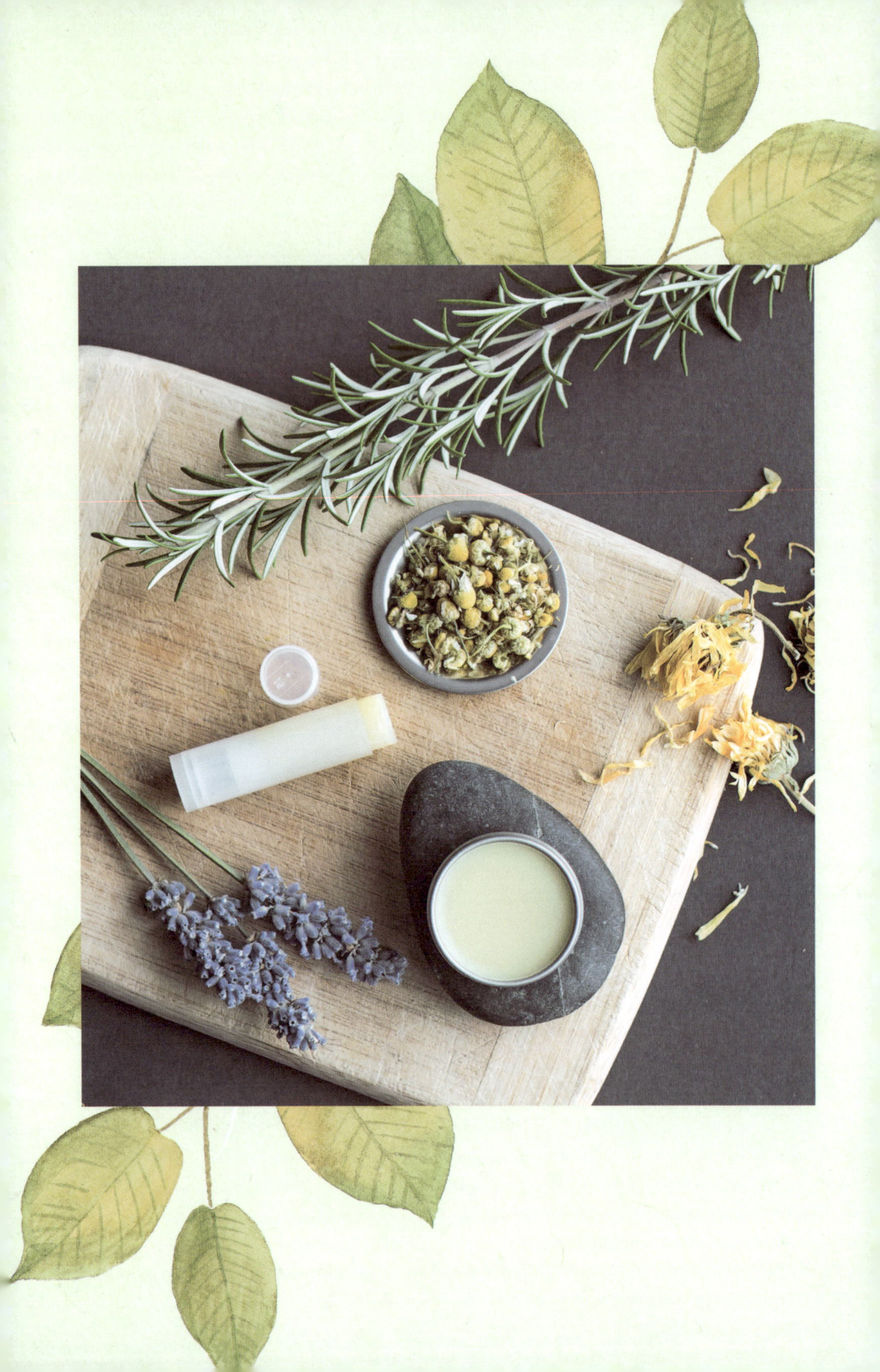

BÁLSAMO PARA ESPINHAS

Não há nada mais desagradável do que uma espinha inesperada. Este bálsamo para espinhas contém três flores com intensa ação terapêutica para a pele: a calêndula, a lavanda e a camomila. Elas agem rapidamente na redução da vermelhidão e da dor associada com as espinhas e a acne. Os óleos essenciais de melaleuca (*tea tree*) e de alecrim são muito eficazes no tratamento de espinhas, eliminando-as quase completamente, em um ou dois dias. Para ficar mais fácil de usar e de carregar com você, experimente acondicionar este bálsamo para espinhas em tubos para protetor labial. Ele é ideal para pessoas com cútis seca a normal. Se sua pele for oleosa, substitua o óleo de coco por uma quantidade maior dos óleos de amêndoas doce ou de semente de damasco; ambos são muito mais leves para a pele.

Rende: cerca de 150 ml de bálsamo

Ingredientes

Para o óleo de infusão
- ¼ de xícara (5 g) de flores de calêndula secas
- 2 colheres de sopa (5 g) de flores de lavanda secas
- 2 colheres de sopa (3 g) de flores de camomila secas
- ¼ de xícara (60 ml) de óleo de coco derretido
- ¼ de xícara (60 ml) de óleo de amêndoas doce
- ¼ de xícara (60 ml) de óleo de semente de damasco

Para o bálsamo
- ½ xícara (120 ml) do óleo de infusão
- 14 g de cera de abelha (dobre a quantidade se estiver usando tubos)
- 14 g de manteiga de karité
- 10 gotas de óleo essencial de melaleuca (*tea tree*)
- 10 gotas de óleo essencial de alecrim

Instruções

Junte a calêndula, a lavanda e a camomila com os óleos de coco, de amêndoas doce e de semente de damasco em um pote de conserva de ¼ de litro (250 ml). Tampe o pote e agite-o para misturar bem. Guarde-o em um local fresco e escuro para infundir por 4 a 6 semanas.

No momento de fazer o bálsamo, coe o óleo com uma peneira fina para retirar as ervas. Se o óleo de coco presente na infusão estiver sólido, aqueça-a suavemente, colocando o pote em uma panela com água quente para derreter a mistura antes de coar. Meça ½ xícara (120 ml) do óleo de infusão; guarde o que restar do óleo para usar mais tarde, caso deseje. Coloque o óleo em banho-maria sobre fogo médio (veja na página 20 como preparar seu próprio banho-maria). Adicione a cera de abelha ao óleo e continue a aquecer até que ela derreta totalmente. A seguir, adicione a manteiga de karité e, quando esta tiver derretido, retire a mistura do fogo. Junte os óleos essenciais de melaleuca e de alecrim, mexendo para misturar. Com cuidado, despeje a mistura em latinhas ou tubos para protetor labial, de modo a facilitar a aplicação. Deixe o bálsamo esfriar e adquirir consistência por 3 a 4 horas antes de usar.

Aplique com a frequência que for necessária, para ajudar a acelerar o desaparecimento de espinhas e da acne.

Este bálsamo para espinhas é seguro para o uso em crianças com 13 anos e mais velhas, depois de ser feito um teste de contato (ver p. 23).

LOÇÃO DE HAMAMÉLIS E FOLHA DE AMORA-PRETA PARA LIMPEZA FACIAL

Muitos produtos comerciais para limpeza facial têm um componente adstringente, que ajuda a limpar as impurezas e a oleosidade que se acumulam, e também a fechar os poros e dar firmeza à pele. A boa notícia é que existem ervas com propriedades adstringentes decorrentes da presença natural de taninos, como a hamamélis e a folha de amora-preta. Tais ervas também conferem o benefício adicional de serem anti-inflamatórias e de terem inúmeros antioxidantes bons para a pele. Essa loção facial de ervas pode ser usada como qualquer loção de limpeza facial convencional para remover impurezas e maquiagem, mas não é saponácea e nem faz espuma. A melhor parte é que a receita é barata e superfácil de fazer em casa!

Rende: cerca de 2 xícaras (480 ml)

Ingredientes
2 xícaras (480 ml) de água
2 colheres de sopa (2 g) de hamamélis seca
2 colheres de sopa (2 g) de folhas de amora-preta secas

Instruções

Ferva a água e despeje-a sobre as ervas em um pote de conserva de ½ litro (500 ml). Deixe a infusão descansar e esfriar completamente até a temperatura ambiente; coe para retirar as ervas antes de usar.

Use diariamente, conforme necessário, para limpeza facial, como adstringente e tônico. Guardada na geladeira, esta infusão dura até 1 semana. Caso deseje, depois desta loção de limpeza você pode usar o Sérum Facial de Pétalas de Rosa e Rosa-Mosqueta (p. 144), para um efeito hidratante.

Esta loção de limpeza facial é segura para uso em crianças com 13 anos ou mais, depois de ser feito um teste de contato (ver p. 23).

Dica: É interessante que, além de terem uso como loção de limpeza facial, essas ervas adstringentes são altamente eficazes no alívio de hemorroidas. A hamamélis é o principal ingrediente de muitos produtos farmacêuticos, mas preparar esta infusão caseira é simples e muito mais potente, propiciando um alívio rápido.

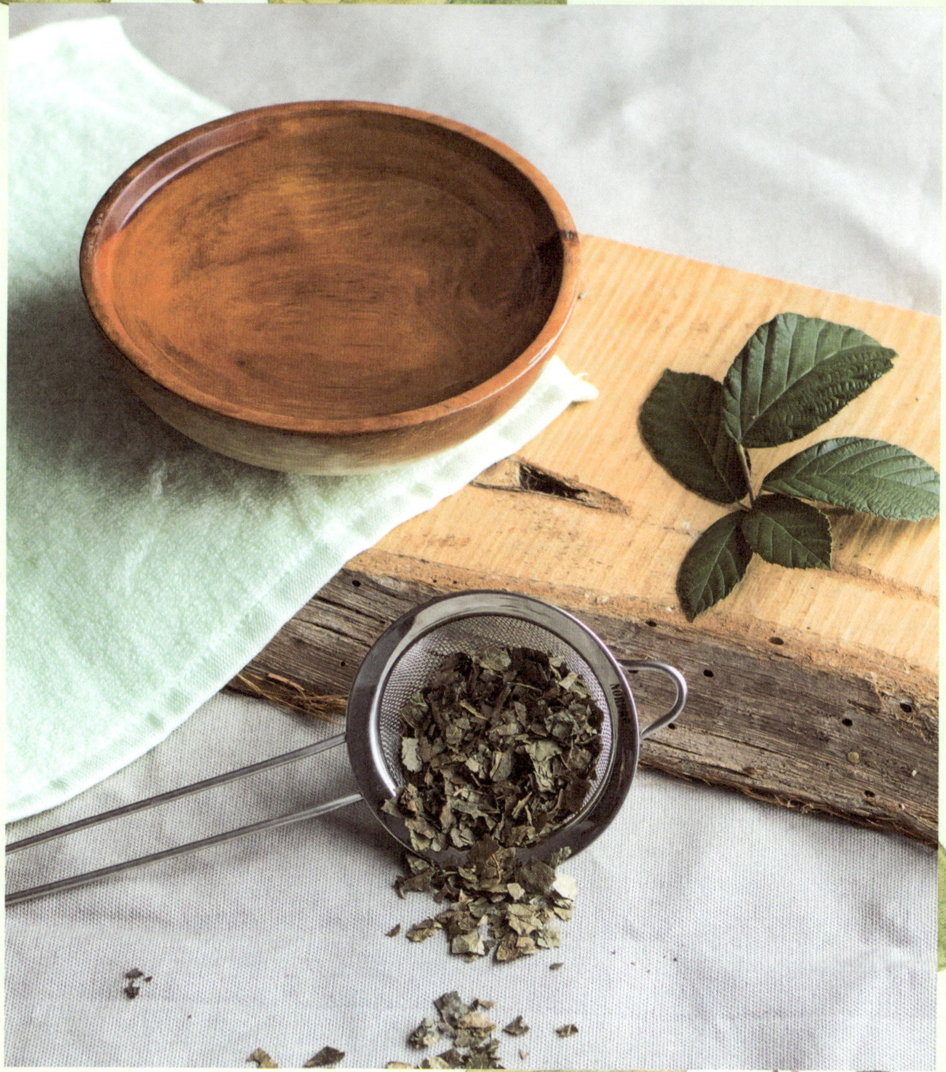

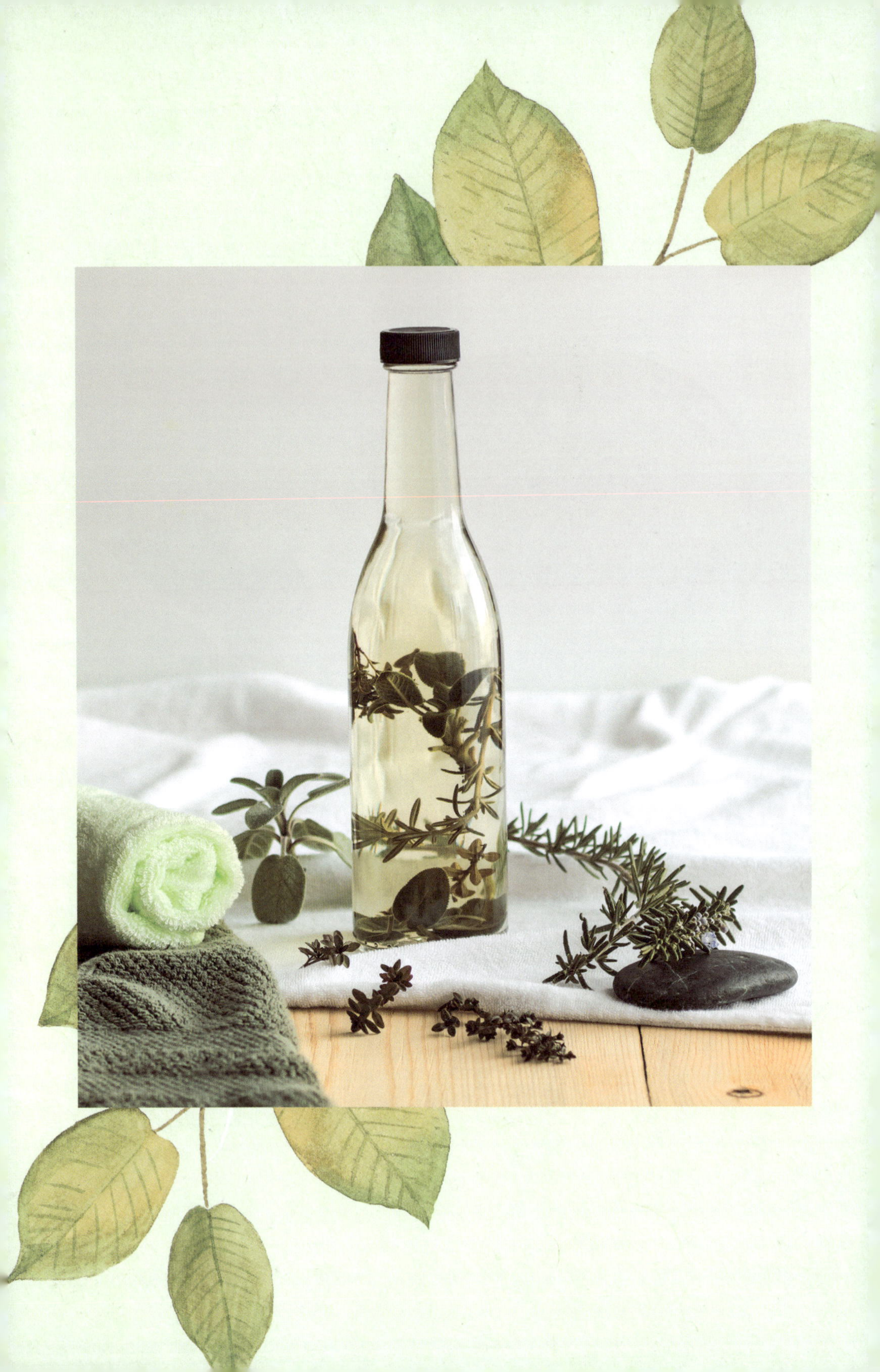

SHAMPOO NATURAL DE ERVAS

O uso diário de shampoos comuns pode, na verdade, danificar o cabelo e o couro cabeludo. De fato, muitas pessoas que buscam uma vida mais natural deixaram por completo de utilizar shampoos, uma prática chamada carinhosamente de *no poo* (trocadilho com o final da palavra *shampoo* e *poo*, em inglês, "cocô", significando "sem porcarias"). Essa prática por si só pode fazer maravilhas, mas ainda assim é importante nutrir e limpar o cabelo e o couro cabeludo de vez em quando com ingredientes naturais. Mesmo que você não queira abandonar totalmente seu shampoo, este shampoo natural de ervas é ótimo para intercalar com os dias de lavagem normal. Ervas frescas cultivadas no jardim, como sálvia, alecrim e tomilho, têm potentes propriedades antibacterianas e antioxidantes, que são benéficas para o cabelo. Você pode acrescentar um pouco de bicarbonato de sódio para obter uma lavagem mais profunda, e combinar esta receita com um vinagre de enxágue.

Rende: cerca de 2 xícaras (480 ml)

Ingredientes
2 xícaras (480 ml) de água
¼ de xícara, sem apertar (4 g), de sálvia fresca
¼ de xícara, sem apertar (4 g), de alecrim fresco
¼ de xícara, sem apertar (2 g), de tomilho fresco
2 colheres de sopa (30 g) de bicarbonato de sódio (opcional)

Instruções
Ferva a água e despeje-a sobre as ervas em um pote de conserva de ½ litro (500 ml). Deixe a infusão descansar e esfriar completamente até a temperatura ambiente; coe para retirar as ervas e adicione o bicarbonato de sódio (caso opte por utilizá-lo), mexendo para misturar.

Aplique no cabelo e massageie o couro cabeludo 1 ou 2 vezes por semana, para limpar e perfumar. A aplicação pode ser complementada com um vinagre de enxágue para o cabelo (p. 160), caso queira.

Este shampoo natural é seguro para crianças com 2 anos ou mais, depois de ser feito um teste de contato (ver p. 23).

Dica: Caso queira tornar este shampoo natural mais parecido com um shampoo tradicional, adicione de ½ a 1 xícara (120 a 240 ml) de sabão líquido de castela ao chá com infusão de ervas.

VINAGRE DE ENXÁGUE COM GIRASSOL, FOLHA DE VIOLETA E HORTELÃ PARA CABELOS

Os vinagres de enxágue são altamente benéficos para os cabelos e o couro cabeludo, por restaurarem o pH adequado. O vinagre cru de maçã é especialmente nutritivo, pois ajuda a deixar os cabelos mais macios e melhora a descamação e a comichão no couro cabeludo. Quando infundido com ervas que são notórias pelas propriedades de cuidados com os cabelos, obtém-se um poderoso enxágue, que fará maravilhas para os seus cabelos! Este vinagre de enxágue pode ser aplicado após o uso de shampoos tradicionais ou naturais, de shampoos em barra ou de minha receita de Shampoo Natural de Ervas (p. 159).

Rende: cerca de 2 xícaras (480 ml)

Ingredientes
½ xícara, sem apertar (5 g), de folhas frescas de hortelã
½ xícara, sem apertar (7 g), de folhas frescas de violeta
½ xícara (3 g) de pétalas de girassol frescas ou secas
1 ¾ de xícara (420 ml) de vinagre de maçã
1 xícara (240 ml) de água (opcional)

Instruções

Junte as ervas e o vinagre de maçã em um pote de conserva de ½ litro (500 ml). Tampe o pote e guarde-o em um local fresco e escuro para infundir por 4 a 6 semanas. Quando pronto para uso, coe com uma peneira fina a fim de retirar as ervas e adicione a água se preferir um vinagre de enxágue mais diluído.

Aplique ao cabelo e massageie no couro cabeludo 1 ou 2 vezes por semana, para enxaguar e perfumar. Pode ser usado depois do Shampoo Natural de Ervas (ver p. 159).

Este vinagre de enxágue para os cabelos é seguro para uso em crianças com 2 anos ou mais, depois de ser feito um teste de contato (ver p. 23). Recomendo diluí-lo com água para o uso por menores de 13 anos.

Dica: Há muitas ervas benéficas para os cabelos e o couro cabeludo que você pode usar como substitutas nesta receita, caso queira. Minhas preferidas são o alecrim, a sálvia, o tomilho, o manjericão, a erva-de-gato, a calêndula, a camomila, a lavanda e a urtiga.

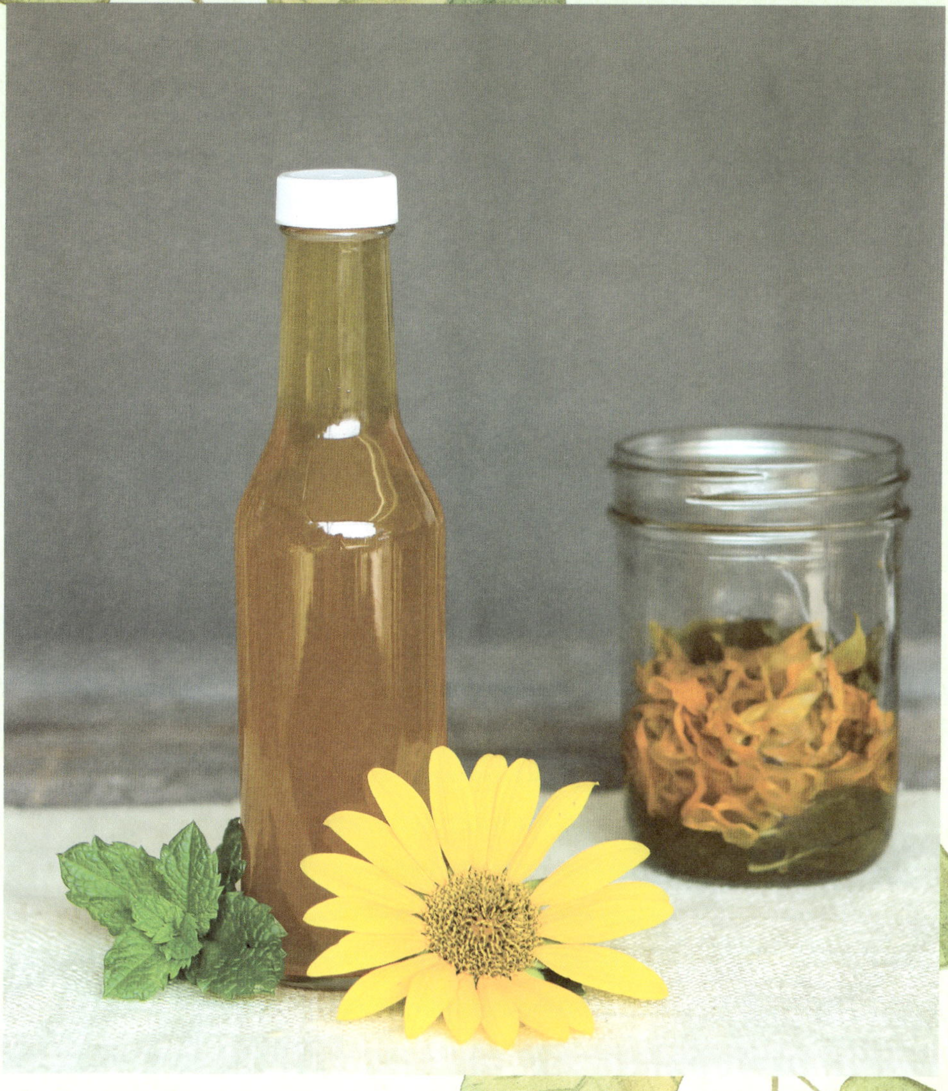

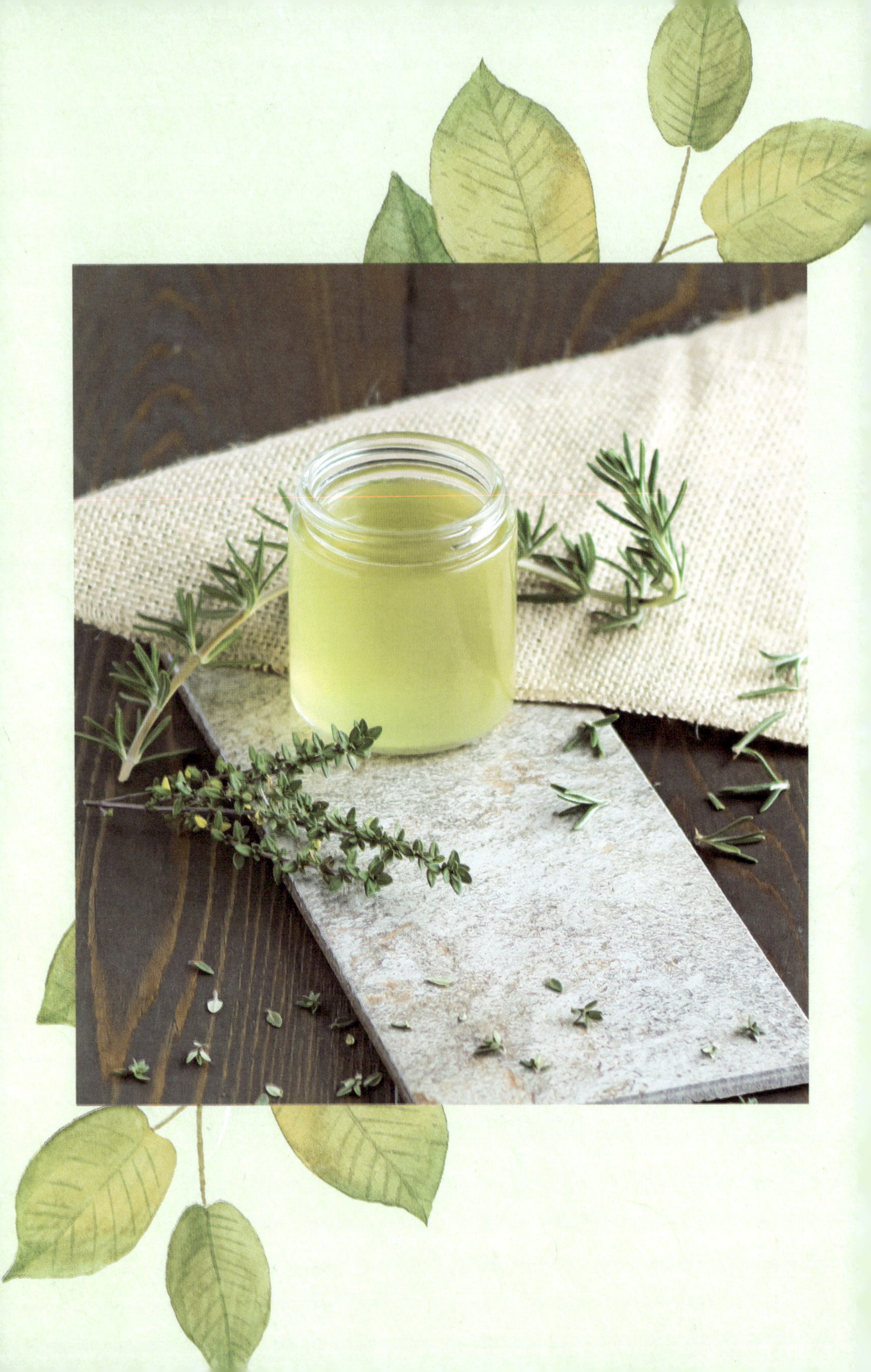

TRATAMENTO COM ALECRIM E TOMILHO PARA DESCAMAÇÃO DO COURO CABELUDO

Um couro cabeludo ressecado, com comichão e descamação é desconfortável e pode ser constrangedor. Mas as ervas frescas do jardim podem ajudar! Alecrim e tomilho têm propriedades antibacterianas e antifúngicas, e são excelentes para o tratamento da descamação. O óleo de coco é hidratante e umectante para o couro cabeludo irritado, e o óleo essencial de melaleuca (*tea tree*) é poderoso contra os fungos, tendo propriedades antissépticas. Outras ervas que podem ser utilizadas neste remédio são confrei, sálvia, erva-de-gato, urtiga e orégano.

Rende: cerca de ½ xícara (120 ml)

Ingredientes
2 ramos (5 g) de alecrim fresco
1 punhadinho (3 g) de tomilho fresco
½ xícara (120 ml) de óleo de coco
10 gotas de óleo essencial de melaleuca

Instruções

Junte o alecrim, o tomilho e o óleo de coco em uma panela pequena e aqueça em fogo baixo por 20 a 30 minutos. Tenha cuidado para que o óleo não esquente demais, para evitar queimar as ervas. Coe com uma peneira fina para retirar o material vegetal e adicione o óleo essencial de melaleuca, mexendo para misturar. Acondicione o óleo em um pote com tampa. Ele ficará sólido à temperatura ambiente (abaixo de 24 °C), mas derreterá em contato com a pele. Devido ao baixo conteúdo de água das ervas, este óleo de infusão dura até 6 meses ou mais.

Massageie uma pequena quantidade no couro cabeludo que esteja descamando, seco ou com coceira, na frequência que for necessária, para um alívio rápido e para promover a melhora. Caso ache que, após a aplicação, seu cabelo ficou mais oleoso do que gostaria, fique à vontade para utilizar, em seguida, o Shampoo Natural de Ervas (p. 159) e o Vinagre de Enxágue com Girassol, Folha de Violeta e Hortelã para Cabelos (p. 160), tendo assim um tratamento completo para o cabelo e o couro cabeludo. Recomendo deixar o preparado agir no couro cabeludo por pelo menos 2 horas antes de enxaguar, mas ele pode ser deixado por 24 ou até 48 horas.

Este tratamento com óleo é seguro para uso em crianças com 2 anos ou mais, depois de ser feito um teste de contato (ver p. 23). Exclua o óleo essencial de melaleuca para o uso em crianças com menos de 13 anos.

Para bebês com menos de 2 anos que apresentem crosta láctea, recomendo o uso do Óleo para Crosta Láctea (p. 178).

Dica: Este tratamento para descamação do couro cabeludo pode ser elaborado utilizando-se o método da infusão longa com ervas secas e com algum óleo que permaneça líquido à temperatura ambiente, como o azeite de oliva ou os óleos de amêndoas doce e de sementes de damasco. Misture as ervas com o óleo, tampe e deixe infundir em um local fresco e escuro por 4 a 6 semanas. Coe com uma peneira fina para retirar as ervas e misture o óleo de melaleuca antes de usar.

ÓLEO DE ABETO E URTIGA PARA BARBA

Além de ter uma fragrância maravilhosa, este óleo nutre e repara barbas ressecadas e rebeldes. A urtiga é altamente benéfica para os cabelos e para a pele ressecada e com descamação. Não se preocupe, porque uma vez seca, a urtiga já não queima mais. O óleo de jojoba é bem conhecido para a reparação dos cabelos, e é uma adição importante para a hidratação e o crescimento capilares. Os brotos de abeto e a casca seca de laranja dão a este óleo um aroma agradável e masculino. Fique à vontade para usar ramos frescos de pinho no lugar da agulha de abeto, caso só tenha estes à disposição.

Rende: cerca de ¾ de xícara (180 ml)

Ingredientes
½ xícara (6 g) de brotos ou ramos de abeto frescos
¼ de xícara (8 g) de urtiga seca
1 colher de sopa (8 g) de casca seca de laranja
¼ de xícara (60 ml) de óleo de coco derretido
¼ de xícara (60 ml) de azeite de oliva
¼ de xícara (60 ml) de óleo de amêndoas doce
2 colheres de sopa (30 ml) de óleo de jojoba
10 gotas de óleo essencial de agulha de abeto
5 gotas de óleo essencial de laranja doce

Instruções

Junte o abeto, a urtiga e a casca de laranja com o azeite de oliva e os óleos de coco, de amêndoas doce e de jojoba em um pote de conserva de ¼ de litro (250 ml). Tampe o pote e agite-o para misturar bem. Guarde-o em um local fresco e escuro para infundir por 4 a 6 semanas. Coe com uma peneira fina para retirar o material vegetal. Se o óleo de coco presente na infusão estiver sólido, aqueça-a suavemente, colocando o pote em uma panela com água quente para derreter a mistura antes de coar. Então adicione os óleos essenciais e mexa bem.

Use o óleo, com a frequência que for necessária, para amaciar e hidratar a barba.

Dica: Este óleo para barba também pode ser convertido em um bálsamo para barba, caso você prefira. Em banho-maria, derreta cerca de 21 g de cera de abelha em ½ xícara (120 ml) do óleo de infusão coado e, a seguir, coloque em latinhas ou potes.

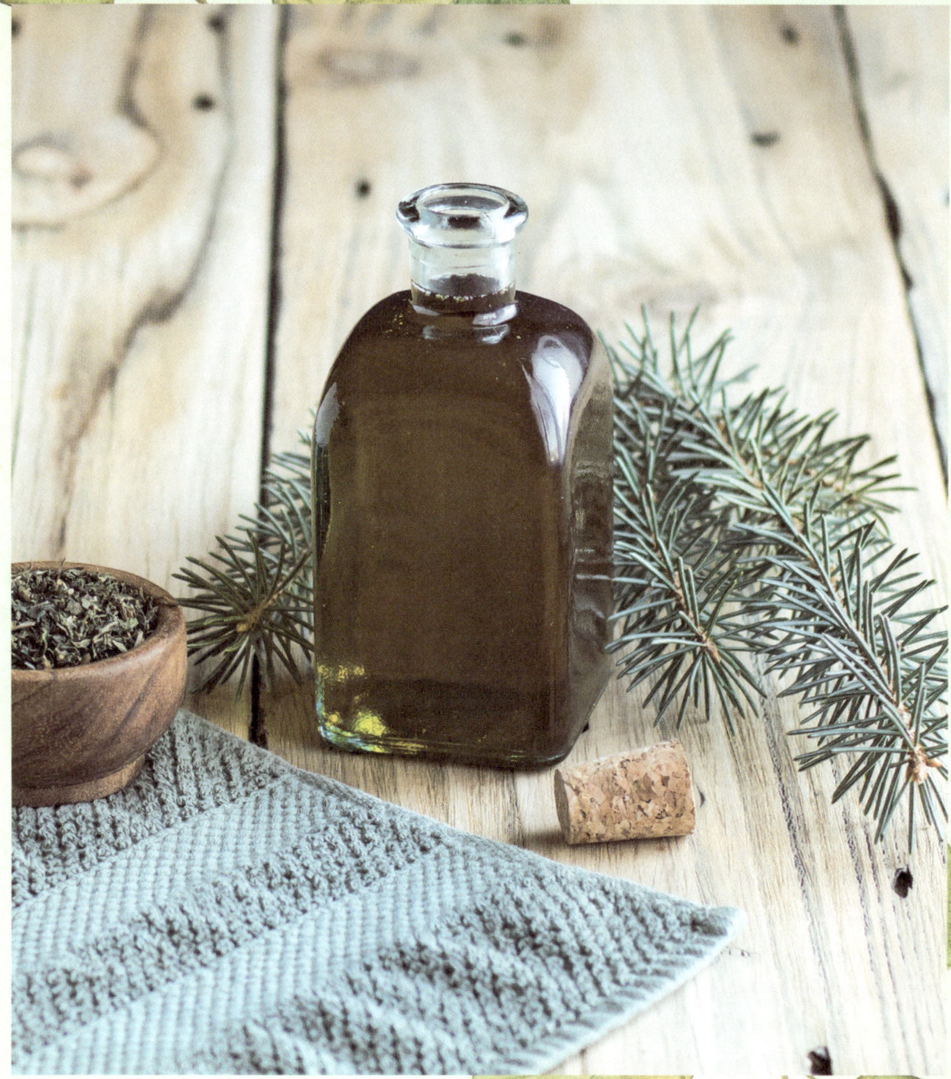

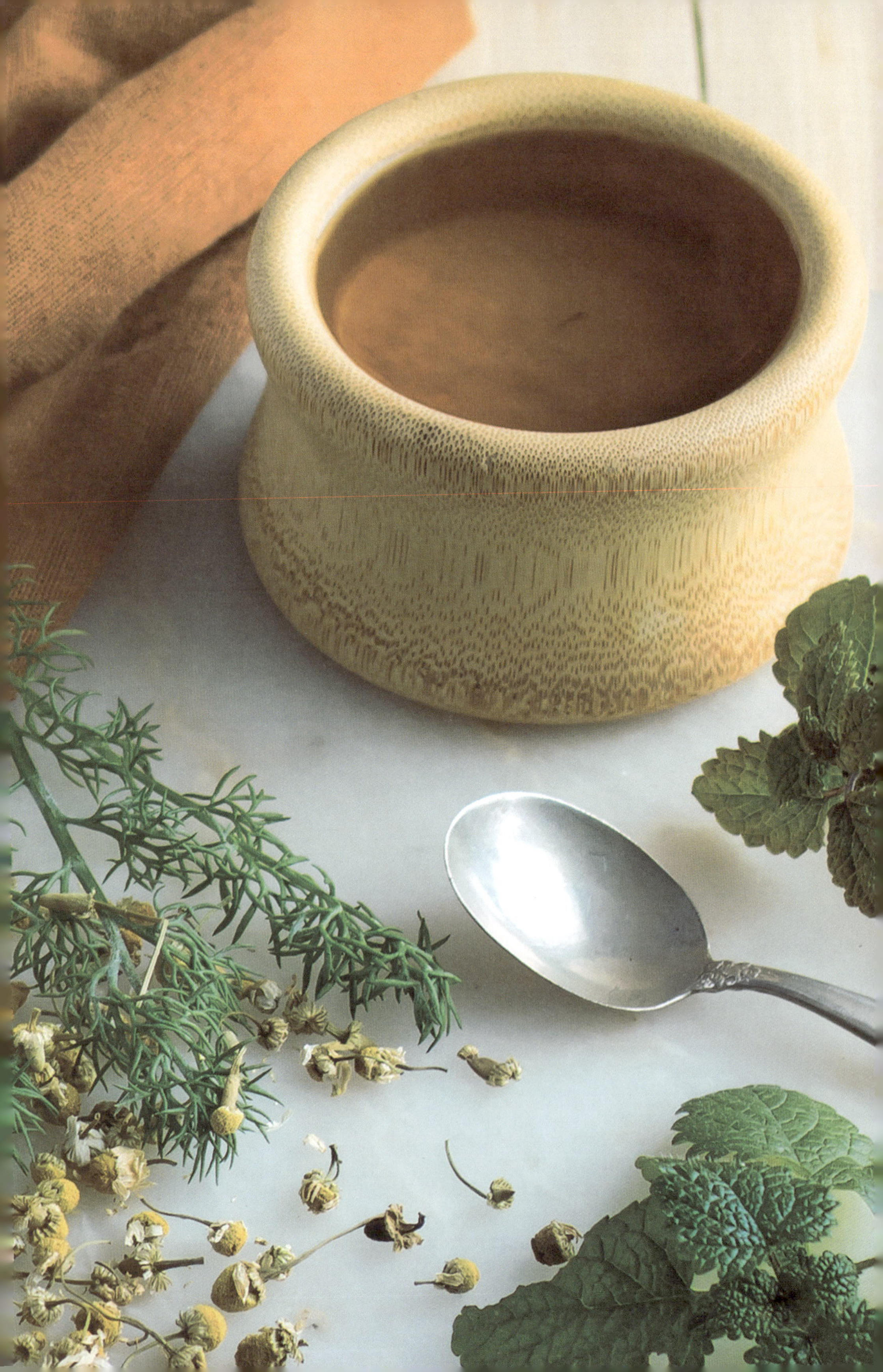

INFUSÕES PARA MÃES E FILHOS

A gravidez é um período especial, durante o qual deve-se tomar muito cuidado com tudo o que é ingerido. Ainda bem que existem algumas ervas seguras que podem ajudar a mãe e a criança em desenvolvimento. Depois da chegada do bebê, há todo um conjunto novo de ervas, suaves o bastante para o pequeno, que são úteis para utilizar em algumas situações comuns que podem ocorrer tanto com a mãe quanto com a criança. Existem também algumas ervas excepcionais que podem ajudar a centrar, nutrir e proteger a criança à medida que ela cresce, proporcionando tranquilidade e vitalidade nos momentos de saúde e de doença. Erva-cidreira (ou melissa), camomila, lavanda, erva-de-gato e calêndula são todas ervas suaves, muito adequadas para as crianças e suas necessidades específicas.

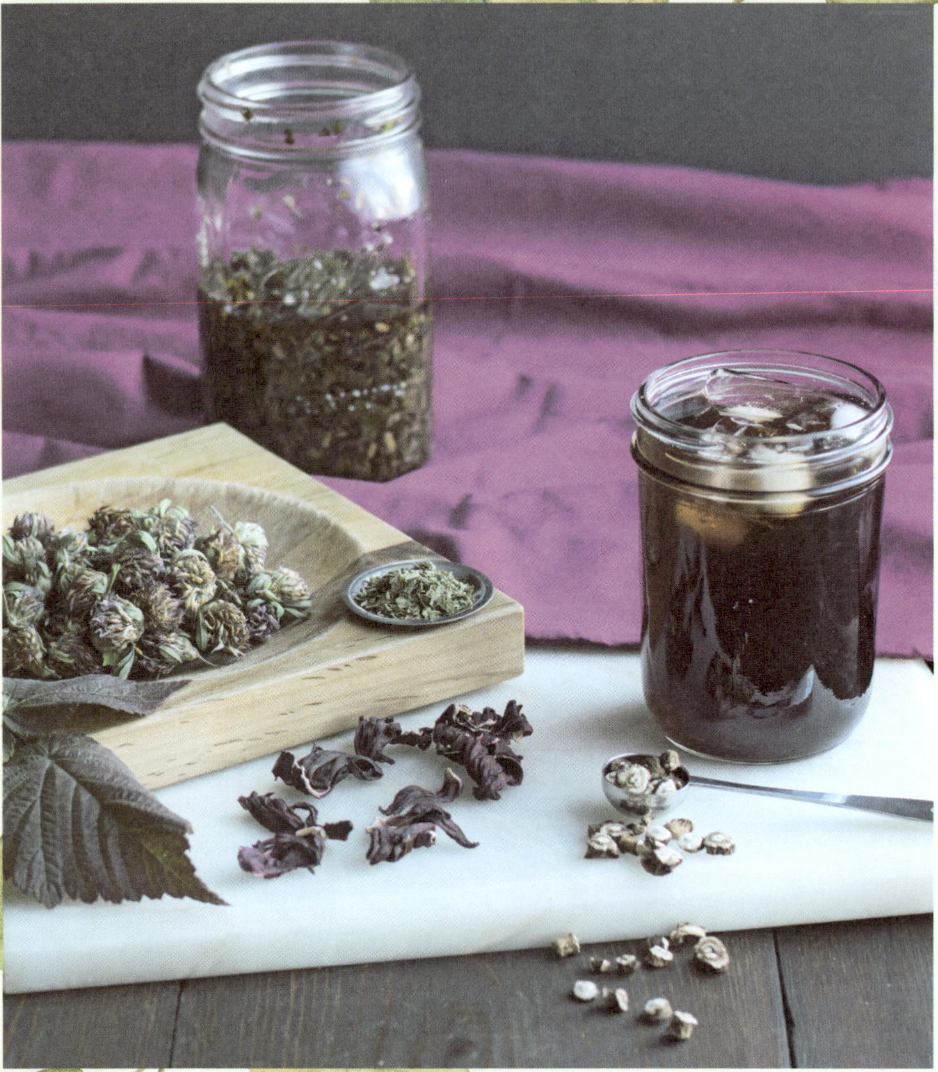

CHÁ DE LONGA INFUSÃO PARA FERTILIDADE

A infertilidade infelizmente está se tornando um problema comum no mundo de hoje. Há muitas hipóteses sobre o motivo pelo qual isso talvez esteja acontecendo, mas qualquer que seja a causa, existem ervas que podem ajudar. O trevo-vermelho é uma erva poderosa para usar durante a preparação para a gravidez, pois é muito nutritiva para o sistema reprodutivo. A folha de framboesa tonifica o útero e o ajuda a se preparar para abrigar o bebê em desenvolvimento. A urtiga e a raiz de dente-de-leão são ricas em vitaminas e minerais, ajudando a proporcionar o máximo bem-estar à mulher antes da gravidez. As flores de hibisco são opcionais para melhorar o sabor e adicionar vitamina C. Por favor, consulte seu médico ou sua parteira antes de utilizar esta infusão, sobretudo se estiver fazendo uso de qualquer tipo de medicamento para a fertilidade.

Rende: cerca de 4 xícaras (1 litro)

Ingredientes

4 xícaras (1 litro) de água
½ xícara (8 g) de flores de trevo-vermelho secas
½ xícara (8 g) de folhas de framboesa secas
¼ de xícara (8 g) de urtiga seca
1 colher de sopa (10 g) de raiz de dente-de-leão seca
1 colher de sopa (3 g) de flores de hibisco secas (opcional)

Instruções

Ferva a água e despeje-a sobre as ervas em um pote de conserva de 1 litro. Tampe o pote e deixe em infusão por 4 a 12 horas. Coe com uma peneira fina para retirar as ervas antes de tomar. Recomendo consumir esta infusão gelada.

Tome de 1 a 2 xícaras (240 a 480 ml) por dia, como preparação para engravidar, o ideal é ingerir esta infusão por 3 a 6 meses antes, e durante o período em que está tentando conceber. Interrompa o uso caso descubra que está grávida.

Dica: Esta infusão é destinada às mulheres, mas há também algumas ervas benéficas para a fertilidade masculina, como a maca peruana, o saw palmetto, os frutos de *Tribulus terrestris*, o ginseng americano, a casca de yohimbe e a raiz de astrágalo.

CHÁ TÔNICO PARA A GRAVIDEZ

Quando engravidei, eu ficava na expectativa de tomar 1 xícara relaxante deste chá todas as noites. Era agradável ao paladar e dava a sensação de ser muito nutritivo. A folha de framboesa é uma erva maravilhosa para auxiliar na gravidez e tonificar o útero, ajudando-o a se preparar para o nascimento do bebê e reduzindo a duração do trabalho de parto. A hortelã-pimenta faz uma ótima combinação com a folha de framboesa e pode ajudar a acalmar problemas estomacais. A camomila é relaxante e auxilia na promoção de um sono reparador. O ideal é esperar até o segundo ou o terceiro trimestres para apreciar este chá. Embora saiba-se que essas ervas são seguras para o consumo por gestantes, é sempre indicado consultar seu médico ou sua parteira antes de usar qualquer erva durante a gravidez.

Rende: cerca de 2 xícaras (480 ml)

Ingredientes
2 xícaras (480 ml) de água
2 colheres de sopa (2 g) de folhas de framboesa secas
1 colher de sopa (3 g) de hortelã-pimenta seca
1 colher de sopa (1 g) de flores de camomila secas

Instruções
Ferva a água e despeje-a sobre as ervas. Deixe em infusão por 10 a 15 minutos; coe para retirar as ervas antes de tomar. Este chá pode ser consumido quente ou gelado.

Tome de 1 a 2 xícaras (240 a 480 ml) por dia durante o segundo e o terceiro trimestres, para promover uma gravidez saudável, tonificar o útero e acalmar o estômago.

Dica: Se você tem refluxo ácido, que é comum durante a gravidez, experimente acrescentar a este chá 1 colher de sopa (9 g) de gengibre fresco picado.

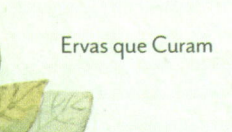

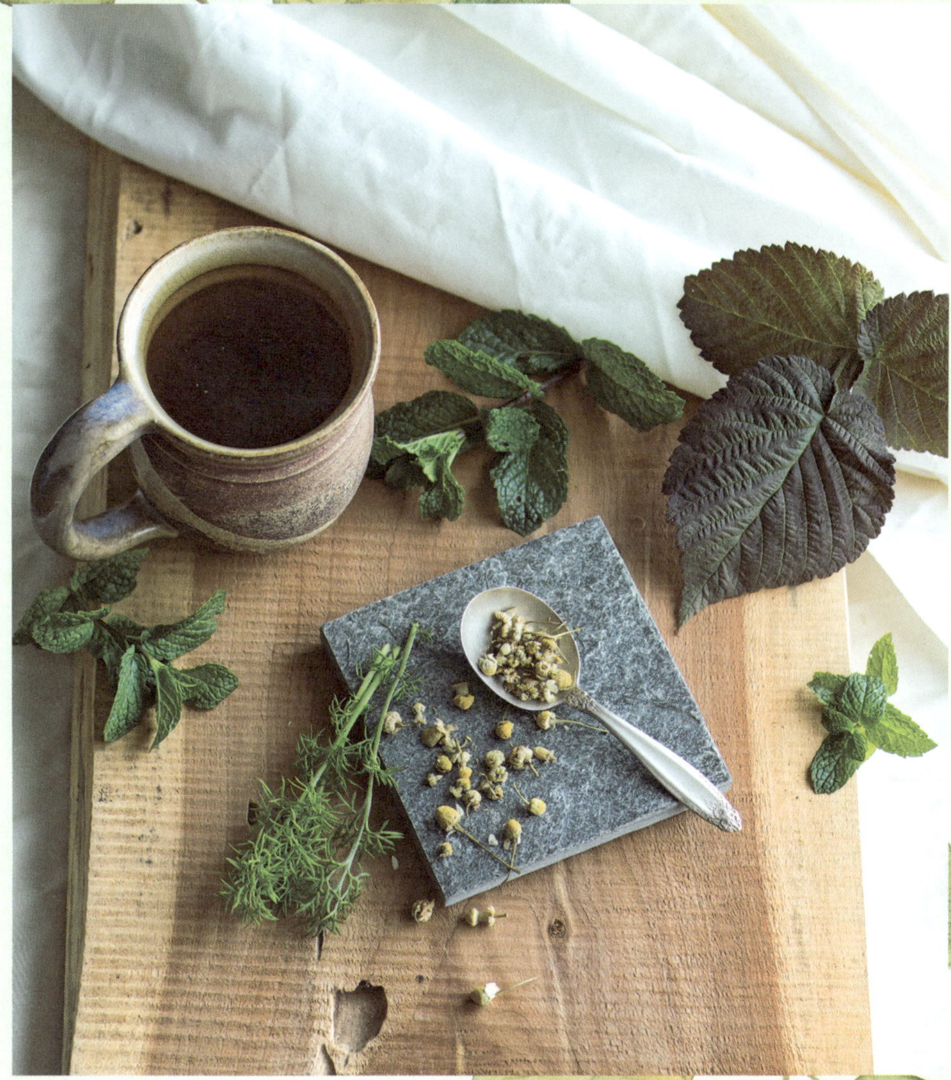

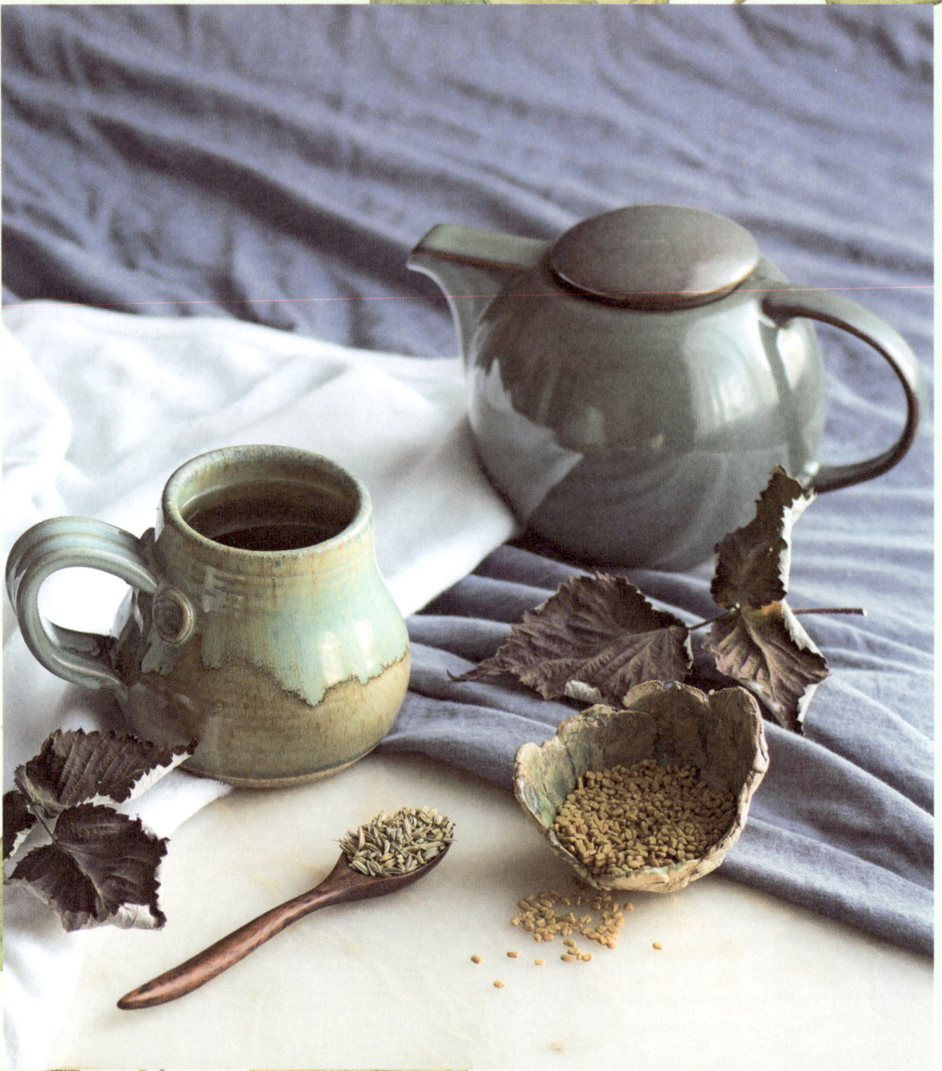

CHÁ PARA LACTAÇÃO

Para as mulheres que optam por amamentar seus bebês, pode ser decepcionante quando a produção de leite diminui. Nesse caso, este chá pode ser muito útil para promover a lactação. O feno-grego é um remédio tradicional eficaz, usado há séculos para aumentar a produção de leite, e tanto a folha de framboesa quanto as sementes de funcho promovem uma lactação saudável. Caso note uma redução súbita na produção de leite, por favor, contate seu médico assim que possível.

Rende: cerca de 2 xícaras (480 ml)

Ingredientes
2 xícaras (480 ml) de água
2 colheres de sopa (30 g) de sementes de feno-grego
2 colheres de sopa (2 g) de folha de framboesa seca
1 colher de sopa (8 g) de sementes de funcho

Instruções

Ferva a água e despeje-a sobre as ervas. Deixe em infusão por 10 a 15 minutos; coe para retirar as ervas antes de tomar. Se desejar um chá mais forte, siga as instruções da página 15 para infusões longas ou de um dia para o outro. Este chá pode ser consumido quente ou gelado.

Tome de 1 a 2 xícaras (240 a 480 ml) por dia para ajudar a estimular a lactação.

Dica: O feno-grego é uma semente com um forte aroma de xarope de bordo. Caso você consuma este chá durante certo tempo, talvez perceba que seu suor, sua urina e o leite adquirem um odor que lembra o desse xarope.

Infusões para Mães e Filhos

MANTEIGA PARA MAMILOS DOLORIDOS

A amamentação é um momento de importante ligação entre a mãe e o bebê, mas no início nem sempre é fácil. No começo de sua jornada de amamentação, muitas mulheres sofrem com mamilos doloridos e até rachados. Esta manteiga para mamilos doloridos é calmante e terapêutica, e foi formulada com ingredientes que, em geral, são considerados seguros para o bebê. Saiba que a amamentação não deve ser dolorosa. Se está sentindo alguma dor contínua, entre imediatamente em contato com seu médico.

Rende: cerca de 360 ml de manteiga

Ingredientes

Para o óleo de infusão
¼ de xícara (5 g) de flores secas de calêndula
¼ de xícara (10 g) de raiz de alteia seca
½ xícara (120 ml) de azeite de oliva
¼ de xícara (60 ml) de óleo de coco derretido

Para a manteiga
112 g de manteiga de karité
½ xícara (120 ml) do óleo com infusão de ervas

Instruções

Junte a calêndula e a raiz de alteia com o azeite de oliva e o óleo de coco em um pote de conserva de ¼ de litro (250 ml). Tampe o pote e agite-o para misturar bem. Guarde-o em um local fresco e escuro para infundir por 4 a 6 semanas.

No momento de fazer a manteiga, coe o óleo com uma peneira fina para retirar o material vegetal. Se o óleo de coco presente na infusão estiver sólido, aqueça-a suavemente, colocando o pote em uma panela com água quente para derreter a mistura antes de coar. Meça ½ xícara (120 ml) do óleo de infusão; guarde o que restar do óleo para usar de forma tópica.

Coloque a manteiga de karité em banho-maria sobre fogo médio (veja na página 20 como preparar seu próprio banho-maria), e quando derreter por completo, retire-a imediatamente do calor. Adicione o óleo com infusão de flores à manteiga de karité derretida e mexa para misturar. Despeje a mistura em uma tigela média e coloque na geladeira por cerca de 1 hora, até que comece a solidificar. Tire da geladeira e use um *mixer* para bater a mistura por vários minutos, até que vire uma manteiga leve e uniforme. Remova a manteiga, raspando a tigela, e acondicione em potes ou latinhas, para guardar.

Logo após a amamentação, seque a área sem esfregar e aplique uma pequena quantidade desta manteiga, para ajudar a tratar os mamilos ressecados, doloridos e rachados.

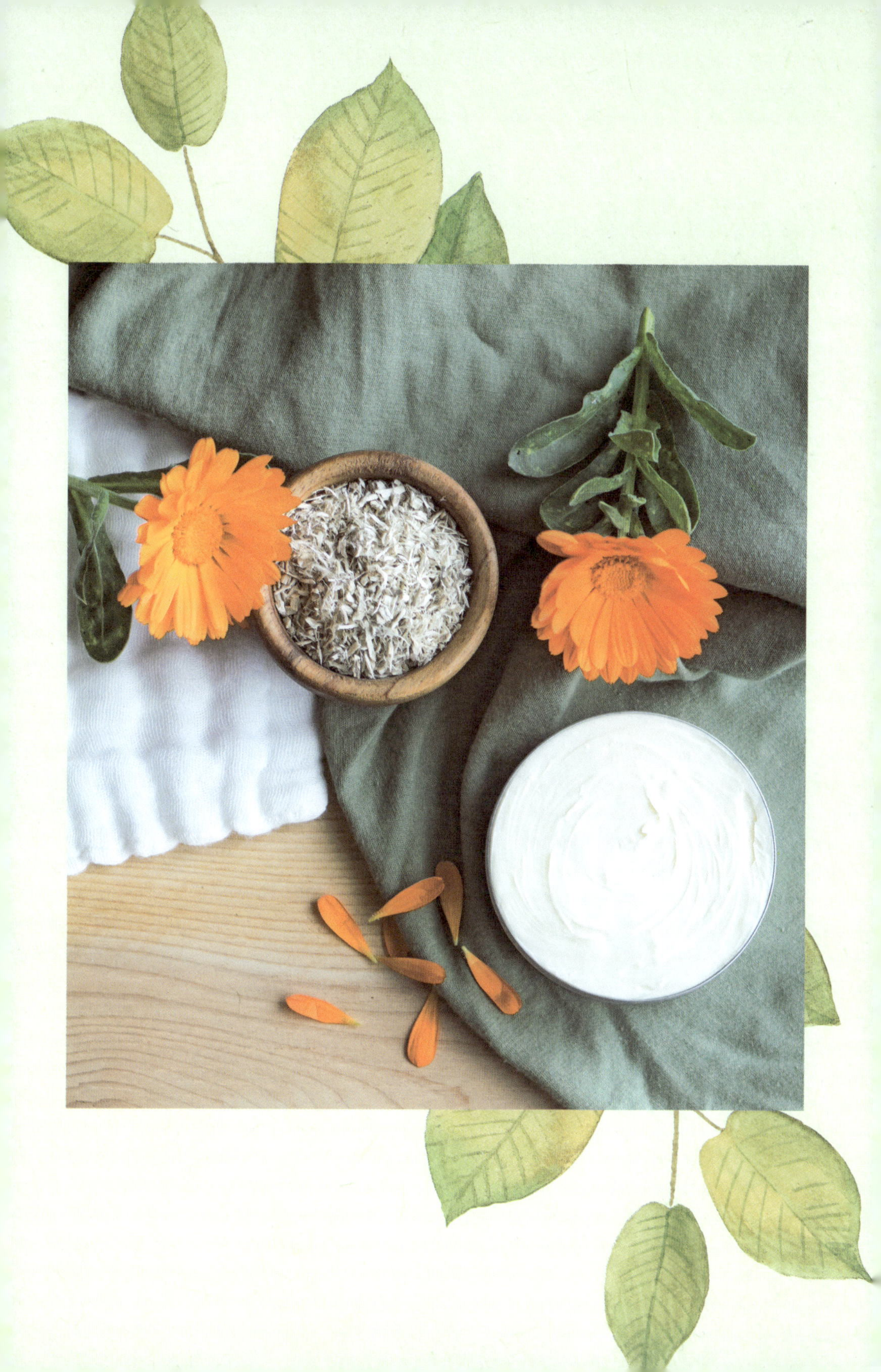

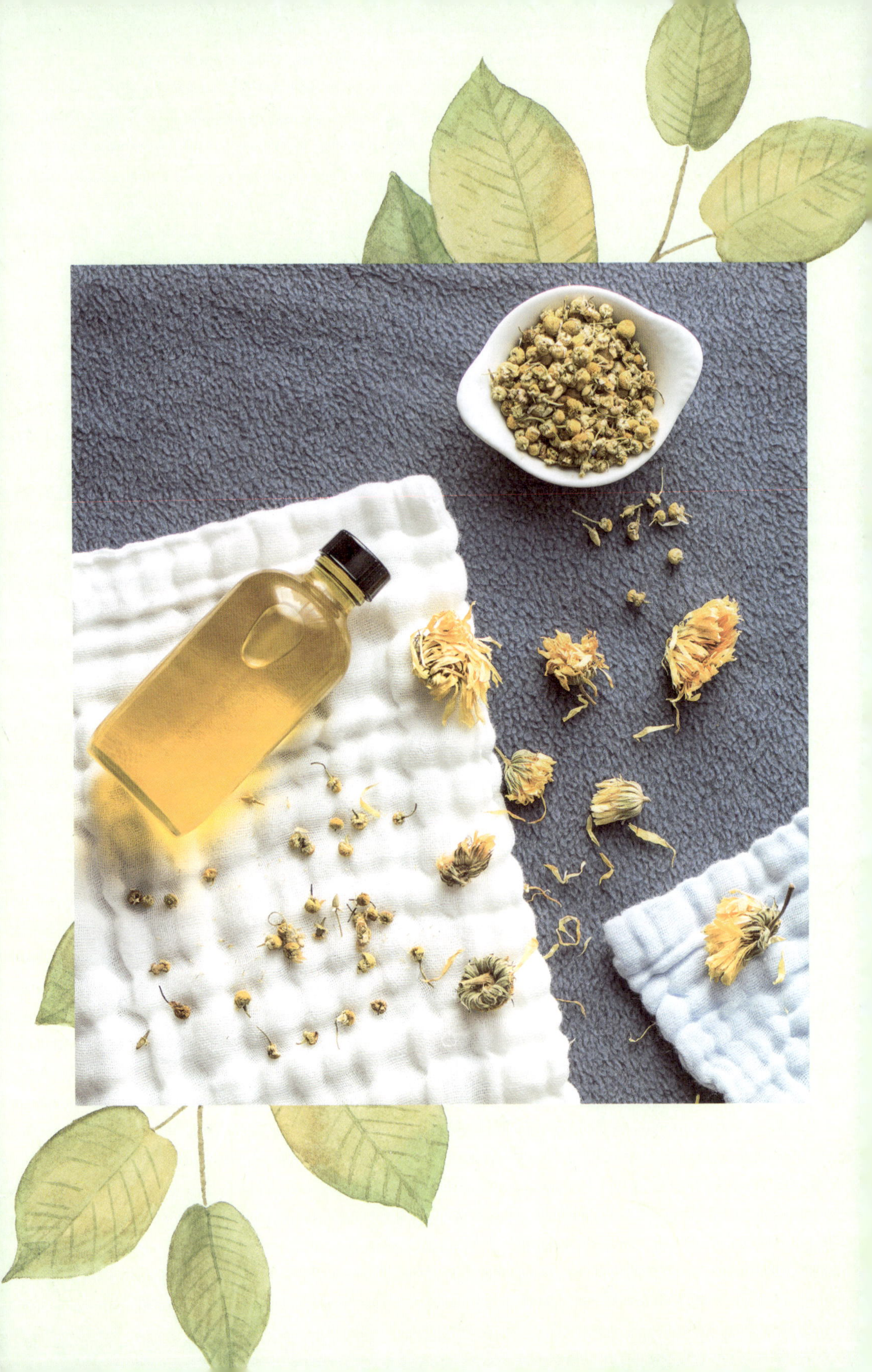

ÓLEO COM CAMOMILA E CALÊNDULA PARA BEBÊS

O óleo para bebê é um item clássico que se deve ter à mão para hidratar a pele delicada do bebê e para aplicar no pequeno uma massagem suave e relaxante. Esta receita é muito simples de fazer em casa, e contém camomila e calêndula, que nutrem a pele e são perfeitas para peles sensíveis. O óleo de amêndoas doce não é gorduroso, sendo rapidamente absorvido. É raro que os ingredientes desta receita causem problemas, mas recomendo fazer um pequeno teste de contato na mão do bebê antes de usar este óleo, para ter certeza de que não causará uma alergia ou reação.

Rende: cerca de ¾ de xícara (180 ml)

Ingredientes
¼ de xícara (6 g) de flores de camomila secas
¼ de xícara (5 g) de flores de calêndula secas
¾ de xícara (180 ml) de óleo de amêndoas doce

Instruções
Junte a camomila e a calêndula com o óleo de amêndoas doce em um pote de conserva de ¼ de litro (250 ml). Tampe o pote e agite-o para misturar bem. Guarde-o em um local fresco e escuro para infundir por 4 a 6 semanas. Coe com uma peneira fina para retirar as ervas.

Aplique o óleo na pele do bebê com a frequência que for necessária para hidratar. Seu uso é particularmente bom após o banho, e pode ser utilizado também enquanto você faz uma massagem no pequeno.

Este óleo é seguro para uso em bebês com 3 meses ou mais e em crianças maiores, depois de ser feito um teste de contato (ver p. 23).

Dica: Caso você prefira, pode utilizar óleo de coco não refinado no lugar do óleo de amêndoas doce. Ele se mantém sólido à temperatura ambiente, e o uso do método do calor, descrito na página 17, é o meio mais eficaz de fazer a infusão das flores no óleo.

Infusões para Mães e Filhos

ÓLEO PARA CROSTA LÁCTEA

A crosta láctea é um fenômeno que, em algum momento, afeta a maioria dos bebês. Muitos tratamentos caseiros recomendam friccionar um pouco de óleo de coco no couro cabeludo antes de passar suavemente um pente fino para soltar a pele morta. Levo essa recomendação um pouco além, adicionando algumas ervas que vão nutrir o couro cabeludo e ajudar a evitar que a crosta volte. Calêndula, folhas de violeta e urtiga são boas para a pele e para o couro cabeludo, sendo suaves o suficiente para o uso em bebês. É raro que os ingredientes aqui empregados causem problemas, mas recomendo fazer um pequeno teste de contato (ver p. 23) na mão do bebê antes de usar este óleo, para certificar-se de que não causará uma alergia ou reação.

Rende: cerca de ¾ de xícara (180 ml)

Ingredientes
¼ de xícara (5 g) de flores secas de calêndula
2 colheres de sopa (8 g) de folhas de violeta secas
2 colheres de sopa (4 g) de urtiga seca
½ xícara (120 ml) de óleo de coco derretido
¼ de xícara (60 ml) de óleo de amêndoas doce

Instruções
Junte a calêndula, as folhas de violeta e a urtiga com os óleos de coco e de amêndoas doce em um pote de conserva de ¼ de litro (250 ml). Tampe o pote e agite-o para misturar bem. Guarde-o em um local fresco e escuro para infundir por 4 a 6 semanas. Coe com uma peneira fina para retirar o material vegetal. Se o óleo de coco presente na infusão estiver sólido, aqueça-a suavemente, colocando o pote em uma panela com água quente para derreter a mistura antes de coar.

Aplique uma pequena quantidade do óleo no couro cabeludo do bebê e depois use um pente fino para soltar a pele morta.

Use com a frequência que for necessária, para ajudar a remover a crosta láctea e evitar que ela retorne.

Este óleo para crosta láctea é seguro para uso em bebês com 3 meses ou mais e em crianças maiores, depois de ser feito um teste de contato (ver p. 23).

Dica: Este óleo não é só para bebês! Se você tem caspa ou algum outro problema no couro cabeludo, como descamação, comichão ou ressecamento, experimente massagear um pouquinho deste óleo na área afetada, para obter algum alívio e melhora.

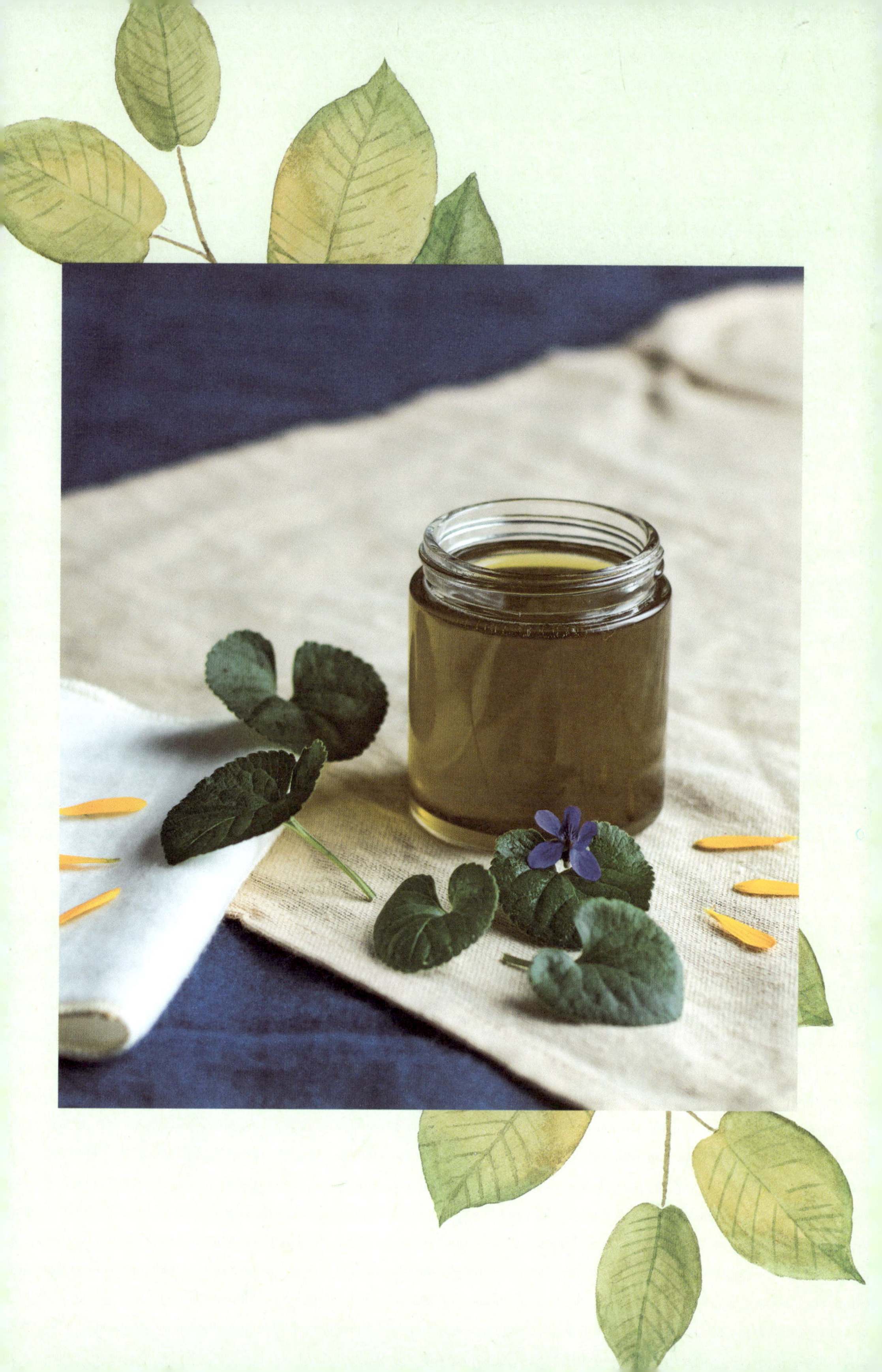

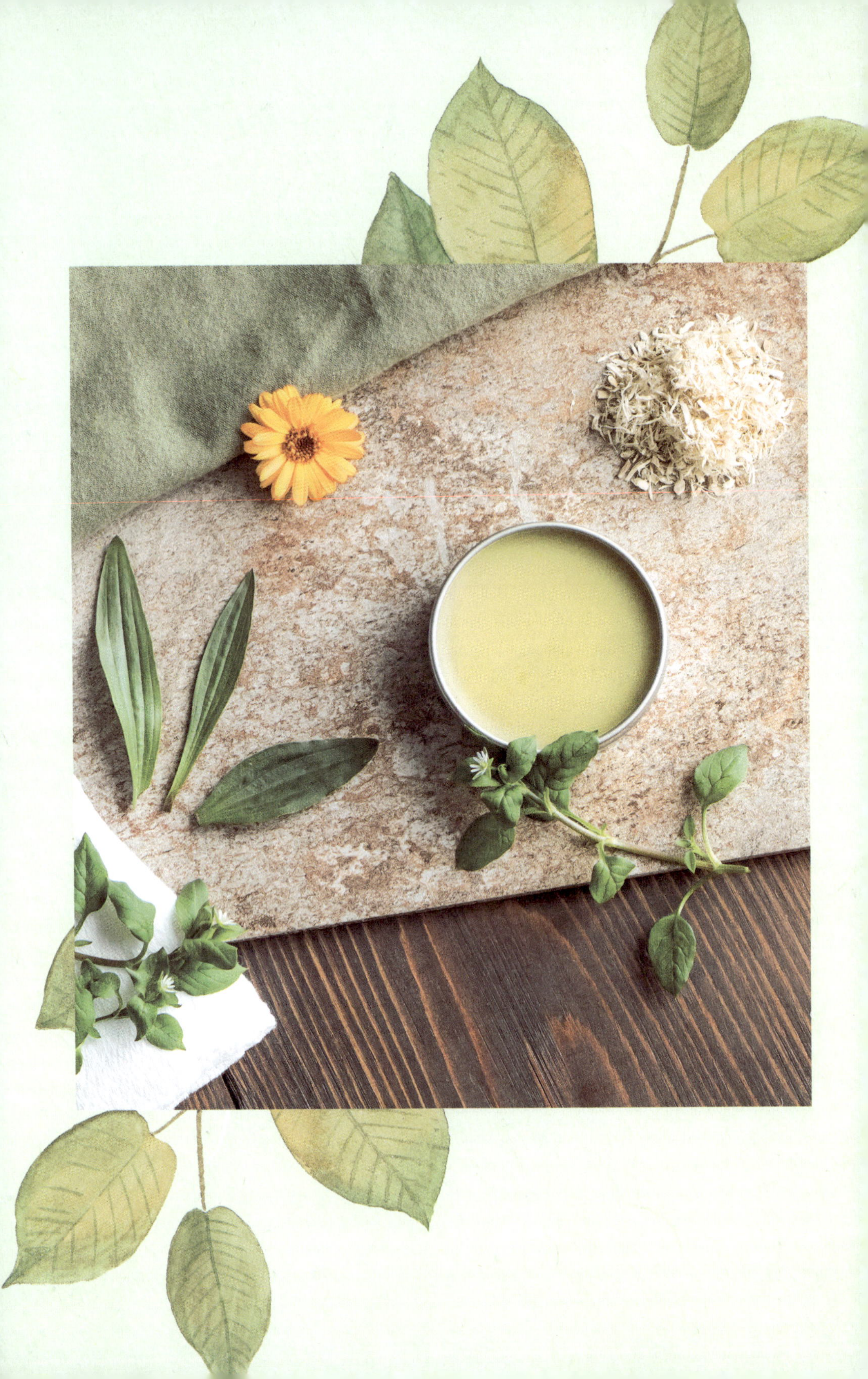

POMADA PARA ASSADURAS DE BEBÊS

Quando seu pequeno estiver com assaduras, recorra a esta pomada incrível. Esta é uma de minhas receitas mais populares, e com razão – ela faz milagres! Com frequência, esta pomada faz com que as assaduras diminuam muito, ou até desapareçam, da noite para o dia. Embora as ervas desta receita sejam extremamente curativas para uma erupção cutânea persistente e irritante, boa parte de sua eficácia se deve à grande proporção de cera de abelha, que funciona como uma forte barreira. Use esta pomada de forma preventiva, e dificilmente você terá de lidar com assaduras outra vez! Embora seja raro que os ingredientes utilizados tragam problemas, recomendo fazer um pequeno teste de contato (ver p. 23) na mão do bebê antes de usar esta pomada, para assegurar-se de que não haverá alguma alergia ou reação.

Rende: cerca de 150 ml de pomada

Ingredientes

Para o óleo de infusão
- 2 colheres de sopa (5 g) de raiz de alteia seca
- 2 colheres de sopa (5 g) de folha de tanchagem seca
- 2 colheres de sopa (4 g) de esparguta seca
- 2 colheres de sopa (3 g) de flores de calêndula secas
- ½ xícara (120 ml) de óleo de coco derretido
- ¼ de xícara (60 ml) de óleo de amêndoas doce

Para a pomada
- ½ xícara (120 ml) do óleo de infusão
- 28 g de cera de abelha
- 14 g de manteiga de karité

Instruções

Junte a raiz de alteia, a tanchagem, a esparguta e a calêndula com os óleos de coco e de amêndoas doce em um pote de conserva de ¼ de litro (250 ml). Tampe o pote e agite-o para misturar bem. Guarde-o em um local fresco e escuro para infundir por 4 a 6 semanas.

No momento de fazer a pomada, coe o óleo com uma peneira fina para retirar as ervas. Se o óleo de coco presente na infusão solidificou-se, aqueça-a suavemente, colocando o pote em uma panela com água quente para derreter a mistura antes de coar. Meça ½ xícara (120 ml) do óleo de infusão; guarde o que restar do óleo para usar mais tarde, caso deseje. Coloque o óleo em banho-maria sobre fogo médio (veja na página 20 como preparar seu próprio banho-maria). Adicione a cera de abelha ao óleo e continue a aquecer até que ela derreta totalmente. A seguir, adicione a manteiga de karité e, quando esta tiver derretido, retire a mistura do fogo. Com cuidado, despeje a mistura em potes ou latinhas. Deixe a pomada esfriar e adquirir consistência por 3 a 4 horas antes de usar.

Aplique com a frequência que for necessária para ajudar a curar assaduras e a preveni-las.

Esta pomada para assaduras pode ser usada com segurança em bebês e crianças de 3 meses ou mais, depois de ser feito um teste de contato (ver p. 23).

BÁLSAMO PARA DODÓIS

Este bálsamo pode melhorar os pequenos dodóis da vida! Às vezes, o poder da sugestão e o ritual de aplicar uma pomada em um machucadinho são suficientes para os pequenos, mas a melhor coisa deste bálsamo para dodóis é que ele possui propriedades incríveis de cicatrização. Ele tem a força suave das flores de calêndula, lavanda e camomila, que aceleram a recuperação. Use-o em pequenos cortes, arranhões, contusões, picadas de insetos, erupções cutâneas e pele ressecada para um rápido alívio.

Rende: cerca de 150 ml de bálsamo

Ingredientes

Para o óleo de infusão
¼ de xícara (5 g) de flores secas de calêndula
2 colheres de sopa (5 g) de flores de lavanda secas
2 colheres de sopa (3 g) de flores de camomila secas
½ xícara (120 ml) de óleo de coco derretido
¼ de xícara (60 ml) de óleo de amêndoas doce

Para o bálsamo
½ xícara (120 ml) do óleo de infusão
14 g de cera de abelha
14 g de manteiga de karité

Instruções

Junte a calêndula, a lavanda e a camomila com os óleos de coco e de amêndoas doce em um pote de conserva de ¼ de litro (250 ml). Tampe o pote e agite-o para misturar bem. Guarde-o em um local fresco e escuro para infundir por 4 a 6 semanas.

Quando for o momento de fazer o bálsamo, coe o óleo com uma peneira fina para retirar as ervas. Se o óleo de coco presente na infusão estiver sólido, aqueça-a suavemente, colocando o pote em uma panela com água quente para derreter a mistura antes de coar. Meça ½ xícara (120 ml) do óleo de infusão; guarde o que restar do óleo para usar mais tarde, caso deseje. Coloque o óleo em banho-maria sobre fogo médio (veja na página 20 como preparar seu próprio banho-maria). Adicione a cera de abelha ao óleo e continue a aquecer até que ela derreta totalmente. A seguir, adicione a manteiga de karité e, quando esta tiver derretido, retire a mistura do fogo. Com cuidado, despeje a mistura em potes ou latinhas. Deixe o bálsamo esfriar e adquirir consistência por 3 a 4 horas antes de usar.

Aplique com a frequência que for necessária para ajudar a curar de forma suave pequenos cortes, arranhões, contusões, picadas de insetos, erupções cutâneas e pele seca.

Este bálsamo para dodóis é seguro para uso em bebês com 6 meses ou mais e em crianças, depois de ser feito um teste de contato (ver p. 23).

Dica: Além de tratar dodóis, esta pomada serve para tudo! Ela funciona bem para quase qualquer pequeno problema cutâneo, e recomendo sempre tê-la disponível.

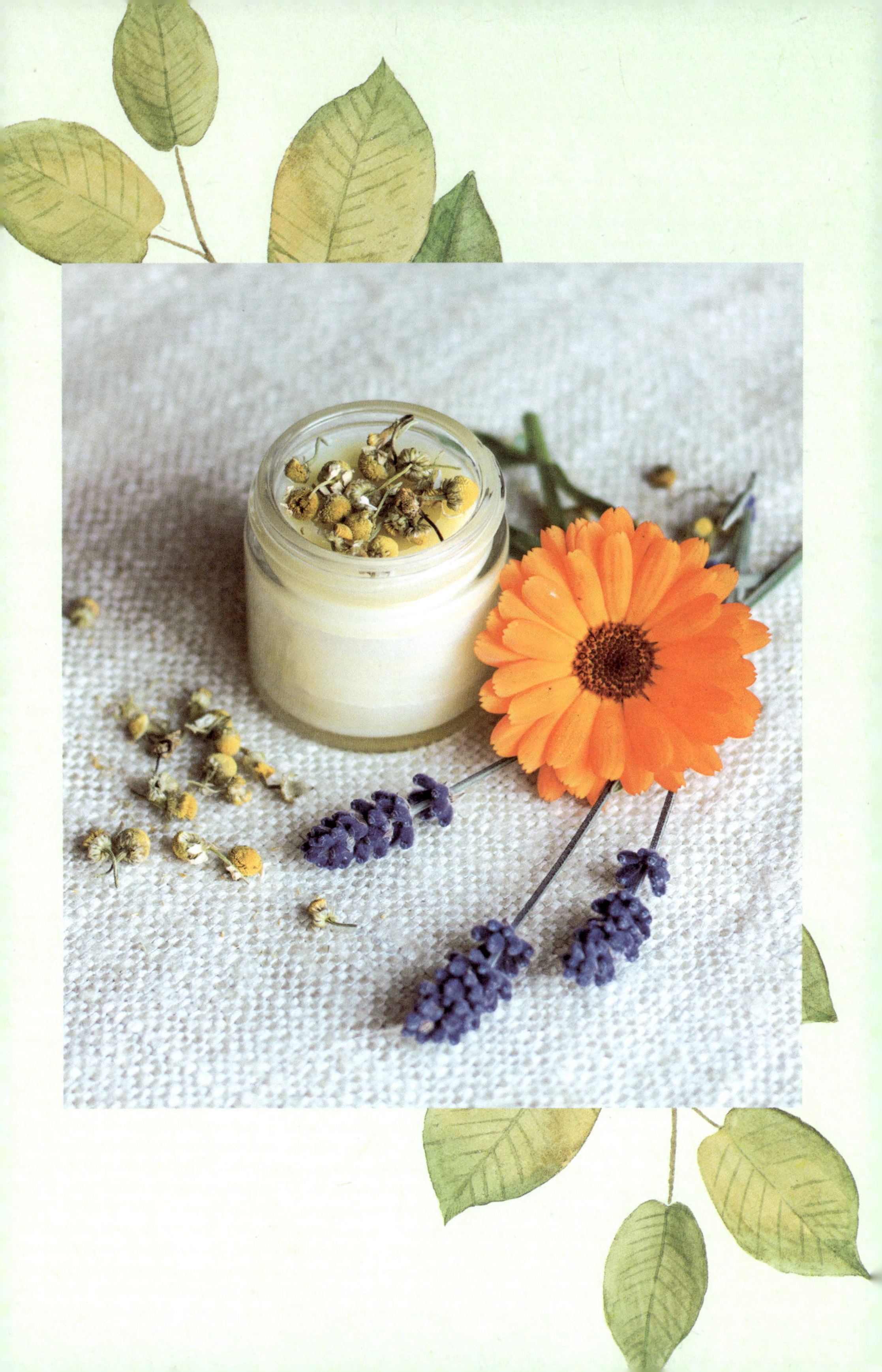

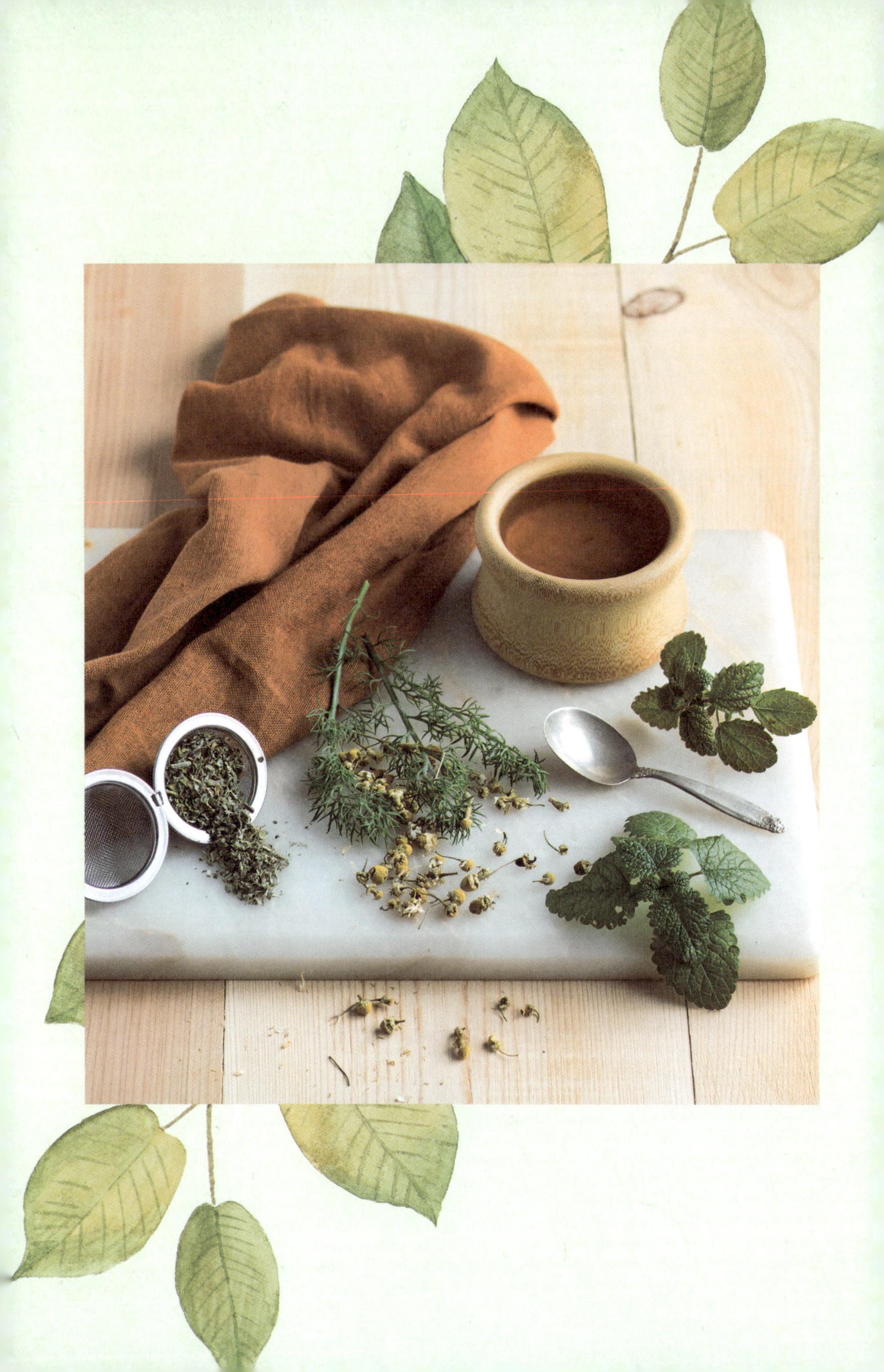

CHÁ CALMANTE PARA CRIANÇAS

É fato bem conhecido que as crianças podem ficar facilmente hiperestimuladas e agitadas demais. Quando chega o momento de acalmar a criança, este chá tranquilizante pode ajudar de fato. A erva-de-gato, em particular, é um aliado e tanto para as crianças, pois tem um efeito calmante suave, que promove o relaxamento e o sono. A erva-cidreira e a camomila são ervas saborosas, seguras para uso por crianças e que também possuem um efeito calmante. Além das qualidades acima, as três ervas são boas para a digestão. No verão, coloque este chá em pequenas formas de picolé, e faça uma guloseima divertida, saudável e relaxante. Pequenas quantidades deste chá podem ser dadas a bebês com mais de 6 meses quando os dentes estiverem nascendo, para propiciar algum alívio.

Rende: cerca de 2 xícaras (480 ml)

Ingredientes
2 xícaras (480 ml) de água
2 colheres de sopa (3 g) de flores de camomila secas
1 colher de sopa (1 g) de erva-cidreira seca
1 colher de sopa (1 g) de erva-de-gato seca
1 a 2 colheres de sopa (15 a 30 ml) de mel (opcional – não deve ser dado a bebês com menos de 1 ano)

Instruções

Ferva a água e despeje-a sobre as ervas. Deixe em infusão por 10 a 15 minutos; coe para retirar as ervas e adicione o mel (caso opte por utilizá-lo), mexendo para misturar, antes de tomar. Este chá pode ser consumido quente ou gelado.

O chá é seguro para bebês de 6 meses ou mais e crianças. Antes do uso, recomendo fazer um teste de contato (ver p. 23), friccionando um pouquinho do chá nas costas da mão ou na parte interna do braço, para ver se há alguma reação, especialmente em bebês e crianças mais novas.

Dê para a criança tomar 1 ou 2 vezes por dia, a fim de deixá-la mais calma e centrada. Por favor, siga as orientações de dosagem por idade a seguir:

6 meses a 1 ano: 1 a 2 colheres de chá (5 a 10 ml) no total por dia
1 a 2 anos: 2 a 4 colheres de chá (10 a 20 ml) no total por dia
3 a 7 anos: 2 a 4 colheres de sopa (30 a 60 ml) no total por dia
8 a 12 anos: ¼ a ½ xícara (60 a 120 ml) no total por dia
13 anos ou mais: 1 a 2 xícaras (240 a 480 ml) no total por dia

EXTRATO GLICÓLICO DE SABUGUEIRO E EQUINÁCEA PARA RESFRIADOS E GRIPES

Os extratos glicólicos são semelhantes às tinturas, mas em vez de serem preparados com álcool, são feitos com uma glicerina vegetal doce. Por esse motivo, são perfeitos para o uso em crianças, ou sempre que for melhor evitar o álcool. As bagas de sabugueiro e a equinácea são ervas poderosas no fortalecimento do sistema imunológico, e seguras para o uso por crianças durante períodos de enfermidade, para promover o bem-estar e uma recuperação mais rápida.

Rende: cerca de 1 ⅓ xícara (320 ml)

Ingredientes
¼ de xícara (30 g) de bagas de sabugueiro secas
¼ de xícara (20 g) de raiz de equinácea seca
1 xícara (240 ml) de glicerina vegetal
⅓ de xícara (80 ml) de água

Instruções

Junte as bagas de sabugueiro, a equinácea, a glicerina e a água em um pote de conserva de ½ litro (500 ml). Tampe o pote e agite-o para misturar bem. Guarde-o em um local fresco e escuro para infundir por 4 a 6 semanas. Coe o óleo com uma peneira fina para retirar as ervas. Acondicione o extrato glicólico em frasquinhos com conta-gotas, para facilitar o uso.

Este extrato glicólico é seguro para bebês com 1 ano ou mais e crianças. Antes do uso, recomendo fazer um teste de contato (ver p. 23), friccionando um pouquinho do extrato glicólico nas costas da mão ou na parte interna do braço, para ver se há alguma reação, especialmente em bebês e crianças mais novas.

Dê para a criança tomar 2 ou 3 vezes ao dia, ao primeiro sinal de resfriado ou gripe, a fim de obter maior eficácia. Pode ser ingerido puro ou, se preferir, misturado em água ou chá. Por favor, siga as orientações de dosagem por idade a seguir:

1 a 2 anos: 5 a 8 gotas no total por dia
3 a 7 anos: 8 a 15 gotas no total por dia
8 a 12 anos: 15 a 30 gotas no total por dia
13 anos ou mais: 3 colheres de chá (15 ml) no total por dia

Dica: Se você tem acesso a bagas de sabugueiro pretas frescas, pode usá-las nesta receita. Utilize ½ xícara (60 g) de bagas frescas no lugar das bagas secas.

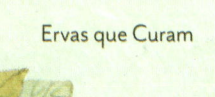

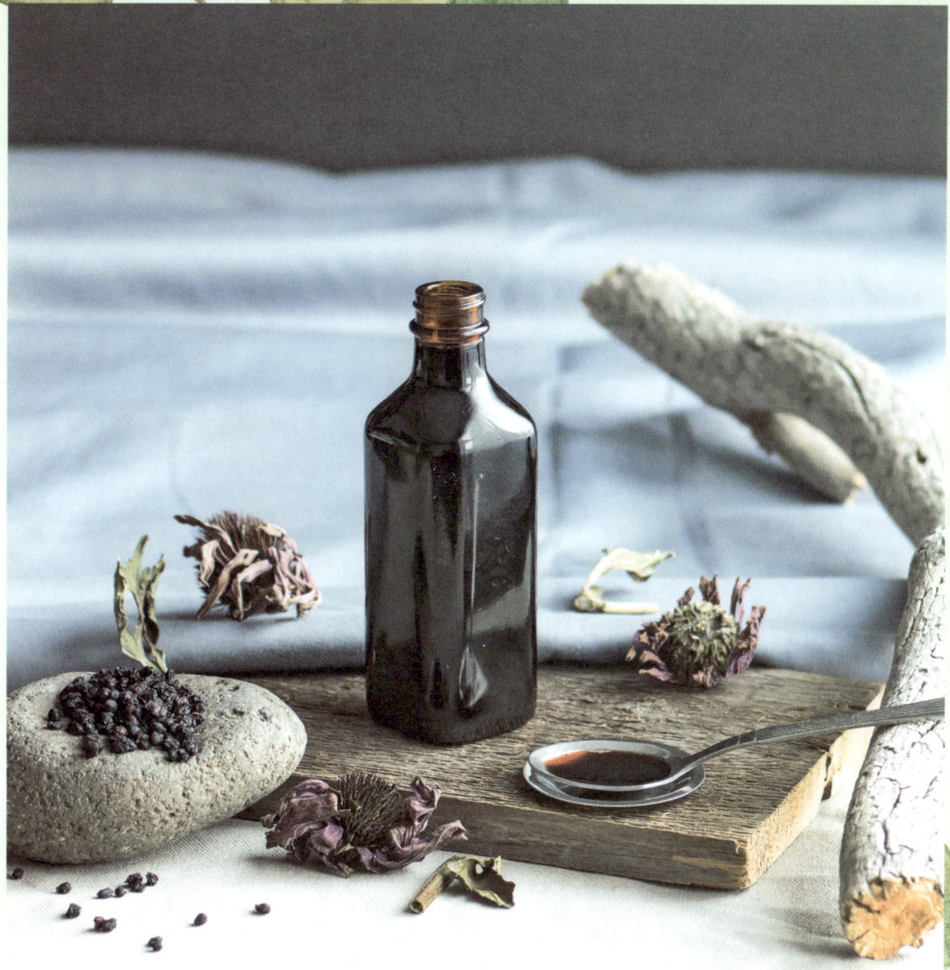

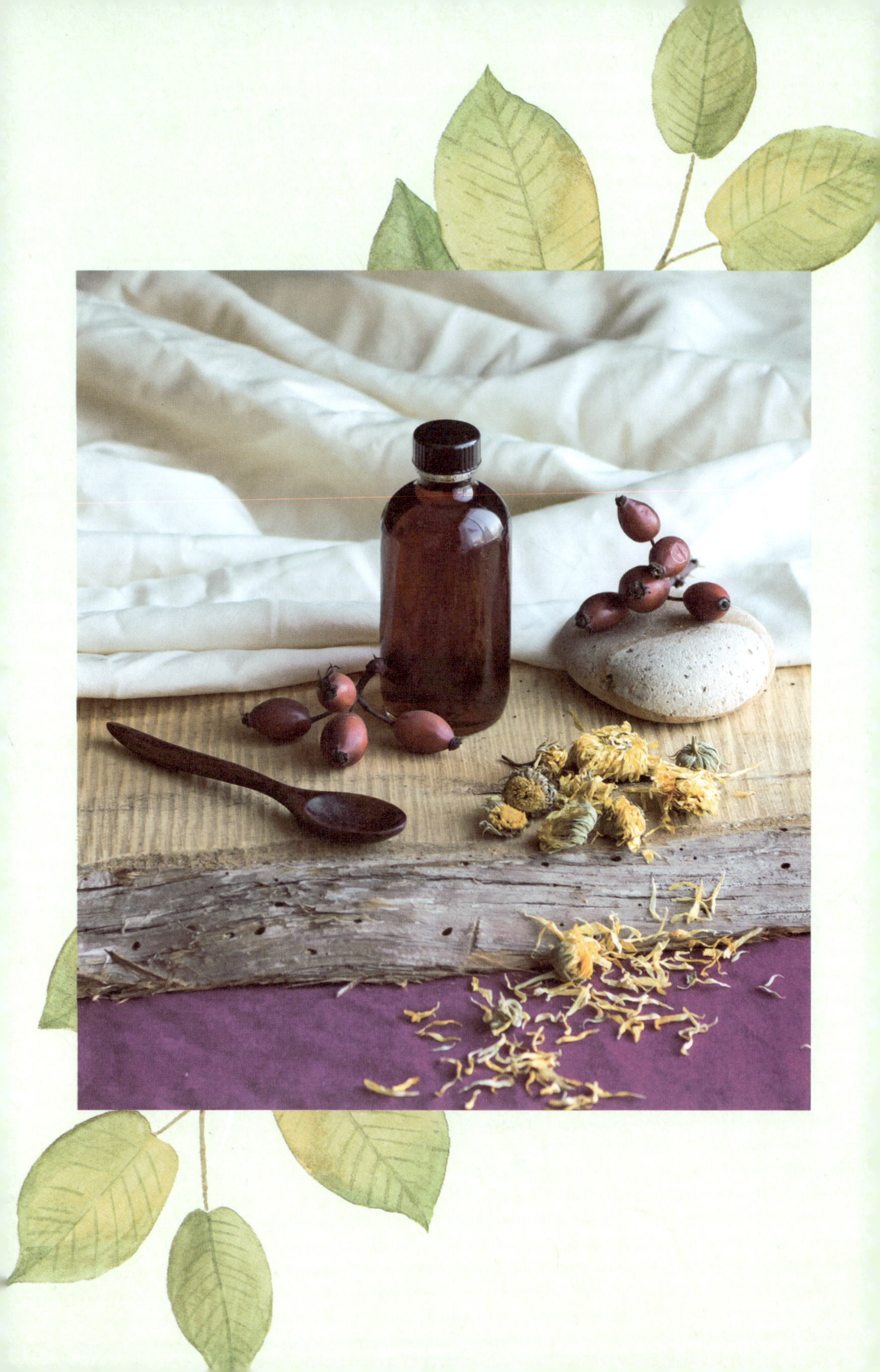

EXTRATO GLICÓLICO DE CALÊNDULA E FRUTOS DE ROSA PARA AUMENTAR A IMUNIDADE

Embora seja bem conhecida pelos efeitos benéficos para a pele quando usada externamente, a calêndula pode também ser usada internamente, com segurança, como um antimicrobiano para aumentar a imunidade. Os frutos de rosa são ricos em vitamina C, que ajuda a elevar a função imunológica. Quando usadas juntas, essas duas ervas fortalecem a imunidade e ajudam a abreviar a duração de resfriados e gripes. Este extrato glicólico é seguro para crianças, e é a escolha perfeita para quem deseja evitar tinturas feitas com álcool.

Rende: cerca de 1 ⅓ de xícara (320 ml)

Ingredientes

½ xícara (6 g) de flores secas de calêndula
¼ de xícara (30 g) de frutos de rosa secos
1 xícara (240 ml) de glicerina vegetal
⅓ de xícara (80 ml) de água

Instruções

Junte a calêndula, os frutos de rosa, a glicerina e a água em um pote de conserva de ½ litro (500 ml). Tampe o pote e agite-o para misturar bem. Guarde-o em um local fresco e escuro para infundir por 4 a 6 semanas. Coe com uma peneira fina para retirar as ervas. Acondicione o extrato glicólico em frasquinhos com conta-gotas, para facilitar o uso.

Este extrato glicólico é seguro para bebês com 1 ano ou mais e crianças. Antes do uso, recomendo fazer um teste de contato (ver p. 23), friccionando um pouquinho do extrato glicólico nas costas da mão ou na parte interna do braço, para ver se há alguma reação, especialmente em bebês e crianças mais novas.

Dê para a criança tomar 2 ou 3 vezes por dia, a fim de fortalecer o sistema imunológico e prevenir doenças. Pode ser tomado puro ou, se preferir, misturado em água ou chá. Por favor, siga as orientações de dosagem por idade a seguir:

1 a 2 anos: 5 a 8 gotas no total por dia
3 a 7 anos: 8 a 15 gotas no total por dia
8 a 12 anos: 15 a 30 gotas no total por dia
13 anos ou mais: 3 colheres de chá (15 ml) no total por dia

Dica: Se você tem acesso a flores de calêndula e frutos de rosa frescos, eles podem ser usados nesta receita como substitutos. Utilize 1 xícara (12 g) de flores de calêndula frescas e ½ xícara (60 g) de frutos de rosa frescos no lugar desses ingredientes secos.

Infusões para Mães e Filhos

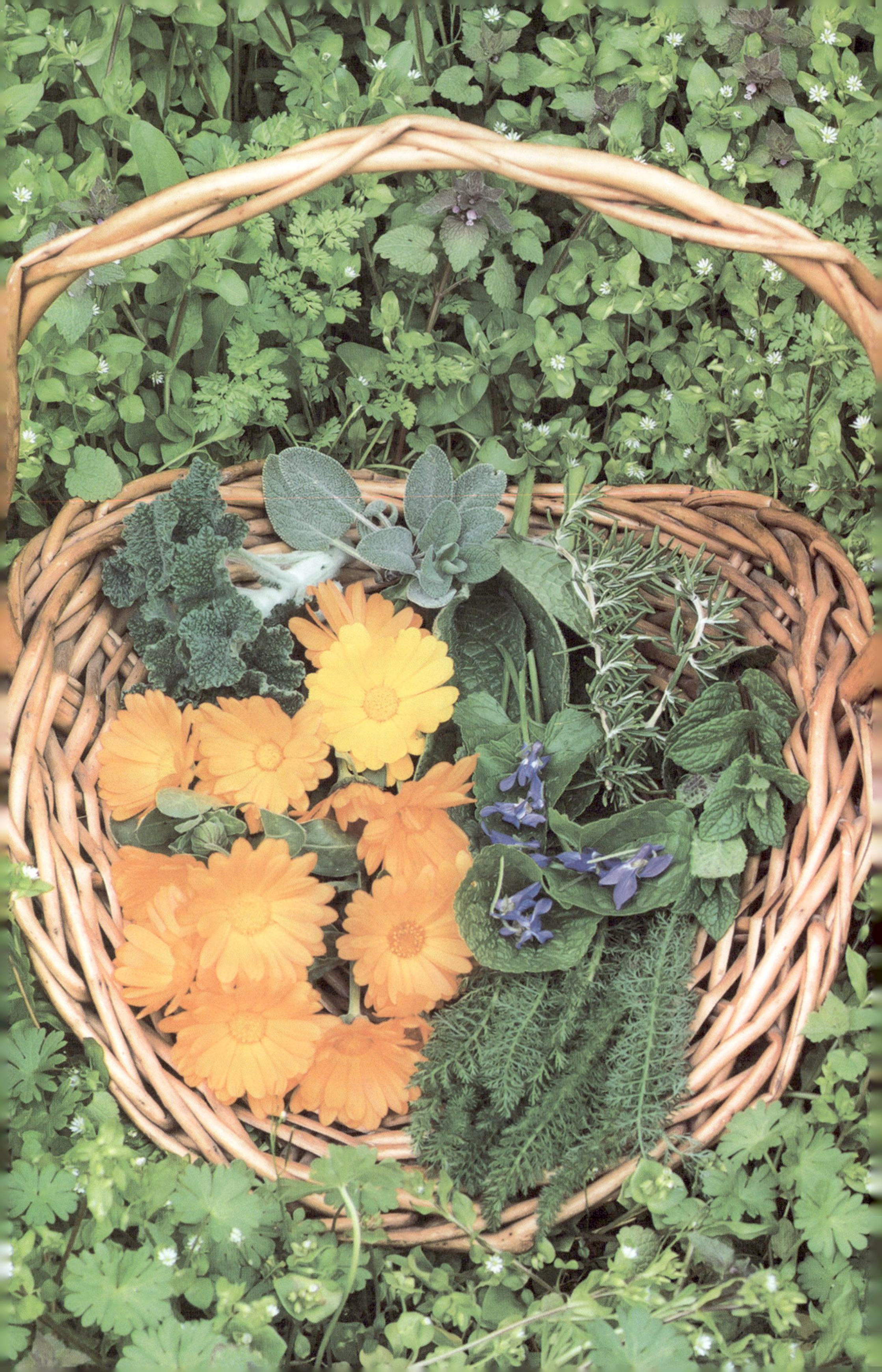

PERFIS DE ERVAS E FLORES

A lista a seguir inclui todas as ervas usadas nas receitas deste livro e uma breve descrição de seus benefícios e ações, mais algumas outras notas de interesse. É um ótimo ponto de partida para saber sobre os aspectos específicos de cada uma, e vai ajudar você a iniciar ou continuar sua jornada na fitoterapia. Para leituras adicionais sobre as ervas e sua ação, verifique os livros que menciono na seção Recursos, na página 200.

Alecrim (*Rosmarinus officinalis*): Esta planta perene, muito cultivada em jardins, é um tônico para o cérebro que ajuda a melhorar a concentração e a memória. Também é um estimulante suave, que melhora o ânimo e alivia dores de cabeça e depressão, e atua sobre a má circulação e a pressão sanguínea. O alecrim é anti-inflamatório e antioxidante, sendo também um analgésico eficaz e fortificante do sistema imunológico. Também é benéfico para os cabelos e o couro cabeludo. Use o alecrim no Oximel de Ervas Culinárias Frescas (p. 40), no Shampoo Natural de Ervas (p. 159) e no Tratamento com Alecrim e Tomilho para Descamação do Couro Cabeludo (p. 163).

Alho (*Allium sativum*): Possivelmente a erva mais importante para aumentar a imunidade, prevenindo resfriados e gripes. O alho cru tem propriedades antibacterianas, antimicrobianas e antissépticas superpotentes, que o tornam excelente para o tratamento de infecções. Também é altamente eficaz para melhorar a circulação, baixar o açúcar no sangue e manter níveis saudáveis de colesterol. Um dente de alho por dia mantém a pessoa sadia! Use em Alho, Gengibre e Sálvia Fermentados no Mel (p. 35) e na Infusão de Vinagre para Aumentar a Imunidade (Quente ou Não) (p. 43).

Alteia[25] (*Althaea officinalis*): A raiz da alteia (chamada, em inglês, de *marshmallow*) constitui um tônico altamente mucilaginoso e emoliente. É anti-inflamatória e calmante para a garganta, o estômago e o trato digestório, e tem ação benéfica em casos de infeção da bexiga e do rim. Também é usada externamente, para hidratar a pele ressecada e rachada. Use a raiz de alteia no Chá de Sálvia, Alteia e Gengibre para Dor de Garganta (p. 77), no Chá para Alívio de Infecções Urinárias (p. 94), no Eletuário Prebiótico de Mel (p. 104), no Chá Digestivo de Alteia e Canela (p. 108), no Bálsamo de Cacau e Hortelã para Calcanhar Rachado (p. 151), no Bálsamo de Camomila, Alteia e Baunilha para Lábios Ressecados (p. 152), na Manteiga para Mamilos Doloridos (p. 174) e na Pomada para Assaduras de Bebês (p. 181).

Amora-preta,[26] **folha** (*Rubus fruticosus*): A folha de amora-preta é rica em vitaminas, antioxidantes e flavonoides. Em razão de seu elevado conteúdo de tanino, a folha de amora-preta é muito adstringente e pode ajudar a curar aftas, dores de garganta, úlceras, hemorroidas e diarreia. Também constitui uma loção para limpeza facial muito eficaz.

Use a folha de amora-preta na Loção de Hamamélis e Folha de Amora-Preta para Limpeza Facial (p. 156).

Arnica[27] (*Arnica montana*): Essa flor amarela luminosa pertence à família do girassol. É anti-inflamatória e tem ação analgésica e anestésica. A melhor maneira

---

[25] Encontrada facilmente em locais e/ou com fornecedores de produtos fitoterápicos e orgânicos. Pode ser substituída por ervas do tipo *Malva*, pois pertencem ao mesmo gênero. (N.R.)

[26] Não deve ser confundida com as amoras mais comuns no Brasil, do gênero *Morus* e pertencentes a uma família completamente diferente.

[27] Algumas espécies nativas também são conhecidas como arnica, arnica-brasileira (*Lychnophoraericoides*) e arnica-do-mato (*Solidago microglossa*). Lojas especializadas, fitoterápicas e laboratórios usam a Arnica Montana. As outras espécies nativas de arnica são similares e alguns laboratórios e lojas fitoterápicas possuem as outras espécies também. (N.R.)

de usá-la é na forma tópica, em cremes, pomadas e unguentos, para ajudar a reduzir a dor e a inflamação de músculos doloridos, estiramentos, entorses e contusões. Não use internamente, pois é tóxica se consumida em grandes quantidades. Use a arnica na Pomada de Arnica para Entorses e Contusões (p. 49).

Astrágalo[28] (*Astragalus membranaceus*): Raiz de uma planta da família das leguminosas, o astrágalo é de uso comum na Medicina Tradicional Chinesa. É um adaptógeno que ajuda a proteger o corpo contra o estresse físico, mental ou emocional. É também um tônico energético e aumenta a imunidade, tendo propriedades antivirais, antibacterianas, anti-inflamatórias e diuréticas. Use o astrágalo na Tintura de Sabugueiro e Astrágalo (p. 31) e no Tônico para o Fígado (p. 93).

Bardana,[29] **raiz** (*Arctium lappa*): A longa raiz primária da bardana é um alimento popular em culturas asiáticas. É antibacteriana e antifúngica, e também tem ação hepática, fortalecendo e tonificando o fígado. Também é muito usada como *bitter* digestivo. As sementes grudentas da bardana foram a inspiração original do velcro. Use a bardana no *Bitter* de Raízes de Dente-de-Leão e de Bardana (p. 115) e no Eletuário Prebiótico de Mel (p. 104).

Bétula,[30] **casca** (*Betula* spp.): A parte interna da casca da bétula é um analgésico potente. É também anti-inflamatória, adstringente, aromática e, como febrífuga, ajuda a baixar a febre. Colete apenas a casca de árvores que estejam mortas ou morrendo, pois removê-la de árvores vivas pode prejudicá-las. Use a casca de bétula no Chá de Salgueiro-Branco e Casca de Bétula para Alívio da Dor (p. 57).

Calêndula[31] (*Calendula officinalis*): Esta bela flor amarela ou laranja é vulnerária, promovendo a cicatrização de feridas. Também é antisséptica, antimicrobiana, antifúngica, anti-inflamatória e boa para o sistema linfático. É excelente para uso tópico em cremes, pomadas ou unguentos, para irritações da pele, cicatrizes e contusões, ou para uso interno, como chá para febres, úlceras, cólicas, indigestão, diarreia e gânglios inchados. Pode ser usada por toda a família, e é suave o bastante até para ser ministrada a bebês e crianças pequenas. Use a calêndula na Pomada Cicatrizante com Quatro Ervas (p. 62), na Pomada com Ervas e Mel para Queimaduras (p. 65), na Infusão de *Aloe vera* para Queimadura de Sol (p. 69), na Pomada para o Alívio de Eczema (p. 97), no Óleo de Massagem Calmante (p. 128), na Manteiga Corporal Terapêutica Batida com Flores (p. 143), no Bálsamo de Cacau e Hortelã para Calcanhar Rachado (p. 151), no Bálsamo para Espinhas (p, 155), na Manteiga para Mamilos Doloridos (p. 174), no Óleo com Camomila e Calêndula para Bebês (p. 177), no Óleo para Crosta Láctea (p. 178), na Pomada para Assaduras de Bebês (p. 181), no Bálsamo para Dodóis (p. 182) e no Extrato Glicólico de Calêndula e Fruto de Rosa para Aumentar a Imunidade (p. 189).

Camomila (*Matricaria recutita*): A camomila, uma florzinha da família da margarida, é mais conhecida por suas propriedades de promover o sono. É uma erva nervina que acalma o sistema nervoso e ajuda a relaxar a mente e o corpo. Também é um forte analgésico anti-inflamatório e constitui um digestivo carminativo, além de muito segura para ser ministrada a crianças e bebês. Pessoas alérgicas a erva-de-santiago devem evitar o uso da camomila. Use-a no Chá para Alívio da Dor de Cabeça (p. 73), no Chá Durma Bem (p. 124), no Óleo de Massagem Calmante (p. 128), no Banho de Imersão Rejuvenescedor com Flores (p. 136), no Bálsamo de Camomila, Alteia e Baunilha para Lábios Ressecados (p. 152), no Bálsamo para Espinhas (p. 155), no Chá Tônico para a Gravidez (p. 170), no Óleo com Camomila e Calêndula para Bebês (p. 177), no Bálsamo para Dodóis (p. 182) e no Chá Calmante para Crianças (p. 185).

Canela[32] (*Cinnamomum verum*): Este tempero culinário aromático é termogênico (isto é, provoca aquecimento), melhora a digestão e pode ajudar a baixar o

---

[28] Encontrada comumente em fornecedores de fitoterápicos, sobretudo na forma de cápsulas e, em alguns casos, em pó. (N.T)

[29] Cultivada no Brasil apenas em pequena escala e em regiões de clima mais ameno. É muito comum na cozinha ayurvédica. É encontrada em feiras livres e mercados orgânicos. (N.R.)

[30] As bétulas são plantas da América do Norte e Eurásia. No hemisfério sul, ocorrem como árvores cultivadas em regiões frias. Não é comum no Brasil. Podem ser adquiridas em lojas especializadas ou na forma de produtos derivados. (N.R.)

[31] Cultivada no Brasil apenas em pequena escala e em regiões de clima mais ameno. Fácil de adquirir em forma

de chá ou seca nos supermercados ou nas lojas de produtos fitoterápicos. (N.R.)

[32] A maior parte da canela comercializada no Brasil é a falsa canela ou cássia (*C. cassia*), que contém níveis elevados de cumarina e cujo consumo excessivo pode acarretar problemas. (N.T.)

açúcar no sangue. A canela tem potentes propriedades antibacterianas, antivirais e antifúngicas, o que a torna muito benéfica para o sistema imunológico. Seu sabor agradável melhora o sabor de muitos preparados medicinais. Use a canela no Chá de Vitamina C (p. 28), no Mel com Sabugueiro, Gengibre e Canela (p. 39), no Xarope de Marroio-Branco para Dor de Garganta (p. 78), no Chá para Baixar a Febre (p. 85), no Xarope de Decocção de Gengibre e Cúrcuma com Mel (p. 103), no Chá Digestivo de Alteia e Canela (p. 108), no *Chai* de Raiz de Chicória Torrada (p. 111) e no *Bitter* de Salsaparrilha e Funcho (p. 116).

Cardamomo (*Eletteria cardamomum*): Esta especiaria, um clássico ingrediente do *chai*, pertence à família do gengibre e tem muitos efeitos medicinais. O cardamomo é um potente digestivo carminativo, sendo aromático e termogênico. Também é analgésico, antiespasmódico, diurético e talvez tenha até algumas propriedades anticâncer. Use o cardamomo no Chá Pós-Refeição de Funcho e Cardamomo para a Barriga (p. 107) e no *Chai* de Raiz de Chicória Torrada (p. 111).

Casca de salgueiro-branco (*Salix alba*): A parte interna da casca do salgueiro-branco tem sido usada como remédio há muitos séculos; essa árvore cresce praticamente por todo lado.[33] Ela contém os mesmos compostos que são usados na fabricação da aspirina, mas é muito mais suave do que esse medicamento. A casca do salgueiro-branco é um potente analgésico, anti-inflamatório e afinador do sangue e, como febrífugo, ajuda a reduzir febres. Use a casca de salgueiro-Branco no Chá de Salgueiro-branco e Casca de Bétula para Alívio da Dor (p. 57).

Cebola (*Allium cepa*): De uso culinário consagrado, a cebola também proporciona benefícios em termos medicinais. Tem uma ação potente no fortalecimento do sistema imunológico, com propriedades antibacterianas, antivirais, antimicrobianas, antifúngicas e anti-inflamatórias. Também é rica em antioxidantes, flavonoides e muitas vitaminas e minerais. Use a cebola em Cebola Roxa e Tomilho Fermentados no Mel (p. 36).

Chicória, raiz (*Cichorium intybus*): A raiz da chicória é um digestivo amargo rico em inulina, composto prebiótico que incrementa a quantidade de probióticos no intestino. É tranquilizante e anti-inflamatória.

---

[33] Não se aplica ao Brasil. É possível encontrar as cacas de salgueiro-branco em lojas fitoterápicas, pois não é uma espécie nativa. (N.R.)

A raiz de chicória torrada tem sabor surpreendentemente semelhante ao do café, mas sem cafeína. Use a raiz de chicória no Eletuário Prebiótico de Mel (p. 104) e no *Chai* de Raiz de Chicória Torrada (p. 111).

Confrei (*Symphytum officinale*): O confrei é um potente cicatrizante anti-inflamatório, e tanto a raiz quanto as folhas podem ser utilizadas. Em geral, é usado externamente como cataplasma para ferimentos, queimaduras e fraturas. Ele acelera a cicatrização e promove o crescimento de novas células epiteliais. Não deve ser usado em ferimentos profundos ou infeccionados, pois cicatrizará primeiro a superfície e pode potencialmente selar a infecção dentro da ferida. Há evidências conflitantes sobre o uso interno do confrei ser seguro ou não, então, utilize-o com cautela. Use o confrei na Pomada Cicatrizante com Quatro Ervas (p. 62) e na Pomada com Ervas e Mel para Queimaduras (p. 65).

Cravo-da-índia (*Syzygium aromaticum*): Como a canela, o cravo-da-índia é outro tempero comum de cozinha, aromático e termogênico. É analgésico, sendo altamente eficaz no alívio da dor e bem conhecido por reduzir muito a dor de dente. Também é anti-inflamatório, antisséptico, antibacteriano, adstringente e ajuda na digestão. Use o cravo-da-índia na Tintura de Uísque com Cravo para Dor de Dente (p. 89) e no *Chai* de Raiz de Chicória Torrada (p. 111).

Cúrcuma (*Curcuma longa*): Também conhecida como açafrão-da-terra, esta planta aparentada ao gengibre tem uma raiz de viva cor alaranjada, com potentes propriedades anti-inflamatórias e analgésicas, especialmente em combinação com a pimenta-do-reino. A cúrcuma também é antibacteriana, ajuda a melhorar a imunidade e é um digestivo termogênico (provoca aquecimento). Use a raiz de cúrcuma na Infusão de Vinagre para Aumentar a Imunidade (Quente ou Não) (p. 43), no Chá de Cúrcuma e Pimenta-do-Reino para Inflamação Crônica (p. 61) e no Xarope de Decocção de Gengibre e Cúrcuma com Mel (p. 103).

Dente-de-leão, raiz (*Taraxacum officinale*): A raiz do dente-de-leão, uma erva comum, é potente como desintoxicante do fígado, purificadora do sangue e diurética. Também promove a digestão e ajuda a acalmar problemas estomacais. É rica em antioxidantes e pode ser boa para a regulação dos níveis de colesterol. A raiz torrada de dente-de-leão rende um chá maravilhoso, cujo sabor se assemelha ao do café. Use a raiz de dente-de-leão no Tônico para o Fígado (p. 93), no Eletuário Prebiótico de Mel (p. 104), no *Bitter* de Raízes de

Dente-de-Leão e de Bardana (p. 115) e no Chá de Longa Infusão para Fertilidade (p. 169).

Equinácea[34] (*Echinacea angustifolia*): A equinácea é um estimulante forte, mas seguro, do sistema imunológico, sendo mais eficaz quando consumida ao primeiro sinal de doença ou infecção. Também tem potentes propriedades antimicrobianas, antifúngicas e antibacterianas. É particularmente boa no tratamento de infecções respiratórias e dores de garganta. Use a equinácea no Chá para Superimunidade (p. 27), na Tintura de Raiz e Flor de Equinácea (p. 32) e no Extrato Glicólico de Sabugueiro e Equinácea para Resfriados e Gripes (p. 186).

Erva-cidreira (*Melissa officinalis*): Também conhecida como melissa, a erva-cidreira é uma planta da família da hortelã, com um cheiro característico alimonado, altamente aromático. É calmante para os sistemas nervoso e digestório em razão de seus óleos voláteis e propriedades antiespasmódicas. É um remédio eficaz para tratar a depressão, a ansiedade, o estresse e a insônia, bem como um potente antiviral, muito usado para amenizar as feridas causadas pelo vírus do herpes. A erva-cidreira é segura e bastante conceituada quanto ao uso por crianças, e com frequência é utilizada para acalmar crianças insones ou hiperativas. Use-a no Chá para Alívio da Dor de Cabeça (p. 73), no Bálsamo Labial de Erva-Cidreira para Herpes (p. 98), no Chá Quatro Mentas Quente ou Gelado (p. 112) e no Chá Calmante para Crianças (p. 185).

Erva-de-gato (*Nepeta cataria*): A erva-de-gato, conhecida também como *catnip*, é excelente não apenas para nossos amigos felinos, mas também para crianças e adultos. É um sedativo calmante e suave, sendo um antiespasmódico. Como diaforético, induz a perspiração e é eficaz na redução da febre. Essa erva também é um analgésico anti-inflamatório e boa para problemas digestivos. Use a erva-de-gato no Chá para Baixar a Febre (p. 85), no Chá Quatro Mentas Quente ou Gelado (p. 112), no Chá Durma Bem (p. 124) e no Chá Calmante para Crianças (p. 185).

Erva-de-são-joão (*Hypericum perforatum*): Também conhecida como hiperico, esta planta de pequenas flores amarelas cresce em quase todo canto como "erva daninha", e pode ser coletada com facilidade.[35] É um nervino e sedativo muito eficaz, com potentes propriedades antidepressivas, bem como um poderoso cicatrizante de ferimentos e anti-inflamatório. Use a erva-de-são-joão no Óleo de Erva-de-São-João e Pimenta-Caiena para Aquecer (p. 53) e na Tintura de Erva-de-São-João para Levantar o Astral (p. 131).

Escutelária[36] (*Scutellaria lateriflora*): Esta erva, da família das mentas, é eficaz como sedativo e tônico dos nervos. É antiespasmódica e ajuda a aliviar a tensão nervosa, o estresse, a ansiedade e a dor. Também é muito benéfica para reduzir a dor de cabeça. Use-a no Chá para Alívio da Dor de Cabeça (p. 73).

Esparguta (*Stellaria media*): Erva rasteira encontrada quase em qualquer lugar,[37] a esparguta é mucilaginosa e constitui um emoliente hidratante que é excelente para problemas da pele. Ela é refrescante, adstringente e um cicatrizante anti-inflamatório. A esparguta é também uma erva espontânea muito nutritiva, que pode ser utilizada tanto como alimento quanto como medicamento. Use-a na Infusão de *Aloe vera* para Queimadura de Sol (p. 69), na Pomada para o Alívio de Eczema (p. 97), na Loção Calmante de Esparguta em Barra (p. 147), no Bálsamo para Mãos Secas (p. 148) e na Pomada para Assaduras de Bebês (p. 181).

Framboesa (*Rubus idaeus*): A folha da framboesa é conhecida sobretudo como um tônico para a mulher durante a gravidez e o pós-parto. É rica em muitas vitaminas e minerais, e tonifica o útero, possivelmente facilitando o parto. Também é indicada para aumentar a fertilidade. Gestantes devem consultar seu médico ou parteira antes de consumir a folha de framboesa, especialmente durante o primeiro trimestre de gestação. Use-a no Chá de Longa Infusão para

---

[34] Nativa da América do Norte. Esta erva não é cultivada no Brasil. É encontrada na forma de cápsulas. Também é possível importar produtos e sementes da espécie. (N.R.)

[35] A *Hypericum perforatum* é uma espécie aclimatada no Brasil e fácil de adquirir em lojas de produtos fitoterápicos. (N.R.)

[36] Não é utilizada, nem tampouco cultivada no Brasil. A escutelária utilizada na medicina chinesa trata-se, de fato, de outra planta com propriedades e finalidades distintas (*S. Baicalensis* – infecções respiratórias e *S. Lateriflora* – digestiva). (N.R.)

[37] "Esparguta" ou "esperguta", é conhecida também por "morugem" no Brasil. Trata-se, na verdade, de uma espécie estrangeira e rara no país, sendo possível importar sementes ou seus produtos fitoterápicos derivados. Obs.: Esta erva faz parte do Manual de Plantas Infestantes para o agronegócio e hortifrútis, sendo considerada danosa para os agricultores nacionais. (N.R)

Fertilidade (p. 169), no Chá Tônico para a Gravidez (p. 170) e no Chá para Lactação (p. 173).

Funcho (*Foeniculum vulgare*): É uma planta que forma um bulbo, cujas sementes são muito benéficas para o sistema digestório. Elas estimulam a digestão e o apetite, e também ajudam em caso de indigestão. São antiespasmódicas, anti-inflamatórias e, como galactagogas, aumentam a produção de leite. Use as sementes de funcho no Chá Pós-Refeição de Funcho e Cardamomo para a Barriga (p. 107), no *Bitter* de Salsaparrilha e Funcho (p. 116) e no Chá para Lactação (p. 173).

Gengibre (*Zingiber officinale*): Esta raiz é um estimulante termogênico do sistema imunológico que também aumenta a circulação, alivia a náusea e a dor intestinal, e é um antiespasmódico para a digestão. Também ajuda a sudorese para baixar a febre, e tem potentes propriedades anti-inflamatórias e antimicrobianas. Use o gengibre no Chá para Superimunidade (p. 27), em Alho, Gengibre e Sálvia Fermentados no Mel (p. 35), no Mel com Sabugueiro, Gengibre e Canela (p. 39), na Infusão de Vinagre para Aumentar a Imunidade (Quente ou Não) (p. 43), no Chá de Sálvia, Alteia e Gengibre para Dor de Garganta (p. 77), no Xarope de Decocção de Gengibre e Cúrcuma com Mel (p. 103), no *Chai* de Raiz de Chicória Torrada (p. 111) e na Infusão de Vinagre com Ervas para Azia (p. 119).

Girassol (*Helianthus annuus*): Esta florífera alta, vistosa e alegre é uma visão comum nos jardins de verão, e surpreendentemente também traz alguns benefícios medicinais. O girassol é rico em antioxidantes e funciona como um anti-inflamatório para a pele. É usado com frequência em produtos naturais para o cuidado dos cabelos, dando brilho e agindo como condicionador. Use o girassol no Vinagre de Enxágue com Girassol, Folha de Violeta e Hortelã para Cabelos (p. 160).

Hamamélis[38] (*Hamamelis virginiana*): A casca e as folhas do arbusto de hamamélis têm um conteúdo elevado de taninos e são muito adstringentes. O chá de hamamélis é usado de forma tópica como um cicatrizante de ferimentos refrescante e anti-inflamatório, bem como um tônico geral para a pele. É muito eficaz no tratamento de hemorroidas e, quando usada em um banho de imersão pós-parto, é calmante e terapêutica. A hamamélis não deve ser ingerida. Use-a na Loção de Hamamélis e Folha de Amora-Preta para Limpeza Facial (p. 156).

Hibisco[39] (*Hibiscus sabdariffa*): Esta bela flor tropical é antibacteriana, adstringente e rica em antioxidantes e vitamina C. É também muito eficaz para baixar a pressão. Gestantes devem evitar o consumo de hibisco. Caso você use medicamentos para a pressão sanguínea, por favor, consulte seu médico antes de utilizar o hibisco. Use-o no Chá de Vitamina C (p. 28), no Chá de Pilriteiro e Hibisco para o Coração (p. 90) e no Chá de Longa Infusão para Fertilidade (p. 169).

Hortelã-pimenta (*Mentha piperita*): Esta clássica planta da família das mentas é fácil de cultivar e às vezes pode tornar-se invasora. Como um carminativo e antiespasmódico refrescante, é especialmente boa para o sistema digestório, ajudando no tratamento de náusea, indigestão, flatulência, refluxo ácido e mau hálito. Também tem potente ação antimicrobiana e analgésica. Lactantes devem evitar seu uso, pois pode secar o leite. Use a hortelã-pimenta no Óleo com Lavanda e Hortelã-Pimenta para Dores Musculares (p. 54), no Chá de Tomilho, Hortelã-Pimenta e Mel para Tosse (p. 81), no Chá Quatro Mentas Quente ou Gelado (p. 112), na Infusão de Vinagre com Ervas para Azia (p. 119), na Vaporização Facial Relaxante de Ervas (p. 139) e no Chá Tônico para a Gravidez (p. 170).

Lavanda (*Lavandula* spp.): Esta flor aromática de colorido arroxeado é muito usada no paisagismo. A lavanda é calmante, ajuda a aliviar a tensão e o estresse, além de ser um antidepressivo natural. É também antibacteriana, antifúngica, antisséptica e antiespasmódica. Em razão de seu perfume agradável e propriedades anti-inflamatórias, é usada com frequência em produtos para o cuidado da pele. Utilize a lavanda no Óleo com Lavanda e Hortelã-Pimenta para Dores Musculares (p. 54), na Pomada com Ervas e Mel para Queimaduras (p. 65), no Óleo de Massagem Calmante (p. 128), no Banho de Imersão Rejuvenescedor com Flores (p. 136), na Vaporização Facial Relaxante de Ervas (p. 139), na Manteiga Corporal Terapêutica Batida com Flores (p. 143), no Bálsamo para Mãos Secas (p. 148), no Bálsamo para Espinhas (p. 155) e no Bálsamo para Dodóis (p. 182).

---

[38] Esta é uma espécie nativa da América do Norte. No Brasil, o nome hamamélis é atribuído a outra espécie, *Loropetalum chinense*. A hamamélis medicinal está disponível em fornecedores fitoterápicos. (N.R.)

[39] Não deve ser confundido com o hibisco ornamental (*H. rosa-sinensis*) muito comum em todo o Brasil. (N.T)

Maconha (*Cannabis sativa subsp.*): O uso medicinal desta planta controversa está se popularizando cada vez mais à medida que é legalizada em mais lugares. A maconha é analgésica, antiespasmódica, nervina, psicodélica e sedativa. O tetrahidrocanabinol (THC) e o canabidiol (CBD) são os principais compostos medicinais da maconha, mas há muitos outros. O THC tem a maior psicoatividade (a sensação de estar "chapado"), enquanto o CBD é um analgésico com psicoatividade mínima. Por favor, verifique a legislação local e as exigências para o uso legal antes de utilizar essa planta como medicamento. Use-a no Óleo de Coco com Infusão de Maconha para Dores Corporais (p. 50).

Manjericão (*Ocimum basilicum*): Esta erva culinária comum também é altamente medicinal. O manjericão tem ação digestiva carminativa, além de ser um analgésico anti-inflamatório. É também antibacteriano, antioxidante e antiespasmódico. Como emenagogo, não deve ser usado em grandes quantidades durante a gravidez; o uso culinário em pequenas quantidades não traz problemas. Use o manjericão no Oximel de Ervas Culinárias Frescas (p. 40) e no Chá de Manjericão, Tomilho e Orégano para Dor Crônica (p. 58).

Manjericão santo (*Ocimum sanctum*): Também conhecido como tulsi, esse parente aromático do manjericão culinário é um adaptógeno potente, e uma das melhores ervas para reduzir o estresse e a ansiedade. Além de ser rico em antioxidantes, tem propriedades antibacterianas, antifúngicas e anti-inflamatórias. Use o manjericão santo no Chá para Alívio do Estresse (p. 127).

Maracujá[40] (*Passiflora incarnata*): Esta trepadeira tem belas flores, que são usadas há séculos como um remédio tradicional. A flor de maracujá é sedativa e pode ajudar a tratar a insônia e outros distúrbios do sono. Também é antiespasmódica e eficaz no tratamento da ansiedade e no relaxamento da mente e do corpo. Não deve ser utilizada por gestantes. Use-a no Chá para Alívio do Estresse (p. 127) e no Vinho com Infusão de Flor de Maracujá (p. 135).

Marroio-branco (*Marrubium vulgare*): Esta erva adstringente e muito amarga tornou-se amplamente naturalizada em muitos lugares, motivo pelo qual em geral é fácil coletá-la. Tem sido usada há séculos na medicina popular para tratar problemas respiratórios e dor de garganta. É um expectorante eficaz e também um anti-inflamatório. Use-a no Xarope de Marroio-Branco para Dor de Garganta (p. 78).

Matricária (*Tanacetum parthenium*): Esta flor da família da margarida, às vezes chamada de tanaceto, é um potente anti-inflamatório, excelente para aliviar dores de cabeça e prevenir enxaquecas. Também alivia a dor e o inchaço da artrite reumatoide. A matricária deve ser evitada por gestantes e por pessoas alérgicas à erva-de-santiago. Use-a na Tintura de Matricária para Prevenção de Enxaqueca (p. 74).

Mil-folhas[41] (*Achillea millefolum*): Esta planta tem folhas características, muito recortadas; suas flores em geral são brancas, mas podem ser rosadas, vermelhas, amarelas ou alaranjadas. A mil-folhas é um potente cicatrizante, e o cataplasma feito de suas folhas ajuda na coagulação do sangue. É antisséptica, anti-inflamatória, antiespasmódica e diurética. Por ser uma planta de mil e uma utilidades, é importante saber identificá-la na natureza. Alérgicos à erva-de-santiago devem evitar usá-la. Mulheres grávidas devem evitar ingeri-la. Use a mil-folhas na Pomada Cicatrizante com Quatro Ervas (p. 62), no Chá para Baixar a Febre (p. 85) e no Chá para Alívio de Infecções Urinárias (p. 94).

Olmo-vermelho[42] (*Ulmus fulva*): A parte interna da casca do olmo-vermelho é altamente mucilaginosa e excelente para reduzir a dor e a inflamação. É um digestivo eficaz, sendo também usado no tratamento de dores de garganta e tosse. Em razão da falta de ética na coleta, o olmo-vermelho é considerado uma planta em risco de extinção, portanto use-a com moderação e compre apenas de fontes confiáveis. A raiz de alteia é uma boa alternativa sustentável. Use o olmo-vermelho no Xarope de Marroio-Branco para Dor de Garganta (p. 78).

Orégano (*Origanum vulgare*): Esta erva perene de uso culinário comum é ótima para o sistema imunológico e possui propriedades antibacterianas, antivirais e antissépticas (plantas do gênero *Malva*). O orégano também tem poderosa ação anti-inflamatória, e pode

---

[40] Assim como no caso das plantas do gênero *Malva*, o mesmo se aplica ao caso das outras espécies de maracujá nativas: todas têm propriedades e efeitos similares. (N.R.)

[41] Cultivada no Brasil em pequena escala em regiões de clima menos quente. É adquirida sob a forma de chá em fornecedores de produtos fitoterápicos. (N.T.)

[42] O nome aceito pelos botânicos é *Ulmus rubra*, mas *U. fulva* continua sendo usado na fitoterapia. Essa espécie é nativa da América do Norte e pode ser encontrada e adquirida em lojas de produtos fitoterápicos. (N.R.)

ser utilizado de forma interna ou tópica, para reduzir a dor ou aumentar a imunidade. Use-o no Oximel de Ervas Culinárias Frescas (p. 40), na Infusão de Vinagre para Aumentar a Imunidade (Quente ou Não) (p. 43), no Óleo com Infusão de Orégano e Limão (p. 44) e no Chá de Manjericão, Tomilho e Orégano para Dor Crônica (p. 58).

Palha de aveia (*Avena sativa*): A aveia é uma gramínea cujas hastes proporcionam imensos benefício medicinais. Sendo um nervino, a palha de aveia ajuda a acalmar os nervos e a reduzir o estresse e a ansiedade. Também é muito rica em vitaminas, minerais e oligoelementos. É consumida frequentemente como um chá forte, que pode ser tomado todos os dias. É uma erva muito segura, podendo ser consumida por toda a família. Pode ser substituída pela aveia com casca. Use a palha de aveia no Chá de Longa Infusão de Urtiga e Palha de Aveia para Vitalidade (p. 123).

Papoula-da-califórnia[43] (*Eschscholzia californica*): Flor símbolo do estado da Califórnia, é nativa do oeste dos Estados Unidos e noroeste do México. É sedativa, analgésica, antiespasmódica e pode ser usada externamente como um antimicrobiano. É um mito que sua coleta seja ilegal na Califórnia; a espécie é protegida apenas em propriedades federais e estaduais, mas pode ser colhida em qualquer outro local. Use-a na Tintura de Papoula-da-Califórnia para Relaxamento (p. 132).

Pilriteiro[44] (*Crataegus monogyna*): As bagas do pilriteiro são um tônico eficaz para o coração, e podem ajudar a tratar problemas de pressão alta ou baixa e doenças do coração. São também adstringentes e constituem um diurético que pode ajudar a regular os níveis de colesterol. Além dos problemas cardíacos, as bagas de pilriteiro também podem ajudar a curar as dores de um coração partido. Por favor, consulte seu médico antes de consumi-las caso você tenha algum problema de coração ou se faz uso de qualquer tipo de medicamento para o coração ou para a pressão sanguínea. Use as bagas de pilriteiro no Chá de Pilriteiro e Hibisco para o Coração (p. 90).

Pimenta-caiena (*Capsicum anuum*): Esta pimenta picante é um estimulante termogênico do sistema circulatório, e um potente analgésico para uso tópico. É também um digestivo carminativo, fortalece o sistema imunológico, constitui um tônico para o coração e tem propriedades antimicrobianas. Use-a na Infusão de Vinagre para Aumentar a Imunidade (Quente ou Não) (p. 43) e no Óleo de Erva-de-São-João e Pimenta-Caiena para Aquecer (p. 53).

Pimenta-do-reino (*Piper nigrum*): Este tempero culinário comum é antioxidante, antiespasmódico, diurético, aromático e estimulante termogênico (provoca aquecimento), melhorando a circulação. A piperina presente na pimenta-do-reino aumenta a biodisponibilidade da curcumina que há na cúrcuma. Use a pimenta-do-reino no Chá de Cúrcuma e Pimenta-do-Reino para Inflamação Crônica (p. 61) e no Chai de Raiz de Chicória Torrada (p. 111).

Pinheiro, agulhas (*Pinus* spp.): As agulhas da maioria dos pinheiros[45] têm propriedades comestíveis e medicinais. São aromáticas e têm propriedades antibacterianas e analgésicas. As agulhas de pinheiros são ricas em vitamina C e constituem um eficaz expectorante para a tosse. Gestantes devem evitar utilizar as agulhas do pinheiro ponderosa. Use as agulhas de pinheiro no Xarope de Agulha de Pinheiro para Tosse (p. 82).

Rosa (*Rosa* spp.): Esta flor muito popular nos jardins é comestível e tem uso medicinal. Tanto a flor quanto o fruto são benéficos. As pétalas de rosa refrescam e são anti-inflamatórias, e as flores são usadas com frequência em receitas para o cuidado da pele. Os frutos de rosa ajudam a fortalecer o sistema imunológico e são extremamente ricos em vitamina C. Use a rosa no Chá para Superimunidade (p. 27), no Chá de Vitamina C (p. 28), no Banho de Imersão Rejuvenescedor com Flores (p. 136), no Sérum Facial de Pétalas e Frutos de Rosa (p. 144) e no Extrato Glicólico de Calêndula e Fruto de Rosa para Aumentar a Imunidade (p. 189).

Sabugueiro (*Sambucus nigra*): Tanto as flores quanto as bagas dessa árvore são altamente medicinais, sobretudo para tratar resfriados e gripes. As flores induzem a sudorese para baixar a febre e são benéficas para problemas de pele. As bagas são superpotentes

---

[43] Cultivada no Brasil como planta ornamental. É possível comprar/encontrar produtos fitoterápicos importados, na forma de sementes importadas ou como plantas ornamentais. (N.R.)

[44] Conhecido no Brasil mais pelo nome "Crataegus". O *Crataegus Oxyacantha* possui as mesmas propriedades/utilizados para as mesmas funções fitoterápicas. (N.R.)

[45] A espécie brasileira não possui propriedades medicinais conhecidas ou utilizadas. É confiável apenas adquirir produtos derivados da espécie aqui citada, em lojas de produtos fitoterápicos. (N.R.)

Perfis de Ervas e Flores

como antiviral e no aumento da imunidade. Em razão de sua poderosa capacidade de provocar uma resposta do sistema imunológico, o sabugueiro não deve ser usado por pessoas com qualquer tipo de doença autoimune. Use as flores de sabugueiro no Chá para Baixar a Febre (p. 85) e na Manteiga Corporal Terapêutica Batida com Flores (p. 143). Use as bagas no Chá para Superimunidade (p. 27), na Tintura de Sabugueiro e Astrágalo (p. 31), no Mel com Sabugueiro, Gengibre e Canela (p. 39) e no Extrato Glicólico de Sabugueiro e Equinácea para Resfriados e Gripes (p. 186).

Salsaparrilha[46] (*Smilax ornata*): A raiz da salsaparrilha, uma espécie de trepadeira, tem sido tradicionalmente usada na elaboração de cerveja de raiz (*root beer*) à moda antiga. É rica em saponinas anti-inflamatórias, que lhe conferem um sabor amargo, e é boa para o sistema digestório. Use a salsaparrilha no *Bitter* de Salsaparrilha e Funcho (p. 116).

Sálvia[47] (*Salvia officinalis*): Esta erva culinária cultivada em jardins é potente no fortalecimento do sistema imunológico, e ajuda no combate de resfriados e gripes. É adstringente e antisséptica, o que faz dela um remédio eficaz para tratar dor de garganta e tosse. É também benéfica para acalmar os nervos e reduzir o estresse. Lactantes devem evitar seu uso, pois pode secar o leite. Utilize a sálvia em Alho, Gengibre e Sálvia Fermentados no Mel (p. 35), no Oximel de Ervas Culinárias Frescas (p. 40), no Chá de Sálvia, Alteia e Gengibre para Dor de Garganta (p. 77), no Chá para Alívio do Estresse (p. 127) e no Shampoo Natural de Ervas (p. 159).

Tanchagem (*Plantago major*): Esta "planta daninha" comum e fácil de identificar tem potentes propriedades anti-inflamatórias e antimicrobianas. É excelente para curar feridas e aliviar a comichão de picadas, ferroadas e erupções da pele. É usada mais frequentemente de forma externa como cataplasma ou em pomadas e bálsamos medicinais. Use a tanchagem na Pomada Cicatrizante com Quatro Ervas (p. 62), no Bálsamo para Comichão e Dor de Picadas (p. 66), na Pomada para o Alívio de Eczema (p. 97) e na Pomada para Assaduras de Bebês (p. 181).

Tomilho (*Thymus vulgaris*): Esta erva, de cultivo comum em jardins, tem uma potente propriedade desinfetante que ajuda a combater infecções. O tomilho é uma erva tônica com benefícios antifúngicos, aumenta a imunidade, e é excelente para o tratamento de dores de garganta, tosses e resfriados. Use o tomilho em Cebola Roxa e Tomilho Fermentados no Mel (p. 36), no Oximel de Ervas Culinárias Frescas (p. 40), na Infusão de Vinagre para Aumentar a Imunidade (Quente ou Não) (p. 43), no Chá de Manjericão, Tomilho e Orégano para Dor Crônica (p. 58), no Chá de Tomilho, Hortelã-Pimenta e Mel para Tosse (p. 81), no Shampoo Natural de Ervas (p. 159) e no Tratamento com Alecrim e Tomilho para Descamação do Couro Cabeludo (p. 163).

Trevo-vermelho (*Trifolium pratense*): Esta flor, comum em gramados e áreas de pasto,[48] é rica em vitaminas e minerais. Tem um poderoso efeito na limpeza do sangue e do sistema linfático, e é bom para tratar problemas respiratórios. É usado para aumentar a fertilidade e em casos de problemas da menopausa. Seu uso deve ser evitado por gestantes. Utilize o trevo-vermelho no Chá de Longa Infusão para Fertilidade (p. 169).

Urtiga[49] (*Urtica dioica*): Esta planta cresce em estado silvestre em muitos lugares, mas o contato com as folhas frescas queima a pele, portanto deve-se ter cuidado ao coletá-la. O composto urticante é removido com a secagem ou o aquecimento da erva. A urtiga é um potente desintoxicante e tônico, que fortalece os sistemas urinário, digestivo, respiratório e reprodutivo. É rica em muitas vitaminas e minerais e proporciona um chá tônico altamente nutritivo. Também é boa para os cabelos e o couro cabeludo. Use a urtiga no Tônico para o Fígado (p. 93), no Chá de Longa Infusão de Urtiga e Palha de Aveia para Vitalidade (p. 123), no Óleo de Abeto e Urtiga para Barba (p. 164), no Chá de Longa Infusão para Fertilidade (p. 169) e no Óleo para Crosta Láctea (p. 178).

---

[46] A espécie comum de salsaparrilha na América Central e no Brasil é a *Smilax officinalis* – possui as mesmas propriedades citadas da *Smilax ornata*. (N.R.)
[47] Cultivada em escala comercial no Brasil, não deve ser confundida com a sálvia-vermelha (*Salvia splendens*), flor com finalidade ornamental muito cultivada no país. (N.T.)
[48] Não se aplica ao Brasil. É uma espécie do hemisfério norte, cultivada aqui como forrageira. Encontrado sobretudo na forma de cápsulas, pode ser adquirido em lojas de produtos fitoterápicos. (N.R.)
[49] Existe como espécie cultivada e subespontânea no Brasil. É preciso cautela, pois há muitas espécies nativas conhecidas como urtiga (em especial *Urera bacifera*, de uso tradicional, mas ainda pouco estudada). Cabe aqui, e em outros casos, identificar a planta antes de seu uso. No Brasil, a mesma espécie é conhecida pelo chá de urtigão/urtiga maior (*Urtiga dioica*). (N.T.)

Uva-ursi[50] (*Arctostaphylos uva-ursi*): Também conhecida como uva-de-urso, este arbusto baixo sempre-verde é altamente benéfico para o sistema urinário. É um potente adstringente e diurético, com propriedades antibacterianas e antissépticas. Não use a uva-ursi por períodos superiores a uma semana. Não deve ser administrada a crianças com 12 anos ou menos. Use a uva-ursi no Chá para Alívio de Infecções Urinárias (p. 94).

Valeriana[51] (*Valeriana officinalis*): A raiz da flor de valeriana é um tônico para os nervos muito eficaz no tratamento do estresse, tensão e insônia. É uma das melhores ervas para induzir o sono. A valeriana também é um relaxante muscular, além de ser benéfica para o tratamento de dores de cabeça e dores em geral. Para algumas pessoas, ela é estimulante; interrompa o uso como indutor de sono caso perceba esse efeito. Use a raiz da valeriana no Chá Durma Bem (p. 124).

Verbasco[52] (*Verbascum thapsus*): Esta "erva daninha" de ampla distribuição costuma crescer ao longo de estradas e em áreas de vegetação alterada, e é facilmente identificada por seu pendão floral amarelo longo e ereto. A folha é antiespasmódica e um potente expectorante, o que a torna benéfica para o sistema respiratório. As flores são antissépticas e anti-inflamatórias e, com frequência, são utilizadas de modo eficaz para tratar infecções de ouvido. Use as flores no Óleo de Flor de Verbasco para Dor de Ouvido (p. 86).

Violeta, folha[53] (*Viola* spp.): Esta planta silvestre rasteira tem pequenas flores comestíveis, em geral roxas, mas às vezes brancas ou amarelas, e folhas em formato de coração. A folha de violeta é altamente mucilaginosa e emoliente, e é muito utilizada em produtos para o cuidado da pele e dos cabelos. Use-a no Bálsamo para Mãos Secas (p. 148), no Vinagre de Enxágue com Girassol, Folha de Violeta e Hortelã para Cabelos (p. 160) e no Óleo para Crosta Láctea (p. 178).

Zimbro, bagas (*Juniperus communis*): As bagas de zimbro têm muitas propriedades medicinais. Constituem um poderoso diurético, o que as torna benéficas para os rins e o trato urinário. São, ainda, adstringentes, antissépticas e antivirais. Consulte um guia de campo quando for coletar as bagas de zimbro,[54] pois algumas variedades são levemente tóxicas e devem ser evitadas. Use as bagas de zimbro no Chá para Alívio de Infecções Urinárias (p. 94).

---

[50] Não é nativa, nem tampouco cultivada no Brasil. Aparentemente, está disponível aqui apenas na forma de medicamento fitoterápico já pronto. (N.T.)

[51] No Brasil, a raiz de valeriana só está disponível para venda em fornecedores fitoterápicos. Esta espécie não ocorre, nem é cultivada no Brasil, por ser de clima frio. Há 17 outras espécies do gênero nativas do Brasil, a maioria restrita ao Rio Grande do Sul. Toda matéria-prima utilizada em medicamentos fitoterápicos no Brasil é importada. (N.T.)

[52] É possível encontrar produtos fitoterápicos da espécie em lojas especializadas. A "flor de verbasco", é citada algumas vezes no livro, já que é comum encontrá-la em seu habitat natural nos EUA. No Brasil, a espécie com valor medicinal somente é encontrada em forma de produtos fitoterápicos. (N.R.)

[53] Esta violeta, da família *Violaceae*, não é a violeta-africana (*Saintpaulia* spp.), muito popular no Brasil e pertencente a outra família bem diferente (*Gesneriaceae*). Embora ocorram como nativas no Brasil, as violetas do gênero *Viola* são muito menos conhecidas aqui. Há espécies cultivadas, mas são muito menos populares que a violeta-africana. (N.T.)

[54] As bagas das variedades nativas não devem ser utilizadas. O recomendado é somente adquirir zimbro de fornecedores confiáveis (lojas especializadas etc.). (N.R.)

Perfis de Ervas e Flores

RECURSOS

LIVROS

Estes são os livros que mais consulto sobre coleta, fitoterapia e cuidado natural com a pele, e que me ajudaram a escrever esta obra.

Edible and Medicinal Plants in Wild (and Not So Wild) Places, de "Wildman" Steve Brill.

Medicinal Herbs: A Beginner's Guide, de Rosemary Gladstar.

Herbal Recipes for Vibrant Health, de Rosemary Gladstar.

The Herbal Medicine-Maker's Handbook, de James Green.

Making Plant Medicine, de Richo Cech.

101 Easy Homemade Products for Your Skin, Health, & Home, de Jan Berry.

WEBSITES

Grow Forage Cook Ferment – Meu blog! Siga-me e veja dicas sobre coleta de plantas na natureza, receitas de comidas de verdade, receitas de fermentações e conservas, ideias para jardinagem e permacultura, e inspiração para a fitoterapia. https://www.growforagecookferment.com/

The Nerdy Farm Wife – o blog de Jan Berry tem receitas de produtos totalmente naturais para banho e beleza, sabonetes e fitoterapia. https://thenerdyfarmwife.com/

The Herbal Academy – Um ótimo lugar para se fazer cursos on-line sobre fitoterapia. Há cursos voltados para principiantes e alunos mais avançados. https://theherbalacademy.com/

Chestnut School of Herbal Medicine – Outro lugar incrível para fazer cursos on-line sobre fitoterapia e colheita. https://chestnutherbs.com/

INSUMOS

Mountain Rose Herbs – É onde compro quase todas as ervas e flores secas que eu mesma não colho. São produtos orgânicos e de qualidade muito elevada. Eles também fornecem cera de abelha, manteigas, óleos carreadores, óleos essenciais, frascos e latas pequenos e quase tudo o mais que de você necessita para fazer produtos caseiros à base de ervas. https://www.mountainroseherbs.com/

Fillmore Container – Dispõem de uma seleção incrível de potes de conserva, bem como garrafas e outros tipos de frascos, de diferentes formatos e tamanhos, para guardar suas infusões já finalizadas. https://www.fillmorecontainer.com/

Desidratador Excalibur – Meu desidratador preferido, é nele que faço a maioria de meus óleos de infusão, porque permite programar temperaturas não muito elevadas, e posso colocar nele vários potes de uma vez. https://www.excaliburdehydrator.com/

Azure Standard – Este clube de compras de alimento de inscrição gratuita é o melhor lugar para comprar no atacado produtos orgânicos e de alta qualidade, como mel cru, óleo de coco, azeite de oliva e vinagre cru de maçã. https://www.azurestandard.com/

PRODUTOS HERBAIS

Coco's Herbals Etsy Shop – Esta é minha loja na plataforma Etsy, onde vendo pomadas, bálsamos e barras de loção feitos à mão, incluindo alguns cujas receitas estão neste livro. https://www.etsy.com/shop/CocosHerbals

AGRADECIMENTOS

Primeiro, gostaria de agradecer aos leitores de meu blog, Grow Forage Cook Ferment [Plante Colha Cozinhe Fermente]. Vocês são incríveis e este livro não existiria sem seu apoio permanente!

Um grande obrigada a Will Kiester e a todos na Page Street Publishing, por aceitarem este livrinho de fitoterapia. Um agradecimento especial a minha editora, Sarah Monroe, por ser tão paciente e por me guiar ao longo de cada passo do caminho.

Sou muito grata a Jan Berry por ter me recomendado à Page Street e por responder a todas as minhas perguntas de maneira gentil e prestativa, durante todo o processo. Você é uma inspiração!

Agradecimentos especiais a minhas colegas blogueiras: Teri, Kathie, Kris, Devon, Susan, Isis, Quinn, Amy S., Janet, Angi, Jess, Chris, Connie, Rachel, Shelle, Tanya, Amy F., Amanda, Ann, Abigail, Meredith, Tessa, Megan, Dawn e Amy D. Vocês são demais. Obrigada por todo seu amor e apoio, nos bons e maus momentos!

Obrigada a Jennifer Anne Nelson por seus belos desenhos de ervas e flores, que tornaram este livro ainda mais especial! Para conhecer melhor a arte de Jen, visite o site: https://www.itsjenniferanne.com/

E obrigada a The Wondersmith por fornecer-me sua incrível caneca de cerâmica feita à mão, para a foto do *Chai* de Raiz de Chicória Torrada! Para conhecer melhor o trabalho de The Wondersmith, visite o site: https://www.thewondersmith.com/

Obrigada à minha irmã, Katy, por me manter centrada, ouvindo-me com mente aberta, dando conselhos valiosos e me fazendo rir ao longo do caminho. Você é incrível como irmã e amiga!

Muito amor à minha mãe, Robin, por sempre acreditar em mim, em qualquer situação, e por achar que sou a melhor no que faço. Eu não seria quem sou sem você. E a meu pai, que já não está neste planeta, mas sei que ficaria orgulhoso da pessoa que me tornei.

Agradeço a meu marido Joel, que me ajudou em cada passo do caminho a fazer este livro acontecer. Você é um parceiro e um pai incrível, e eu literalmente não poderia ter feito isso sem você! Dedico este livro a meu filho Sawyer, espero que você possa viver rodeado de elementos naturais sempre que possível. Vou ensinar a você o caminho das plantas.

E por último, mas não menos importante, à Mãe Terra, que nos dá tudo de que precisamos para a cura, nós só precisamos prestar atenção ao que ela está dizendo.

ÍNDICE REMISSIVO

A

alecrim (*Rosmarinus officinalis*), 191
   Shampoo Natural de Ervas, 159
   Tratamento com Alecrim e Tomilho para Descamação do Couro Cabeludo, 163
   Vaporização Facial Relaxante de Ervas, 139
alho (*Allium sativum*), 191
   Alho, Gengibre e Sálvia Fermentados no Mel, 35
   Infusão de Vinagre para Aumentar a Imunidade (Quente ou Não), 43
Alho, Gengibre e Sálvia Fermentados no Mel, 35
aloe vera, gel de, em Infusão de Aloe para Queimadura de Sol, 69
alteia, raiz (*Althaea officinalis*), 191
   Bálsamo de Cacau e Hortelã para Calcanhar Rachado, 151
   Bálsamo de Camomila, Alteia e Baunilha para Lábios Ressecados, 152
   Chá de Sálvia, Alteia e Gengibre para Dor de Garganta, 77
   Chá Digestivo de Alteia e Canela, 108
   Chá para Alívio de Infecções Urinárias, 94
   Eletuário Prebiótico de Mel 104
   Manteiga para Mamilos Doloridos, 174
   Pomada para Assaduras de Bebês, 181
amora-preta, folha (*Rubus fruticosus*), 191
   Loção de Hamamélis e Folha de Amora-preta para Limpeza Facial, 156
arnica, flores (*Arnica montana*), 191-92
astrágalo, raiz (*Astragalus membranaceus*), 192
   Tintura de Sabugueiro e Astrágalo, 31
   Tônico para o Fígado, 93
azeite de oliva, 19
   Bálsamo de Cacau e Hortelã para Calcanhar Rachado, 151
   Bálsamo Labial de Erva-cidreira para Herpes, 98
   Bálsamo para Mãos Secas, 148
   Loção Calmante de Esparguta em Barra, 147
   Manteiga para Mamilos Doloridos, 174
   Óleo de Abeto e Urtiga para Barba, 164
   Óleo de Erva-de-são-joão e Pimenta-caiena para Aquecer, 53
   Óleo de Verbasco para Dor de Ouvido, 86
   Óleo Infuso de Orégano e Limão, 44
   Pomada Cicatrizante com Quatro Ervas, 62
   Pomada de Arnica para Entorses e Contusões, 49

B

Bálsamo de Cacau e Hortelã para Calcanhar Rachado, 151
Bálsamo Labial de Erva-cidreira para Herpes, 98
Bálsamo para Coceira e Dor de Picadas, 66
Bálsamo para Dodóis, 182
Bálsamo para Espinhas, 155
Bálsamo para Mãos Secas, 148
bálsamos, 19-21
   Bálsamo de Cacau e Hortelã para Calcanhar Rachado, 151
   Bálsamo de Camomila, Alteia e Baunilha para Lábios Ressecados, 152
   Bálsamo Labial de Erva-cidreira para Herpes, 98
   Bálsamo para Coceira e Dor de Picadas, 66
   Bálsamo para Dodóis, 182
   Bálsamo para Espinhas, 155
   Bálsamo para Mãos Secas, 148
   Óleo de Abeto e Urtiga para Barba, 164
Banho de Imersão Rejuvenescedor com Flores, 136
bardana, raiz (*Arctium lappa*), 192
   Bitter de Raízes de Dente-de-leão e de Bardana, 115
   Eletuário Prebiótico de Mel 104
baunilha em fava, em Bálsamo de Camomila, Alteia e Baunilha para Lábios Ressecados, 152
bebidas alcoólicas, 15
   Bitter de Raízes de Dente-de-leão e de Bardana, 115
   Bitter de Salsaparrilha e Funcho, 116
   Tintura de Matricária para Prevenção de Enxaqueca, 74
   Tintura de Erva-de-são-joão para Levantar o Astral, 131
   Tintura de Papoula-da-califórnia para Relaxamento, 132
   Tintura de Raiz e Flor de Equinácea, 32
   Tintura de Sabugueiro e Astrágalo, 31
   Tintura de Uísque com Cravo-da-índia para Dor de Dente, 89
bétula (*Betula* spp.), 57, 192
Chá de Salgueiro-branco e Casca de Bétula para Alívio da Dor, 57
Bitter de Salsaparrilha e Funcho, 116
bitters digestivos, 15, 21
   Bitter de Raízes de Dente-de-leão e de Bardana, 115
   Bitter de Salsaparrilha e Funcho, 116

C

calêndula, flores (*Calendula officinalis*), 192
   Bálsamo de Cacau e Hortelã para Calcanhar Rachado, 151
   Bálsamo para Dodóis, 182
   Bálsamo para Espinhas, 155
   Extrato Glicólico de Calêndula e Fruto de Rosa para Aumentar a Imunidade, 189
   Infusão de Aloe para Queimadura de Sol, 69
   Manteiga Corporal Terapêutica Batida com Flores, 143

Manteiga para Mamilos Doloridos, 174
Óleo com Camomila e Calêndula para Bebês, 177
Óleo para Crosta Láctea, 178
Pomada Cicatrizante com Quatro Ervas, 62
Pomada com Ervas e Mel para Queimaduras, 65
Pomada para Assaduras de Bebês, 181
Pomada para o Alívio de Eczema, 97
camomila, flores (*Matricaria recutita*), 192-93
   Bálsamo de Camomila, Alteia e Baunilha para Lábios Ressecados, 152
   Bálsamo para Dodóis, 182
   Bálsamo para Espinhas, 155
   Banho de Imersão Rejuvenescedor com Flores, 136
   Chá Calmante para Crianças, 185
   Chá Durma Bem, 124
   Chá para Alívio da Dor de Cabeça, 73
   Chá Tônico para a Gravidez, 170
   Óleo com Camomila e Calêndula para Bebês, 177
   Óleo de Massagem Calmante, 128
canela (*Cinnamomum verum*), 192-93
   Bitter de Salsaparrilha e Funcho, 116
   Chá de Vitamina C, 28
   Chá Digestivo de Alteia e Canela, 108
   Chá para Baixar a Febre, 85
   Chai de Raiz de Chicória Torrada, 111
   Mel com Sabugueiro, Gengibre e Canela, 39
   Tintura de Uísque com Cravo-da-índia para Dor de Dente, 89
   Xarope de Decocção de Gengibre e Cúrcuma com Mel, 103
cardamomo, vagens (*Elettaria cardamomum*), 193
   Chá Pós-refeição de Funcho e Cardamomo para a Barriga, 107
   Chai de Raiz de Chicória Torrada, 111
catnip. Veja erva-de-gato
   Chá Calmante para Crianças, 185
   Chá Durma Bem, 124
   Chá para Baixar a Febre, 85
   Chá Quatro Mentas Quente ou Gelado, 112
cebola (*Allium cepa*), 193
   Cebola Roxa e Tomilho Fermentados no Mel, 36
cera de abelha, 19
   Bálsamo de Cacau e Menta para Calcanhar Rachado, 151
   Bálsamo de Camomila, Alteia e Baunilha para Lábios Ressecados, 152
   Bálsamo Labial de Erva-cidreira para Herpes, 98
   Bálsamo para Coceira e Dor de Picadas, 66
   Bálsamo para Dodóis, 182
   Bálsamo para Espinhas, 155
   Bálsamo para Mãos Secas, 148
   Loção Calmante de Esparguta em Barra, 147
   Pomada Cicatrizante com Quatro Ervas, 62
   Pomada de Arnica para Entorses e Contusões, 49
   Pomada para Assaduras de Bebês, 181
   Pomada para o Alívio de Eczema, 97
Chá Calmante para Crianças, 185
Chá de Cúrcuma e Pimenta-do-reino para Inflamação Crônica, 61
Chá de Longa Infusão de Urtiga e Palha de Aveia para Vitalidade, 123

Chá de Longa Infusão para Fertilidade, 169
Chá de Manjericão, Tomilho e Orégano para Dor Crônica, 58
Chá de Pilriteiro e Hibisco para o Coração, 90
Chá de Salgueiro-branco e Casca de Bétula para Alívio da Dor, 57
Chá de Tomilho, Hortelã-pimenta e Mel para Tosse, 81
Chá de Vitamina C, 28
Chá Digestivo de Alteia e Canela, 108
Chá Durma Bem, 124
Chá para Alívio da Dor de Cabeça, 73
Chá para Alívio de Infecções Urinárias, 94
Chá para Alívio do Estresse, 127
Chá para Baixar a Febre, 85
Chá para Dor de Garganta de Sálvia, Alteia e Gengibre, 77
Chá para Lactação, 173
Chá para Superimunidade, 27
Chá Pós-refeição de Funcho e Cardamomo para a Barriga, 107
Chá Quatro Mentas Quente ou Gelado, 112
Chá Tônico para a Gravidez, 170
Chai de Raiz de Chicória Torrada, 111
chás medicinais, 15, 21, 22
   Chá Calmante para Crianças, 185
   Chá de Cúrcuma e Pimenta-do-reino para Inflamação Crônica, 61
   Chá de Longa Infusão de Urtiga e Palha de Aveia para Vitalidade, 123
   Chá de Longa Infusão para Fertilidade, 169
   Chá de Manjericão, Tomilho e Orégano para Dor Crônica, 58
   Chá de Pilriteiro e Hibisco para o Coração, 90
   Chá de Salgueiro-branco e Casca de Bétula para Alívio da Dor, 57
   Chá de Tomilho, Hortelã-pimenta e Mel para Tosse, 81
   Chá de Vitamina C, 28
   Chá Digestivo de Alteia e Canela, 108
   Chá Durma Bem, 124
   Chá para Alívio da Dor de Cabeça, 73
   Chá para Alívio de Infecções Urinárias, 94
   Chá para Alívio do Estresse, 127
   Chá para Baixar a Febre, 85
   Chá para Dor de Garganta de Sálvia, Alteia e Gengibre, 77
   Chá para Lactação, 173
   Chá para Superimunidade, 27
   Chá Pós-refeição de Funcho e Cardamomo para a Barriga, 107
   Chá Quatro Mentas Quente ou Gelado, 112
   Chá Tônico para a Gravidez, 170
   Chai de Raiz de Chicória Torrada, 111
   Tônico para o Fígado, 93
chicória, raiz (*Cichorium intybus*), 193
   Chai de Raiz de Chicória Torrada, 111
   Eletuário Prebiótico de Mel, 104
confrei (*Symphytum officinale*), 193
   Pomada Cicatrizante com Quatro Ervas, 62
   Pomada com Ervas e Mel para Queimaduras, 65
Cravo-da-índia (*Syzygium aromaticum*), 193
   Chai de Raiz de Chicória Torrada, 111
   Tintura de Uísque com Cravo-da-índia para Dor de Dente, 89

Índice Remissivo

crianças e bebês
    Bálsamo para Dodóis, 182
    Chá Calmante para Crianças, 185
    Chá para Lactação, 173
    Extrato Glicólico de Calêndula e Frutos de Rosa para Aumentar a Imunidade, 189
    Extrato Glicólico de Sabugueiro e Equinácea para Resfriados e Gripes, 186
    Óleo com Camomila e Calêndula para Bebês, 177
    Óleo para Crosta Láctea, 178
    Pomada para Assaduras de Bebês, 181
    regras para dosagem, 23
cúrcuma, raiz (*Curcuma longa*), 193-94
    Chá de Cúrcuma e Pimenta-do-reino para Inflamação Crônica, 61
    Infusão de Vinagre para Aumentar a Imunidade (Quente ou Não), 43
    leite de cúrcuma (leite dourado), 61
    Xarope de Decocção de Gengibre e Cúrcuma com Mel, 103

D

decocções, 15, 21
dente-de-leão, raiz (*Taraxacum officinale*), 193-94
    Bitter de Raízes de Dente-de-leão e de Bardana, 115
    Chá de Longa Infusão para Infertilidade, 169
    Chá para Alívio de Infecções Urinárias, 94
    Eletuário Prebiótico de Mel, 104
    Tônico para o Fígado, 93
desidratadores, 14
dor de dente, Tintura de Uísque com Cravo para Dor de Dente, 89
dor de garganta
    Chá para Dor de Garganta de Sálvia, Alteia e Gengibre, 77
    Xarope de Marroio-branco para Dor de Garganta, 78
dores de cabeça/enxaqueca
    Chá para Alívio da Dor de Cabeça, 73
    Tintura de Matricária para Prevenção de Enxaqueca, 74
dores
    Bálsamo para Comichão e Dor de Picadas, 66
    Chá de Cúrcuma e Pimenta-do-reino para Inflamação Crônica, 61
    Chá de Manjericão, Tomilho e Orégano para Dor Crônica, 58
    Chá de Salgueiro-branco e Casca de Bétula para Alívio da Dor, 57
    Infusão de *Aloe Vera* para Queimadura de Sol, 69
    Óleo com Lavanda e Hortelã-pimenta para Dores Musculares, 54
    Óleo de Coco com Infusão de Cannabis para Dores Corporais, 50
    Óleo de Erva-de-são-joão e Pimenta-caiena para Aquecer, 53
    Pomada Cicatrizante com Quatro Ervas, 62
    Pomada com Ervas e Mel para Queimaduras, 65
    Pomada de Arnica para Entorses e Contusões, 49

E

Eletuário Prebiótico de Mel, 104

equinácea (*Echinacea angustifolia*), 194
    Chá para Superimunidade, 27
    Extrato Glicólico de Sabugueiro e Equinácea para Resfriados e Gripes, 186
    Tintura de Raiz e Flor de Equinácea, 32
erva-cidreira (*Melissa officinalis*), 194
erva-de-gato (*Nepeta cataria*), 194
erva-de-são-joão *Veja* hipérico, flores
    Óleo de Erva-de-são-joão e Pimenta-caiena para Aquecer, 53
    Tintura de Erva-de-são-joão para Levantar o Astral, 131
erva-de-são-joão, flores (*Hypericum perforatum*), 194
ervas
    aquisição, 12-3
    métodos de secagem, 13-4
    Oximel de Ervas Culinárias Frescas, 40
escutelária (*Scutellaria lateriflora*), 194
    Chá para Alívio da Dor de Cabeça, 73
esparguta (*Stellaria media*), 194
    Bálsamo para Coceira e Dor de Picadas, 66
    Bálsamo para Mãos Secas, 148
    Infusão de *Aloe Vera* para Queimadura de Sol, 69
    Loção Calmante de Esparguta em Barra, 147
    Pomada para Assaduras de Bebês, 181
    Pomada para o Alívio de Eczema, 97
Extrato Glicólico de Calêndula e Fruto de Rosa para Aumentar a Imunidade, 189
extratos glicólicos, 16, 21
    Extrato Glicólico de Calêndula e Frutos de Rosa para Aumentar a Imunidade, 189
    Extrato Glicólico de Sabugueiro e Equinácea para Resfriados e Gripes, 186

F

feno-grego, sementes, em Chá para Lactação, 173
flores, 12-5
framboesa, folha (*Rubus idaeus*), 194-95
    Chá de Longa Infusão para Fertilidade, 169
    Chá para Lactação, 173
    Chá Tônico para a Gravidez, 170
funcho, sementes (*Foeniculum vulgare*), 194
    Bitter de Salsaparrilha e Funcho, 116
    Chá para Lactação, 173
    Chá Pós-refeição de Funcho e Cardamomo para a Barriga, 107

G

gengibre (*Zingiber officinale*), 195
    Alho, Gengibre e Sálvia Fermentados no Mel, 35
    Chá para Dor de Garganta de Sálvia, Alteia e Gengibre, 77
    Chá para Superimunidade, 27
    Chai de Raiz de Chicória Torrada, 111
    Infusão de Vinagre com Ervas para Azia, 119
    Infusão de Vinagre para Aumentar a Imunidade (Quente ou Não), 43
    Mel com Sabugueiro, Gengibre e Canela, 39
    Xarope de Decocção de Gengibre e Cúrcuma com Mel, 103

girassol, pétalas (*Helianthus annuus*), 195
glicerina vegetal
    Extrato Glicólico de Calêndula e Frutos de Rosa para Aumentar a Imunidade, 189
    Extrato Glicólico de Sabugueiro e Equinácea para Resfriados e Gripes, 186

H
hamamélis (*Hamamelis virginiana*), 195
hibisco, flores (*Hibiscus sabdariffa*), 195
    Chá de Longa Infusão para Infertilidade, 169
    Chá de Pilriteiro e Hibisco para o Coração, 90
    Chá de Vitamina C, 28
hortelã, folhas de, em Vinagre de Enxágue com Girassol, Folha de Violeta e Hortelã para Cabelo, 160
hortelã-pimenta (*Mentha piperita*), 195
    Bálsamo de Cacau e Hortelã para Calcanhar Rachado, 151
    Chá de Tomilho, Hortelã-pimenta e Mel para Tosse, 81
    Chá Quatro Mentas Quente ou Gelado, 112
    Chá Tônico para a Gravidez, 170
    Infusão de Vinagre com Ervas para Azia, 119
    Óleo com Lavanda e Hortelã-pimenta para Dores Musculares, 54
    Vaporização Facial Relaxante de Ervas, 139
    Vinagre de Enxágue com Girassol, Folha de Violeta e Hortelã para Cabelos, 160
hortelã-verde
    Chá de Tomilho, Hortelã-pimenta e Mel para Tosse, 81
    Chá Quatro Mentas Quente ou Gelado, 112

I
Infusão de *Aloe Vera* para Queimadura de Sol, 69
Infusão de Vinagre com Ervas para Azia, 119
Infusão de Vinagre para Aumentar a Imunidade (Quente ou Não), 43
infusões em álcool e em vinagre, 15
infusões em vinagre, 20
    Infusão de Vinagre com Ervas para Azia, 119
    Infusão de Vinagre para Aumentar a Imunidade (Quente ou Não), 43
    Vinagre de Enxágue com Girassol, Folha de Violeta e Hortelã para Cabelos, 160
infusões frias, 15, 17
infusões para o cabelo
    ervas e flores em, 160
    Óleo de Abeto e Urtiga para Barba, 164
    Óleo para Crosta Láctea, 178
    Shampoo Natural de Ervas, 159
    Tratamento com Alecrim e Tomilho para Descamação do Couro Cabeludo, 163
    Vinagre de Enxágue com Girassol, Folha de Violeta e Hortelã para Cabelo, 160

J
jardins de plantas medicinais, 12-3

L
laranja, casca de
    Bitter de Raízes de Dente-de-leão e de Bardana, 115

Chá de Vitamina C, 28
Chai de Raiz de Chicória Torrada, 111
Óleo de Abeto e Urtiga para Barba, 164
Xarope de Marroio-branco para Dor de Garganta, 78
lavanda, flores (*Lavendula* spp.), 195-96
    Bálsamo para Coceira e Dor de Picadas, 66
    Bálsamo para Dodóis, 182
    Bálsamo para Espinhas, 155
    Bálsamo para Mãos Secas, 148
    Banho de Imersão Rejuvenescedor com Flores, 136
    Manteiga Corporal Terapêutica Batida com Flores, 143
    Óleo com Lavanda e Hortelã-pimenta para Dores Musculares, 54
    Óleo de Massagem Calmante, 128
    Pomada com Ervas e Mel para Queimaduras, 65
    Vaporização Facial Relaxante de Ervas, 139
    Loção Calmante de Esparguta em Barra, 147
    Loção de Hamamélis e Folha de Amora-preta para Limpeza Facial, 156

M
maconha (*Cannabis sativa* subsp.), 196
mãe e filho
    Bálsamo para Dodóis, 182
    Chá Calmante para Crianças, 185
    Chá de Longa Infusão para Fertilidade, 169
    Chá para Lactação, 173
    Chá Tônico para a Gravidez, 170
    Extrato Glicólico de Calêndula e Frutos de Rosa para Aumentar a Imunidade, 189
    Extrato Glicólico de Sabugueiro e Equinácea para Resfriados e Gripes, 186
    Manteiga para Mamilos Doloridos, 174
    Óleo com Camomila e Calêndula para Bebês, 177
    Óleo para Crosta Láctea, 178
    Pomada para Assaduras de Bebês, 181
manjericão (*Ocimum basilicum*), 196
Manjericão santo (tulsi) (*Ocimum sanctum*), 196
    Chá para Alívio do Estresse, 127
Manteiga Corporal Terapêutica Batida com Flores, 143
manteiga de cacau, 20
manteiga de karité, 20
    Bálsamo de Camomila, Alteia e Baunilha para Lábios Ressecados, 152
    Bálsamo Labial de Erva-cidreira para Herpes, 98
    Bálsamo para Coceira e Dor de Picadas, 66
    Bálsamo para Dodóis, 182
    Bálsamo para Espinhas, 155
    Loção Calmante de Esparguta em Barra, 147
    Manteiga Corporal Terapêutica Batida com Flores, 143
    Manteiga para Mamilos Doloridos, 174
    Pomada de Arnica para Entorses e Contusões, 49
    Pomada para Assaduras de Bebês, 181
    Pomada para o Alívio de Eczema, 97
manteiga de manga, 20
    Bálsamo para Mãos Secas, 148
Manteiga para Mamilos Doloridos, 174
maracujá (*Passiflora incarnata*), 196
    Chá para Alívio do Estresse, 127

Vinho com Infusão de Flor de Maracujá, 135
marroio-branco (*Marrubium vulgare*), 196
matricária, flores/folhas (*Tanacetum parthenium*), 196
mel cru, 16
    Alho, Gengibre e Sálvia Fermentados no Mel, 35
    Cebola Roxa e Tomilho Fermentados no Mel, 36
    Chá Calmante para Crianças, 185
    Chá de Tomilho, Hortelã-pimenta e Mel para Tosse, 81
    Eletuário Prebiótico de Mel 104
    Infusão de Vinagre com Ervas para Azia, 119
    Infusão de Vinagre para Aumentar a Imunidade (Quente ou Não), 43
    Mel com Sabugueiro, Gengibre e Canela, 39
    Oximel de Ervas Culinárias Frescas, 40
    Pomada com Ervas e Mel para Queimaduras, 65
    Xarope de Agulha de Pinheiro para Tosse, 82
    Xarope de Decocção de Gengibre e Cúrcuma com Mel, 103
    Xarope de Marroio-branco para Dor de Garganta, 78
melissa *Veja* erva-cidreira
    Bálsamo Labial de Erva-cidreira para Herpes, 98
    Chá Calmante para Crianças, 185
    Chá para Alívio da Dor de Cabeça, 73
    Chá Quatro Mentas Quente ou Gelado, 112
    Óleo de Massagem Calmante, 128
    métodos para infusão em óleo, 17
mil-folhas (*Achillea milefolum*)
    benefícios e ações da, 196
    Chá para Baixar a Febre, 85

O

Óleo com Camomila e Calêndula para Bebês, 177
Óleo com Lavanda e Hortelã-pimenta para Dores Musculares, 54
Óleo de Abeto e Urtiga para Barba, 164
óleo de amêndoas doces, 19
    Bálsamo de Cacau e Hortelã para Calcanhar Rachado, 151
    Bálsamo de Camomila, Alteia e Baunilha para Lábios Ressecados, 152
    Bálsamo para Dodóis, 182
    Bálsamo para Espinhas, 155
    Bálsamo para Mãos Secas, 148
    Loção Calmante de Esparguta em Barra, 147
    Manteiga Corporal Terapêutica Batida com Flores, 143
    Óleo com Camomila e Calêndula para Bebês, 177
    Óleo com Lavanda e Hortelã-pimenta para Dores Musculares, 54
    Óleo de Abeto e Urtiga para Barba, 164
    Óleo de Massagem Calmante, 128
    Óleo para Crosta Láctea, 178
    Pomada Cicatrizante com Quatro Ervas, 62
    Pomada de Arnica para Entorses e Contusões, 49
    Pomada para Assaduras de Bebês, 181
    Pomada para o Alívio de Eczema, 97
óleo de amêndoas. *Ver* óleo de amêndoas doce
Óleo de Coco com Infusão de Maconha para Dores Corporais, 50
óleo de coco, 19
    Bálsamo de Cacau e Hortelã para Calcanhar Rachado, 151

Bálsamo de Camomila, Alteia e Baunilha para Lábios Ressecados, 152
Bálsamo Labial de Erva-cidreira para Herpes, 98
Bálsamo para Coceira e Dor de Picadas, 66
Bálsamo para Dodóis, 182
Bálsamo para Espinhas, 155
Loção Calmante de Esparguta em Barra, 147
Manteiga Corporal Terapêutica Batida com Flores, 143
Manteiga para Mamilos Doloridos, 174
Óleo com Lavanda e Hortelã-pimenta para Dores Musculares, 54
Óleo de Abeto e Urtiga para Barba, 164
Óleo de Coco Infuso de Maconha para Dores Corporais, 50
Óleo de Erva-de-são-joão e Pimenta-caiena para Aquecer, 53
Óleo de Massagem Calmante, 128
Óleo para Crosta Láctea, 178
Pomada Cicatrizante com Quatro Ervas, 62
Pomada com Ervas e Mel para Queimaduras, 65
Pomada de Arnica para Entorses e Contusões, 49
Pomada para Assaduras de Bebês, 181
Pomada para o Alívio de Eczema, 97
Tratamento com Alecrim e Tomilho para Descamação do Couro Cabeludo, 163
óleo de jojoba, 19
    Óleo de Abeto e Urtiga para Barba, 164
Óleo de Massagem Calmante, 128
óleo de rícino, 19
    Bálsamo de Cacau e Hortelã para Calcanhar Rachado, 151
    Bálsamo de Camomila, Alteia e Baunilha para Lábios Ressecados, 152
    Bálsamo Labial de Erva-cidreira para Herpes, 98
    Bálsamo para Mãos Secas, 148
    Manteiga Corporal Terapêutica Batida com Flores, 143
óleo de rosa-mosqueta, 19
    Chá de Vitamina C, 28
    Sérum Facial de Pétalas de Rosa e Rosa-mosqueta, 144
óleo de semente de damasco, 19
    Bálsamo para Espinhas, 155
    Bálsamo para Mãos Secas, 148
    Manteiga Corporal Terapêutica Batida com Flores, 143
    Pomada para o Alívio de Eczema, 97
Óleo de Verbasco para Dor de Ouvido, 86
óleo essencial de agulha de abeto, em Óleo de Abeto e Urtiga para Barba, 164
óleo essencial de alecrim, em Bálsamo para Espinhas, 155
óleo essencial de eucalipto, em Vaporização Facial Relaxante de Ervas, 139
óleo essencial de hortelã-pimenta
    Bálsamo de Cacau e Hortelã para Calcanhar Rachado, 151
    Óleo com Lavanda e Hortelã-pimenta para Dores Musculares, 54
óleo essencial de laranja doce, em Óleo de Abeto e Urtiga para Barba, 164
óleo essencial de lavanda
    Bálsamo Labial de Erva-cidreira para Herpes, 98
    Bálsamo para Mãos Secas, 148
    Manteiga Corporal Terapêutica Batida com Flores, 143

Ervas que Curam

Óleo com Lavanda e Hortelã-pimenta para Dores
    Musculares, 54
Óleo de Massagem Calmante, 128
óleo essencial de melaleuca (*tea tree*)
óleo essencial de *tea tree*. *Veja* óleo essencial de melaleuca
    Bálsamo para Espinhas, 155
    Tratamento com Alecrim e Tomilho para Descamação
        do Couro Cabeludo, 163
Óleo para Crosta Láctea, 178
óleos carreadores, 19
óleos de infusão, 21-2
    Bálsamo Labial de Erva-cidreira para Herpes, 98
    Óleo com Lavanda e Hortelã-pimenta para Dores
        Musculares, 54
    Óleo de Coco Infuso de Maconha para Dores
        Corporais, 50
    Óleo de Erva-de-são-joão e Pimenta-caiena para
        Aquecer, 53
    Óleo de Massagem Calmante, 128
    Óleo de Verbasco para Dor de Ouvido, 86
    Óleo Infuso de Orégano e Limão, 44
olmo-vermelho (*Ulmus fulva*), 196-97
    Xarope de Marroio-branco para Dor de Garganta, 78
orégano, ramos (*Origanum vulgare*), 196-97
    Chá de Manjericão, Tomilho e Orégano para Dor
        Crônica, 58
    Infusão de Vinagre para Aumentar a Imunidade
        (Quente ou Não), 43
    Óleo Infuso de Orégano e Limão, 44
Oximel de Ervas Culinárias Frescas, 40
oximel, 40

P

palha de aveia/aveia com casca (*Avena sativa*), 196
    Chá de Longa Infusão de Urtiga e Palha de Aveia para
        Vitalidade, 123
papoula-da-califórnia (*Eschscholzia californica*), 197
pele, infusões para a
    Bálsamo de Cacau e Hortelã para Calcanhar Rachado, 151
    Bálsamo para Dodóis, 182
    Bálsamo para Espinhas, 155
    Bálsamo para Mãos Secas, 148
    Loção Calmante de Esparguta em Barra, 147
    Loção de Hamamélis e Folha de Amora-preta para
        Limpeza Facial, 156
    Manteiga Corporal Terapêutica Batida com Flores, 143
    Óleo com Camomila e Calêndula para Bebês, 177
    Óleo para Crosta Láctea, 178
    Sérum Facial de Pétalas de Rosa e Rosa-mosqueta, 144
    Vaporização Facial Relaxante de Ervas, 139
pilriteiro, bagas (*Crataegus monogyna*), 197
pimenta-caiena (*Capsicum Anuum*), 197
    Óleo de Erva-de-são-joão e Pimenta-caiena para
        Aquecer, 53
pimenta-do-reino (*Piper nigrum*), 197
    Chai de Raiz de Chicória Torrada, 111
    Chá de Cúrcuma e Pimenta-do-reino para Inflamação
        Crônica, 61
pinheiro, agulhas (*Pinus* spp.), 197

Pomada Cicatrizante com Quatro Ervas, 62
    Chá para Alívio de Infecções Urinárias, 94
    Pomada Cicatrizante com Quatro Ervas, 62
Pomada com Ervas e Mel para Queimaduras, 65
Pomada de Arnica para Entorses e Contusões, 49
Pomada para Assaduras de Bebês, 181
Pomada para o Alívio de Eczema, 97
pomadas, 19-21
    Óleo de Erva-de-são-joão e Pimenta-caiena para
        Aquecer, 53
    Pomada Cicatrizante com Quatro Ervas, 62
    Pomada com Ervas e Mel para Queimaduras, 65
    Pomada de Arnica para Entorses e Contusões, 49
    Pomada para Assaduras de Bebês, 181
    Pomada para o Alívio de Eczema, 97
problemas digestivos
    Chá Digestivo de Alteia e Canela, 108
    Chá Pós-refeição de Funcho e Cardamomo para a
        Barriga, 107
    Chá Quatro Mentas Quente ou Gelado, 112
    Chai de Raiz de Chicória Torrada, 111
    Eletuário Prebiótico de Mel 104
    Infusão de Vinagre com Ervas para Azia, 119
    Xarope de Decocção de Gengibre e Cúrcuma com
        Mel, 103

R

regras para dosagens, 23
resfriados e gripes
    Extrato Glicólico de Calêndula e Fruto de Rosa para
        Aumentar a Imunidade, 189
    Extrato Glicólico de Sabugueiro e Equinácea para
        Resfriados e Gripes, 186
rosa (*Rosa* spp.), 197-98
    Banho de Imersão Rejuvenescedor com Flores, 136
    Chá para Superimunidade, 27
    Extrato Glicólico de Calêndula e Fruto de Rosa para
        Aumentar a Imunidade, 189
    Sérum Facial de Pétalas de Rosa e Rosa-mosqueta, 144

S

sabugueiro (*Sambucus nigra*), 197-98
salgueiro-branco, casca/ramos (*Salix alba*), 57, 198
salsaparrilha, raiz (*Smilax ornata*), 198
sálvia, folhas (*Salvia officinalis*), 198
    Alho, Gengibre e Sálvia Fermentados no Mel, 35
    Chá para Alívio do Estresse, 127
    Chá para Dor de Garganta de Sálvia, Alteia e Gengibre,
        77
    Shampoo Natural de Ervas, 159
secagem de ervas, 13
Sérum Facial de Pétalas de Rosa e Frutos de Rosa, 144
Shampoo Natural de Ervas, 159
sistema imune, 25
    Alho, Gengibre e Sálvia Fermentados no Mel, 35
    Cebola Roxa e Tomilho Fermentados no Mel, 36
    Chá de Manjericão, Tomilho e Orégano para Dor
        Crônica, 58
    Chá de Vitamina C, 28

Índice Remissivo

Chá para Superimunidade, 27
Extrato Glicólico de Calêndula e Fruto de Rosa para Aumentar a Imunidade, 189
Infusão de Vinagre para Aumentar a Imunidade (Quente ou Não), 43
Mel com Sabugueiro, Gengibre e Canela, 39
Óleo Infuso de Orégano e Limão, 44
Oximel de Ervas Culinárias Frescas, 40
Tintura de Raiz e Flor de Equinácea, 32
Tintura de Sabugueiro e Astrágalo, 31
Xarope de Decocção de Gengibre e Cúrcuma com Mel, 103

T

tanchagem, folha (*Plantago major*), 197
   Bálsamo para Comichão e Dor de Picadas, 66
   Pomada Cicatrizante com Quatro Ervas, 62
   Pomada para Assaduras de Bebês, 181
   Pomada para o Alívio de Eczema, 97
Tintura de Artemísia para Prevenção de Enxaqueca, 74
Tintura de Papoula-da-Califórnia para Relaxamento, 132
Tintura de Sabugueiro e Astrágalo, 31
   Chá para Baixar a Febre, 85
   Chá para Superimunidade, 27
   Extrato Glicólico de Sabugueiro e Equinácea para Resfriados e Gripes, 186
   Manteiga Corporal Terapêutica Batida com Flores, 143
   Mel com Sabugueiro, Gengibre e Canela, 39
tinturas, 15, 21, 22
   Tintura de Matricária para Prevenção de Enxaqueca, 74
   Tintura de Erva-de-são-joão para Levantar o Astral, 131
   Tintura de Papoula-da-califórnia para Relaxamento, 132
   Tintura de Raiz e Flor de Equinácea, 32
   Tintura de Sabugueiro e Astrágalo, 31
   Tintura de Uísque com Cravo para Dor de Dente, 89
tomilho, ramos (*Thymus vulgaris*), 199
   Cebola Roxa e Tomilho Fermentados no Mel, 36
   Chá de Manjericão, Tomilho e Orégano para Dor Crônica, 58
   Chá de Tomilho, Hortelã-pimenta e Mel para Tosse, 81
   Infusão de Vinagre para Aumentar a Imunidade (Quente ou Não), 43
   Shampoo Natural de Ervas, 159
   Tratamento com Alecrim e Tomilho para Descamação do Couro Cabeludo, 163
Tônico para o Fígado, 93
Tosse
   Chá de Tomilho, Hortelã-pimenta e Mel para Tosse, 81
   Xarope de Agulha de Pinheiro para Tosse, 82
trevo-vermelho, flores (*Trifolium pratense*), 198
   Chá de Longa Infusão para Fertilidade, 169
tulsi (*Ocimum sanctum*), 195
   Chá para Alívio do Estresse, 127

U

uísque, na Tintura de Uísque com Cravo para Dor de Dente, 89
urtiga (*Urtica dioica*), 198
   Chá de Longa Infusão de Urtiga e Palha de Aveia para Vitalidade, 123
   Chá de Longa Infusão para Fertilidade, 169
   Óleo de Abeto e Urtiga para Barba, 164
   Óleo para Crosta Láctea, 178
   Tônico para o Fígado, 93
uva-ursi (*Arctostaphylos uva-ursi*), 199
   Chá para Alívio de Infecções Urinárias, 94

V

valeriana, raiz (*Valeriana officinalis*), 199
   Chá Durma Bem, 124
Vaporização Facial Relaxante de Ervas, 139
verbasco, flores (*Verbascum thapsus*), 199
Vinagre de Enxágue com Girassol, Folha de Violeta e Hortelã para Cabelos, 160
vinagre de maçã
   Infusão de Vinagre com Ervas para Azia, 119
   Infusão de Vinagre para Aumentar a Imunidade (Quente ou Não), 43
   Oximel de Ervas Culinárias Frescas, 40
   Pomada com Ervas e Mel para Queimaduras, 65
   Vinagre de Enxágue com Girassol, Folha de Violeta e Hortelã para Cabelos, 160
vinho branco, em Vinho com Infusão de Flor de Maracujá, 135
Vinho com Infusão de Flor de Maracujá, 135
vinho de infusão, 135
violeta, folhas (*Viola* spp.), 199
   Bálsamo para Mãos Secas, 148
   Óleo para Crosta Láctea, 178
   Vinagre de Enxágue com Girassol, Folha de Violeta e Hortelã para Cabelos, 160
vodca. *Veja* bebidas alcoólicas

X

Xarope de Agulha de Pinheiro para Tosse, 82
Xarope de Decocção de Gengibre e Cúrcuma com Mel, 103
Xarope de Marroio-branco para Dor de Garganta, 78
xaropes medicinais, 15, 21, 22
Xarope de Agulha de Pinheiro para Tosse, 82
Xarope de Decocção de Gengibre e Cúrcuma com Mel, 103
Xarope de Marroio-branco para Dor de Garganta, 78

Z

zimbro, bagas (*Juniperus communis*), 199
zimbro. *Veja* junípero, bagas.
   Chá para Alívio de Infecções Urinárias, 94